日本経済の罠

なぜ日本は長期低迷を抜け出せないのか

小林慶一郎
Kobayashi Keiichiro
加藤創太
Kato Sota

日本経済新聞社

九〇年代の日本経済に一体何が起こったのか？
日本経済再生のためには何をしなければならないのか？

序　文

本書の趣旨

九〇年代は日本経済にとって「失われた十年」だったと言われる。

この間、企業は経営判断を巡って、また政府は経済政策を巡って試行錯誤を繰り返した。しかし、二一世紀を迎えた今になっても、政府や企業は、依然として踏み出すべき明確な途を見出していない。

九〇年代の日本経済に一体何が起こったのか？

日本経済再生のためには何をしなければならないのか？

これらの問いこそが本書のスタート地点であり、本書中の理論的分析、規範的提言は、これらの問いに答えるためになされる。


細かな理論的内容については本文に譲るが、より抽象化したレベルにおいては、九〇年代が日本経済にとって「失われた十年」になった根元的理由は、次のように要約できるだろう。すなわち、九〇年代が「失われた」のは、日本の政府、銀行、企業、研究機関などが、経済環境の激変に対し、構造的・思考的に対応しきれなかったからだ、と。各機関の構成員は、従来から存在する組織のラインに囚われ、各自の持ち場の間の壁や仕切りを超えて経済全体のグランド・デザインを描くことができなかった。そして、この時期激変した経済環境と、政策当局者やエコノミストなどの思考枠組みや、政府や企業などの組織との間には、大きなギャップが拡がった。

例えば、ここ数年の経済政策論争は、「需要サイド論 対 供給サイド論」、あるいは「ケインズ政策論者 対 構造改革論者」という単純な二元論的図式に還元され、両者のギャップを埋めようとする努力はほとんどなされなかった。

また、九〇年代を通じ、経済政策に関する専門家と一般消費者(有権者)、あるいは専門家間のコミュニケーション・ギャップが顕在化した。――バブル崩壊後、有権者の経済政策に対する関心は一気に高まった。その反面、経済学者による真摯な先端的分析や、経済政策を実施する際の理論的根拠は、国民に対し説明責任を負う政策当局者の怠慢などにより、有権者に十分にコミュニケートされなかった。専門用語や理論の難解さが、経済専門家と有権者との間の壁になったからである。代わりに、口当たりは良いものの、理論的・実証的には疑義の残る分析・評論が幅広く流布した。その結果、有権者の政治・行政不信が高まり、住専への公的資金投入の際の政治混乱に代表されるように無益な時間が費消され、政策的対応は後手に回った。

他方、この時期を通じ、既存の制度・組織は激変する経済状況に対応できず、制度・組織と経済状況との間に生じたギャップは、必要とされる抜本的対策の立案・実施を阻んだ。

第一のギャップの解消――不毛な二元論からの脱却

冒頭の問いに対するわれわれの答えは、したがって、これらのギャップを埋めることを目指す。例えば、本書中においてわれわれは、「需要サイド論」と「供給サイド論」の二元論のギャップを埋め、両者を「つなぐ」ような政策案を「第三の道」として提示する。

今まで、需要サイド論者の多くは、短期的な対症療法であるはずのケインズ政策が、なぜ一〇年もの間、日本経済を低迷から脱出させることができなかったか、という点に対して十分な答えを提示してこなかった。一方、供給サイド論者は、規制緩和やリストラなどの供給サイド改革が、なぜ需要サイドの拡張をもたらしうるのか、という肝要な点についてほとんど何も説明してこなかった。

われわれが、日本経済低迷の最大要因と考える「バランスシートの罠」は、この需要サイド論と供給サイド論とをつなぐことによって、初めて浮かび上がる。つまり、供給サイドに構造的に仕掛けられた「バランスシートの罠」を取り除くことによって、需要サイドの持続的拡張が可能になると考えるのである。そういう意味で、本書の分析は、従来の「需要サイド論 対 供給サイド論」という不毛な二元論のギャップを埋めるものであり、かつ、マクロ経済学、ミクロ経済学、そして経営学の各領域を跨（また）ぐものでもある。

第二のギャップの解消――平易な説明によるコミュニケーション・ギャップの除去

また、本書が特にこだわったのは、右に述べたコミュニケーション・ギャップの解消と、それを通じた説明責任（アカウンタビリティ）の履行である。

言うまでもなく日本は民主主義国家である。したがって、政府は経済政策を実施するに当たり、国民に対して説明責任を負う。しかし、だからといって、表面的にわかりやすく、口当たりの良い政策ばかりを選択することは許されない。最新の経済理論を含め、あらゆる可能なオプションを吟味した上で、その中身を経済学になじみのない者にもわかるような平易な言葉・論理で国民に対し説明するのが、民主主義国家における経済政策のあるべき姿である。

本書中で示される各種の理論や提案の多くは、経済学などにおける最先端の研究成果をベースにしている。しかし、本書ではその内容を、一般読者でも一読してわかるように、かみ砕いて説明した。読み進めるに当たって必要となる周辺知識は、コラムの形でコンパクトにまとめた。各章の趣旨や論理を明確化するため、各章には、その章における中心的な〈問〉とその〈解題（まとめ）〉とをコンパクトに提示した。したがって一般読者は、本書を通読することにより、現在の日本経済が抱える問題点を体系的に理解すると同時に、その問題点を理解する上で必要となる経済学的な基礎知識も習得できるはずである。

第三のギャップの解消――制度的・組織的制約からの解放

最後に、本書は、われわれが現在所属する経済産業省、あるいは日本政府とは一切無関係な個人的立場で書かれている。

現実の経済政策の実務においては、われわれは半ば日常的に、制度・組織の壁と、それが現実経済との間に生み出すギャップに悩まされてきた。そうした壁やギャップの存在ゆえ、政策的な妥協を迫られたことも数多い。本書を発表するに当たり、われわれは、そのような制度的・組織的制約は一切無視して、必要な経済政策の全体像を議論することを目指した。そして、客観的な分析に基づき、日本経済にとって現在最も必要だと考えられる処方箋を提示してある。したがって、本書の内容についての責任は、言うまでもなく、われわれ著者個人が全て負う。

本書の読み方

右でも述べたように、本書は、経済学についての知識を有さない一般読者でも簡単に読み進められるように工夫してある。

まず、各章の冒頭には、その章において分析の対象となる〈問〉を掲げた。それらの〈問〉に対応する答えは、〈解題〉として各節末にまとめた。時間のない読者は、各章の〈問〉とその〈解題〉を読むだけで、現在の日本経済の問題点と、その理論的背景について大まかな理解を得ることができるだろう。また、最初に各章の〈問〉と〈解題（まとめ）〉だけ読み、興味を持った部分（章）についてのみ本文を熟読する、という読み方も可能である。

本文を読み進めるに当たって必要となる経済学・経営学的知識は、なるべく本文中でかみ砕いて説明するようにした。そこで漏れたものについては、コラムの形で簡潔にまとめてある。さらに、経済学の専門家のためには、本書中で述べられる理論の数理的説明を、附録の形で巻末に収めている。

類書に比べ本書を「分厚い」と感じる向きもあるかもしれない。しかし、これは本書一冊で、現在の日本経済の問題点だけでなく、その解明のため必要となる経済学・経営学的な基礎知識を、一般読者でも無理なく習得できるよう工夫したことによるものが大きい。

各章の構成

本書の構成は以下のようになっている。

まず第1章では、「失われた十年」において日本経済が実体的・指標的にどのような動きを示したかを簡単に復習する。また、その時期発動された経済政策とその理論的根拠も概観する。

第2章においては、経済政策について通説的に理解されている根拠や効果について掘り下げた分析を行い、それら通説的見解の誤解を正す。特にこの章で注目するのは、マクロ経済学的な総需要管理政策とミクロ経済学的な構造改革論という二つの政策思想それぞれの理論的な長短と、その両者間の関係である。

第3章と第4章においては、理論的・実証的分析が行われる。

まず第3章では、バブル崩壊後に日本経済が需要収縮に陥ったメカニズムを概観する。ここで中心的課題となるのは、従来ミクロ経済学的な問題とされてきた不良債権問題が、どのようにしてマクロ経済学的な需要収縮を引き起こすか、というメカニズムの解明である。

さらに第4章では、バブル崩壊後の経済低迷からの回復が、なぜこれほど遅れているのか、なぜケインズ的景気刺激策が持続的効果を発揮しないのか、という点に分析の焦点は絞られる。より具体的には、「不良債権処理」の「先送り」を通じ、日本経済が「バランスシートの罠」に陥っていることが理論的に示される。また、この「バランスシートの罠」に陥った日本経済において、産業組織構造の劣化や萎縮(ディスオーガニゼーション)が起こっていることが、理論的・実証的に示される。

第5章以降は政策提言と将来予測に当てられる。

まず第5章では、前章までの分析に基づき、日本経済を「バランスシートの罠」から抜け出させ、持続的回復を実現するため必要となる処方箋を提示する。

第6章では、日本経済の将来について、四つのシナリオが提示される。そこでは、政府が採りうる経済戦略を列記し、それぞれに内在するリスクと、それぞれによって帰結されうる結果について大胆な予測を行う。

第7章では、それまでの議論の簡単なまとめを兼ね、今後のあるべき経済理念・制度の姿について述べる。

すでに述べたように、本書はなるべく各章毎に独立して読み進められるよう工夫されている。ただ、後半の章を先に読みたいと思う読者は、前半の章の〈問〉と〈解題〉だけを読んでおくと、書中における理論的・実証的分析と規範的提言についての理解がより深まるだろう。

日本経済の罠＊目次

第7章 新たな経済理念・制度の構築に向けて
――既成概念、既成制度・組織の打破

本書で解かれる〈問〉

第1章の問

A 「失われた十年」の間、日本経済はどのような動きを示したか。また経済不振に陥った原因は何が考えられるか。

B 九〇年代を通じ、政府は不況対策のため、どのような政策を講じたか。その理論的根拠は何か。

第2章の問

C ❶マクロ経済学の立場によるケインズ的総需要管理政策の理論的背景、目的はどのようなものか。政策当局がこの政策に依拠し続けたのはなぜか？

❷九〇年代を通じて実施されたケインズ的経済政策によって、日本が低迷から脱せなかったのはなぜか。

D ❶九〇年代を通じた構造改革論の類型と、それらの理論的背景、目的は何か。

❷構造改革論は、景気低迷打開に有効か。その理論的根拠は存在するか。

❸供給サイド改革の真の意義は何か。

E ケインズ的総需要管理政策と構造改革論の目指す目標の違いは何か。その二つが両立する必

要条件とは何か。

第3章の問

F ❶不良債権問題は、ミクロ経済学的には、どのような影響を経済に与えていると理解されるか。

❷ミクロ経済学的な理解を前提とすれば、不良債権問題には、どのような政策的対処が必要と考えられるか。

G ❶資産価格の変動や不良債権問題は、「情報の非対称性」や、そこから生じる「プリンシパル・エージェント問題」を通じて、マクロ経済にどのような影響を与えるか。

❷マクロ経済学的な理解を前提とすれば、資産価格の変動や不良債権には、どのような政策的対処が必要と考えられるか。

第4章の問

H バブル崩壊後、日本経済は従来の理論で説明できないほどの長期低迷に陥ったのはなぜか。従来の理論が想定してきた状況と、どこがどう違うのか。

I 不良債権処理は「先送り」され続けた。これは、どのようなメカニズムを通じ、どのような影響を経済に与えたのか。

J 旧ソ連諸国で起こった「経済のディスオーガニゼーション（組織破壊）」とは、どのような現象か。バブル崩壊後の日本との共通性は何か。

K バブル崩壊後、日本経済の成長トレンドが急低下した原因は何か。最新の経済成長論の立場から、どのような理論的・実証的解釈が導けるか。

L 不良債権問題の「先送り」によって生じる、その他の弊害とは何か。

第5章の問

M 金融機関の不良債権処理(＝企業の過剰債務処理)を加速させるために、今後、どのような政策対応が必要か。不良債権処理による景気悪化を防止する政策は何か。

N 市場メカニズムによる不良債権処理を、円滑に進ませるために必要な手当とは。

O 不良債権処理を遅らせてきた各種要因を除去する具体的処方箋には、どのようなものがあるか。

第6章の問

日本経済が陥っている「バランスシートの罠」から脱出するためには、政府は今後どのような戦略を採りうるか。

装幀　間村俊一

第1章

バブル崩壊と失われた十年

第1章の問

A

九〇年代は日本経済にとって「失われた十年」だったと言われるが、その一〇年間、日本経済は実体的・指標的にどのような動きを示してきたのか。また、経済不振に陥った原因としてはどのようなものが考えられるか。

B

九〇年代を通じ、政府は不況対策のため、どのような経済政策を講じてきたのか。その理論的根拠は何か。

八〇年代後半の日本は楽観に支配されていた。

製造業を中心とした日本企業は国内外の市場において圧倒的な競争力を見せつけていた。終身雇用システムや株式の持ち合い制などを包括的に総称した「日本型経済・経営システム」は、世界各国が模倣すべきものとして内外で喧伝された。日本の経営者たちは世界各地で自らの経営哲学を開陳し、政府は日本企業の一人勝ちを戒め、国際貢献の必要性を説いた。

繁栄の背景となった地価や株価の異常な高騰も、例えば、東京がやがて世界の金融センターとしてニューヨークやロンドンを凌駕するといった楽観的な観測によって正当化された。

この時代、ハーバード大学のエズラ・ボーゲルが七〇年代終わりに唱えた「ジャパン・アズ・ナンバーワン」説は、日本のみならず世界各国に広がり、多くの人々によって共有されていたのである。後に「日本型経済・経営システム」を厳しく糾弾することになるエコノミストやジャーナリストもその例外ではなかった。

ところが――。九〇年代に入ると、まず株価や地価が下がり始め、九二年に入る頃には経済の沈滞は顕著となる。八〇年代後半の日本経済の好調はバブルだった、と言われるようになったのもちょうどその頃のことだ。それでも当初は、日本経済はすぐに不況から抜け出せると考えられていた。しかし状況はなかなか好転せず、九五〜九六年にかけて一時的に経済成長率は回復したものの、九七年の金融危機を契機に成長率はマイナスへと落ち込むまでになった。九九年以降、経済は再び好転の兆しを微かに見せてはいるが、政府、企業、家計のいずれも、いまだ力強い回復過程への明確な道程を描けずにいる。

こうした日本経済の趨勢を指し、九〇年代は日本経済にとって「失われた十年」だったと言われる。

本書は、この「失われた十年」の要因を分析し、そこから日本経済が完全に脱出するための方策を提示しようとするものである。その前段階として、本章（および次章の一部）では、この「失われた十年」というものがいったいどのようなものであり、またそこから抜け出すために、政府はどのような経済政策を講じてきたか、を整理する。

以下、1節ではまず、八〇年代後半から現在に至るまでの実体経済の動向を各種指標を交えることにより概観する。さらに2節においては、政府がこの時期どのような経済政策を講じてきたかを整理し、その背後にあったと思われる考え方を探る。

1節　日本経済の体質変化——低成長と脆弱性（問A解題）

A

九〇年代は日本経済にとって「失われた十年」だったと言われるが、その一〇年間、日本経済は実体的・指標的にどのような動きを示してきたのか。また、経済不振に陥った原因としてはどのようなものが考えられるか。

1　経済低迷の遠因——八〇年代の日本経済

八〇年代後半にバブルがなぜ発生しなぜ崩壊したかについては、すでに優れた先行研究が数多く存在することもあり、本書においては深くは踏み込まない。ここでは、次章以下の議論に関連する限りにおいて、バブル発生および崩壊のメカニズムについての通説的な考え方と、それらに対するわれわれの見解のみを簡略に紹介する。

「両建て取引」の拡がり

企業や家計といったミクロレベルにおいて、バブルが発生した要因としてよく挙げられるのが、八〇年代末における「両建て取引」（コラム1—①参照）の急増である。

八〇年代後半、土地の値上がり期待を背景に、企業や家計が土地を担保として銀行融資を受け、新たに土地を買い増すという取引形態が急激に広まった。そうやって買い増された土地にも担保をかけることで銀行融資を受け、さらに新たな土地が買い増された。こうして、

土地Aの購入→土地Aの担保による融資→土地Bの購入→土地Bの担保による融資→土地Cの購入→……。

という連鎖が何重にもわたって続くという状況が常態化した。

具体例を挙げて言えば、ある企業が三億円で土地Aを買い、その土地を担保に三億円の融資を受けて新たな土地Bを買い増し、その新たな土地Bを担保に三億円の融資を受けてさらに新たな土地Cを買い増す……という具合である。

通常このような連鎖は、土地に対する担保評価額がその土地の購入額のせいぜい七割程度に留まるため、いずれは途絶えることとなる。右記の例で言えば、もし担保額が購入額の七割ならば、三億円の土地Aを担保に融資を受けられるのはその七割の二億一〇〇〇万円である。さらに、二億一〇〇〇万円の土地Bを担保に融資を受けられるのはその七割の一億四七〇〇万円ということとなり、いずれ土地を担保にした融資額はゼロへと収斂する。しかし地価が高騰し続けたバブル期において、銀行などの金融機関は「地価の下落」というリスクに目を瞑(つぶ)り、土地の値上がりを前提に、購入した土地を担保に購入額の一〇割あるいはそれ以上の融資をすることも珍しくなかったという。その結果、企業や家計のバランスシート上で、資産と負債の両方が水膨れする「両建て取引」が一気に広まった。こうした八〇年代末の日本経済における「両建て取引」の急増は、統計的にも実証されている（小川・北坂［1998］）。

このような「両建て取引」の横行を許す直接の原因となったのが、日本式の土地価額算定法である。

図1-③　両建取引による土地の購入

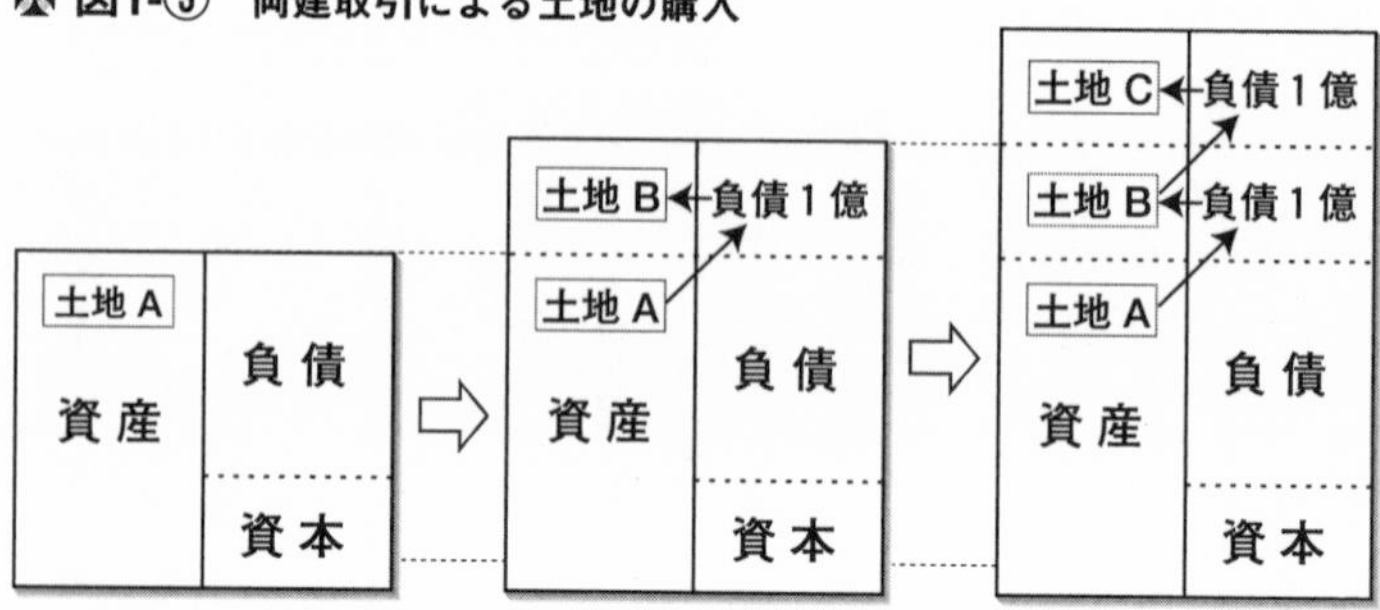

さらに本文中でも触れたように、銀行などが、土地の値上がりを見込んで、土地購入額の10割以上で担保評価額を設定する場合、企業は理論上永遠に負債と資産双方を増やしていくことが可能となり、それにつれ、企業のバランスシートも無制限に膨張することになる。以上述べたような「両建て取引」は、80年代後半には個人にも拡がったため、この時期家計のバランスシートも急速に膨張した。

コラム1-① バランスシートと「両建て取引」

企業のバランスシート（貸借対照表）は、資産、負債、資本の三大項目によって構成される。より具体的には、図1－①に示されているように、左方に資産を列記し、右方にその資産を支える負債と資本とが記帳される。したがって、左方の資産の総額と、右方の負債及び資本の総額とは必ず一致（バランス）しなければならない。

図1-①　バランスシートの基本構成

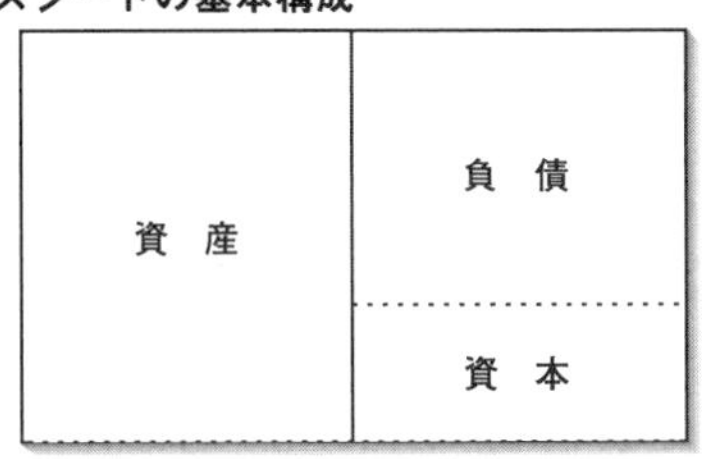

例えば企業が内部に留保された現金1億円で土地Aを購入した場合、バランスシート上は、左方の資産項目のうち現金1億円が差し引かれ、代わりに、資産項目に新たに土地A（資産額1億円）が追加される（図1－②参照）。この場合、バランスシート上の資産総額は変化せず、バランスシートは膨張しない。次に、仮にその企業が、土地Aを担保に1億円借入れ、土地Bを1億円で購入したとする。その場合、右方の負債項目に1億円が加えられ、左方の資産項目に新たに土地B（資産額1億円）が追加される（図1－③参照）。これがいわゆる「両建て取引」と言われるもので、このような取引の結果、左方の資産項目と右方の負債項目が1億円ずつ拡大することにより、企業のバランスシートは膨張する。

図1-②　内部保留による土地の購入

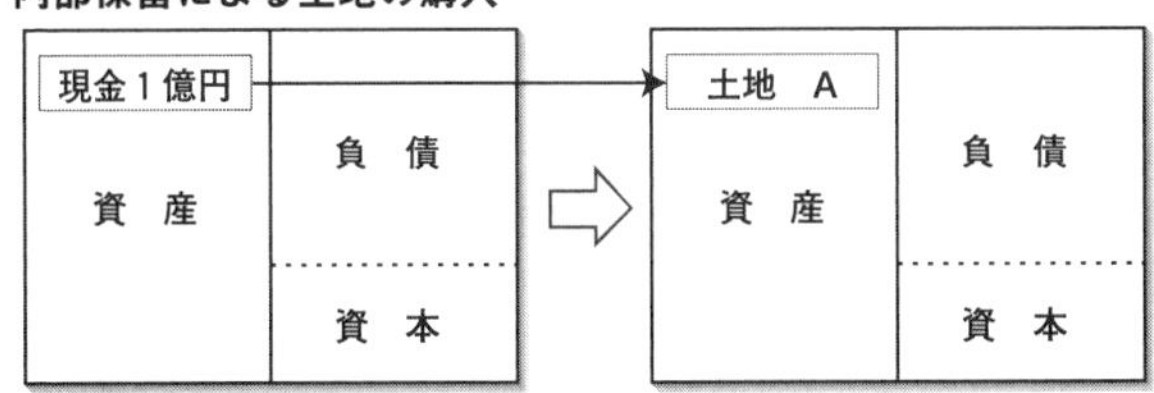

欧米などにおいては、土地の価額は土地の収益率に応じて定められるべきものとされる。すなわち、ある土地から(賃貸等によって)生み出されるキャッシュフローの現在価値の総和(Net Present Value)が、その土地の理論上の適正価格とされる。これに対し、「土地神話」が長期にわたり存在した日本では、土地からの収益よりも、土地のキャピタルゲイン(土地自体の値上がり益)に対する期待の方が高かった。そのため、日本では、土地の価額は、その土地の収益率ではなく、周辺の土地の取引価格を基に算定されてきた。

こうしたキャピタルゲインへの過剰な期待は、八〇年代後半以降の金融緩和に伴う資本の過剰集積により、資本の生産性と土地の生産性とのギャップが広がるにつれ、一層高まっていった。しかし、このような土地の値上がりを前提とした日本式の価額算定は、「土地神話」がいったん崩れると合理的根拠を失う。つまり、日本式の土地価額算定法は、「地価の下落」というリスクに対し全く無防備なものであったのである。

こうして、過度に「土地神話」に依拠した土地価額算定法とともに「両建て取引」が急速に拡大し、それとともに企業や家計のバランスシートは膨張した。次章以降で詳述するように、このことが、バブル発生および崩壊の要因の一つであり、また、バブル崩壊後に日本経済が陥った長期的不況の遠因になっている。

銀行部門へのリスク集中

いわゆる「日本型企業システム」の特色の一つとして挙げられるのは、企業が資金調達する際の間接金融への依存度の突出である。例えば九八年において、日本企業の銀行借入れの対GDP(国内総生産)

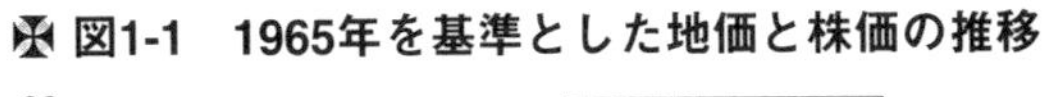

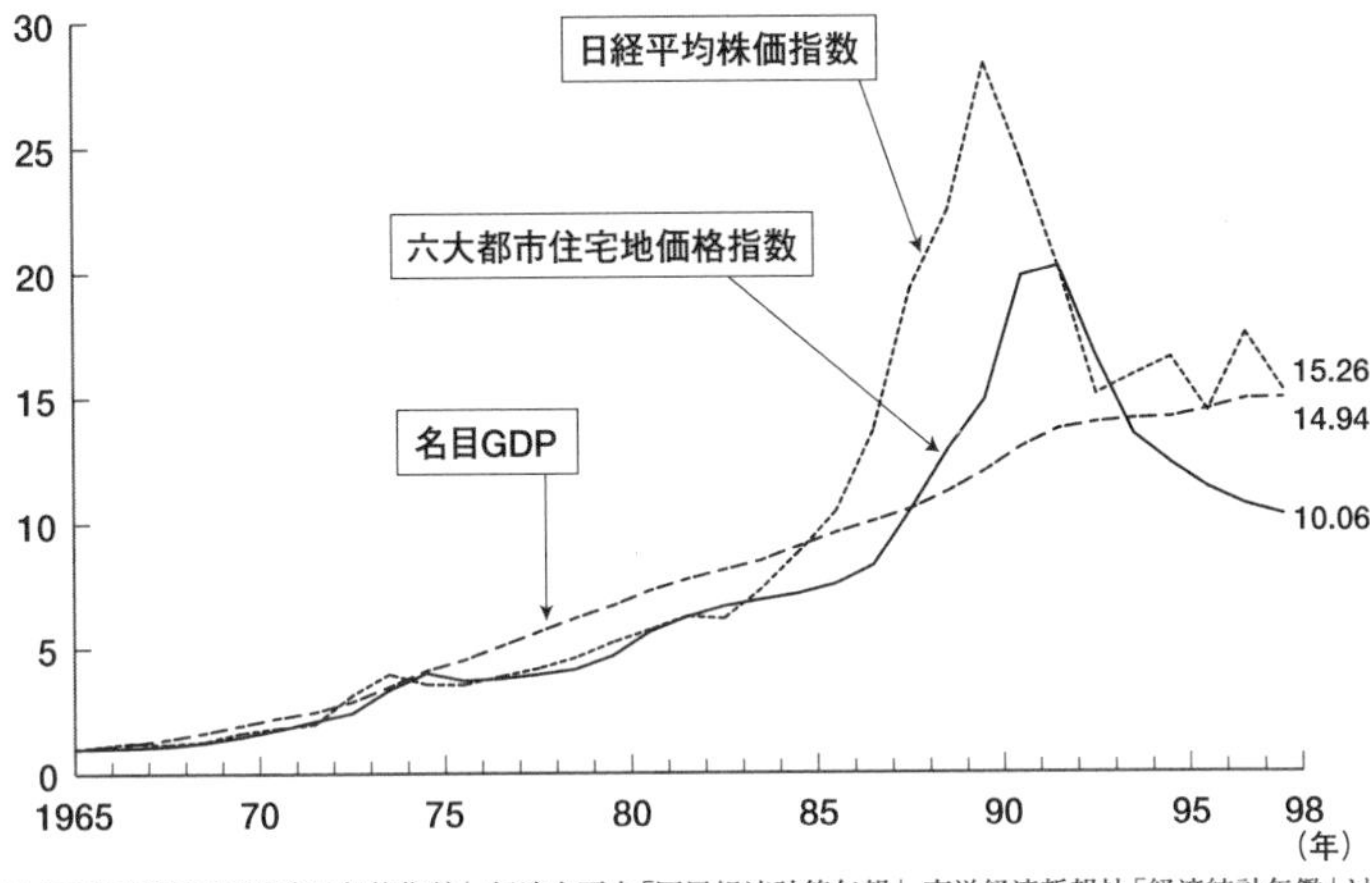

日本不動産研究所「市街地価格指数」、経済企画庁「国民経済計算年報」、東洋経済新報社「経済統計年鑑」より作成。

比率（非金融企業の資金調達額を名目GDPで割ったもの）は一一〇％なのに対し、アメリカでは一五％に過ぎない。このような間接金融への過度の依存状況が生じた一因としては、銀行保護のため、企業の社債発行要件が厳格に規制されていたことが挙げられる。この結果、日本においては社債を取り引きする資本市場（直接金融市場）などは発達せず、銀行が金融の仲介機能を一手に引き受けることとなった。

こうした状況をリスクの観点から見れば、信用リスクの銀行部門への集中と言えよう。それでも高度経済成長期においては、経済が急速に拡張していったため、リスクは経済成長に吸収されていった。それが七〇年代後半以降、安定成長の時代へと移るとともに、経済システム全体のリスク吸収力は著しく減退した。そのような状況に対応するためには、信用リスクを分散する仕組みが早急に作られるべきだった。だが、政府の規制などによって資本市場の発達は遅れ、金融システム改革は遅々として進まなかった。

一方、信用リスクが集中した銀行などの金融機関は、自らの内部でリスク分散のシステムを構築することを怠った。代わりに彼らは、安定成長期になっても依然として健在だった「土地神話」にいっそう依存し、土地のキャピタルゲインでリスクをカバーする融資行動を常態化させていった。

こうして、銀行部門に過度に集中した信用リスクは、前述した「両建て取引」に代表されるような銀行の融資行動を通じ、「土地神話」によって支えられた土地あるいは地価へと転嫁されていったのである。このため、図1―1に示されるような地価の下落は、日本経済とその信用システムの根幹を揺るがすものであり、その影響は、現在に至るまで続くこととなる。

国際資本市場

七〇年代半ばに為替相場が変動制へと移行し、並行的に国際資本取引の自由化が進むにつれ、大量の投資資金が国境を越えて移動するようになった。こうした資金移動は国際資本市場を不安定化させ、まず七〇年代には、ドルの下落を背景に中南米諸国などでバブルを発生させた。このバブルは、八〇年代に入ってドルが急上昇するとともに崩壊し、いわゆる累積債務危機を発生させた。こうした国際資本市場の不安定化は、八〇年代の西欧・北欧諸国・アメリカ、さらに、九〇年代のアジア諸国・ロシア東欧諸国などにおいて、バブル的信用膨脹が次々と発生し崩壊していったことの一因として挙げられる。

八〇年代後半の日本のバブルと、国際資本市場との関係は必ずしも一義的に解釈されうるものではない。特に日本の場合、途上国の例とは異なり、外資の激しい出入りは起こらなかった。ただ、八五年のプラザ合意以降続いた円高基調に対応するため日銀が金融緩和し、その結果国内金利が下落し、それが土地や株式など資産価格高騰の一因となったことは否定できないであろう。

このように、七〇年代以降不安定化した国際資本市場は、日本を含めた世界各地において「バブルの発生と崩壊」を引き起こした。しかし、これらの例の中で日本が突出しているのは、バブルが発生したことや崩壊したことではなく、そこからの立ち直りの遅さである。特にアメリカや北欧諸国などの先進諸国に比べ、日本の回復基調は異常なほどに遅い。

金融政策

バブルの発生と崩壊の要因として通説的に挙げられるのが、八〇年代後半から九〇年代前半にかけての金融政策である。特にバブル崩壊の主因として、九〇年の金融引き締め策を指摘する向きは多い。こうした金融政策主犯説の根拠として挙げられるのは、マネーサプライ（M_2＋ＣＤ）の急速な縮小である（マネーサプライに関連する各種指標の説明についてはコラム１―②参照）。実際、八七年以降毎年一〇％以上の伸びを示していたM_2＋ＣＤは、九一年には二・六％、九二年には〇・一％まで急減している。このため、日銀がベースマネー（現金＋中央銀行預かり金）を増やしていれば、信用乗数を通じてマネーサプライ（M_2＋ＣＤ）が拡大し、日本経済は復活していた、という議論が存在する。さらにこの議論を延長すれば、マネーサプライの拡大によって、現在の経済低迷状況からも脱出できるということになる。

果たしてそうだろうか？　後ほど詳述するが、われわれは九一年以降のマネーサプライの低迷は、日銀によるベースマネーの供給が不十分であったからではなく、むしろ金融システムなどに内在する構造問題が引き起こした結果だとみる。すなわち、マネーサプライの不足が、バブルを崩壊させたり、現在

コラム1－② マネーサプライ

日本銀行が発行する日本銀行券（現金通貨）と、民間銀行が日本銀行に預けることが法律で義務づけられている「準備預金」とを合わせてベースマネーまたはハイ・パワード・マネーという。日本銀行から民間金融機関に供給された日本銀行券のうち、一部が準備預金として日本銀行に還流し、一部が非金融部門に貸し付けられる。貸し付けられたカネは、非金融部門での取引に使われて、最終的に誰かしらの銀行預金として銀行に戻ってくる。その預金はすぐに引き出される訳ではないから、銀行は、預金の一部を引き出し準備として残しておいて、残金をさらに別の誰かに貸し付けることができる。その貸付は別の誰かしらの預金として再び銀行部門に還流するので、銀行はその一部を貸出に回すことができる。こうして、銀行貸出を通じて民間非金融部門が保有する銀行預金の量は膨張する。銀行預金は、決済の手段として使われると言う意味で、「マネー」の一種である。ベースマネーと、すぐに引き出せる当座預金等を合計したものを「マネー」と見て、それを計測するのがM_1という指標である。定期性預金も「マネー」の一種だと考えて、M_1に定期性預金を加えたものをM_2という。さらに、5000万円以上を一口とする譲渡性預金（CD）も、決済手段として用いられるため、「マネー」の一種と考えられる。一般的に「マネーサプライ」という際の「マネー」は、M_2＋CDのことを指す。

以上より明らかなとおり、ベースマネーが銀行の金融仲介機能を通じて膨張したものがM_2＋CDであり、その膨張率を「信用乗数」とよぶ。すなわち、「ベースマネー」×「信用乗数」＝「M_2＋CD」というわけだ。ここで確認しておかなければならないのは、日銀の金融政策で直接コントロールできるのは、上の式のなかで「ベースマネー」の供給量だけだ、ということである。したがって、金融システムが弱って信用乗数が小さくなるような場合、日銀がベースマネーをいくら増やしても、マネーサプライ（M_2＋CD）が増えない。90年代を通じて、ベースマネーの増加率は高かった。つまり、マネーサプライが低迷した原因は、日本銀行が十分なベースマネーを供給しなかったからではなく、銀行部門に構造問題があって、信用乗数が伸びなかったからだ、とわれわれは考えている。もちろん、「ベースマネーがもっと増えていたら、マネーサプライも増えていた」という乱暴な議論もできるかもしれない。しかし、銀行部門の構造問題を抱えたままマネーサプライを増やして、どのような意味があるのだろうか。

に至る経済低迷の原因となっているのではなく、金融システムなどに内在する構造問題が、急速な信用収縮を引き起こし、結果的にマネーサプライの低迷を引き起こしたと見るのである。

２　九〇年代の実体経済の動き

以下では、九〇年代――「失われた十年」は経済指標的にどのようなものだったかをざっと見ていくこととする。

経済成長率（マクロ指標）

まず、32ページの図１―２は、わが国の実質ＧＤＰ成長率がどのように推移してきたかを示している。九一年度の実質ＧＤＰ成長率は八七年度以降初めて政府の経済見通しを割り込んだ。さらに九二年度には、石油ショックという外的要因による七四年度を除けば、戦後初めて一％を下回る成長率を記録した。その後は、九五～九六年度の「実感なき景気回復」を例外とすれば、ゼロ成長基調は続き、九七、九八年度は戦後初の二年連続のマイナス成長を記録するまでになった。

このような大幅で急激な景気後退は、通常の景気循環としては説明しえないレベルのものであった。

財政金融と為替の動向

実体経済のマクロ指標を観察すると、低成長率が定着したものの、二〇〇〇年現在では日本経済は通常の景気循環の運動を回復しつつあるようにも見える。しかし、財政金融などの指標が浮き彫りにする

図1-2　日本のGDP成長率の推移

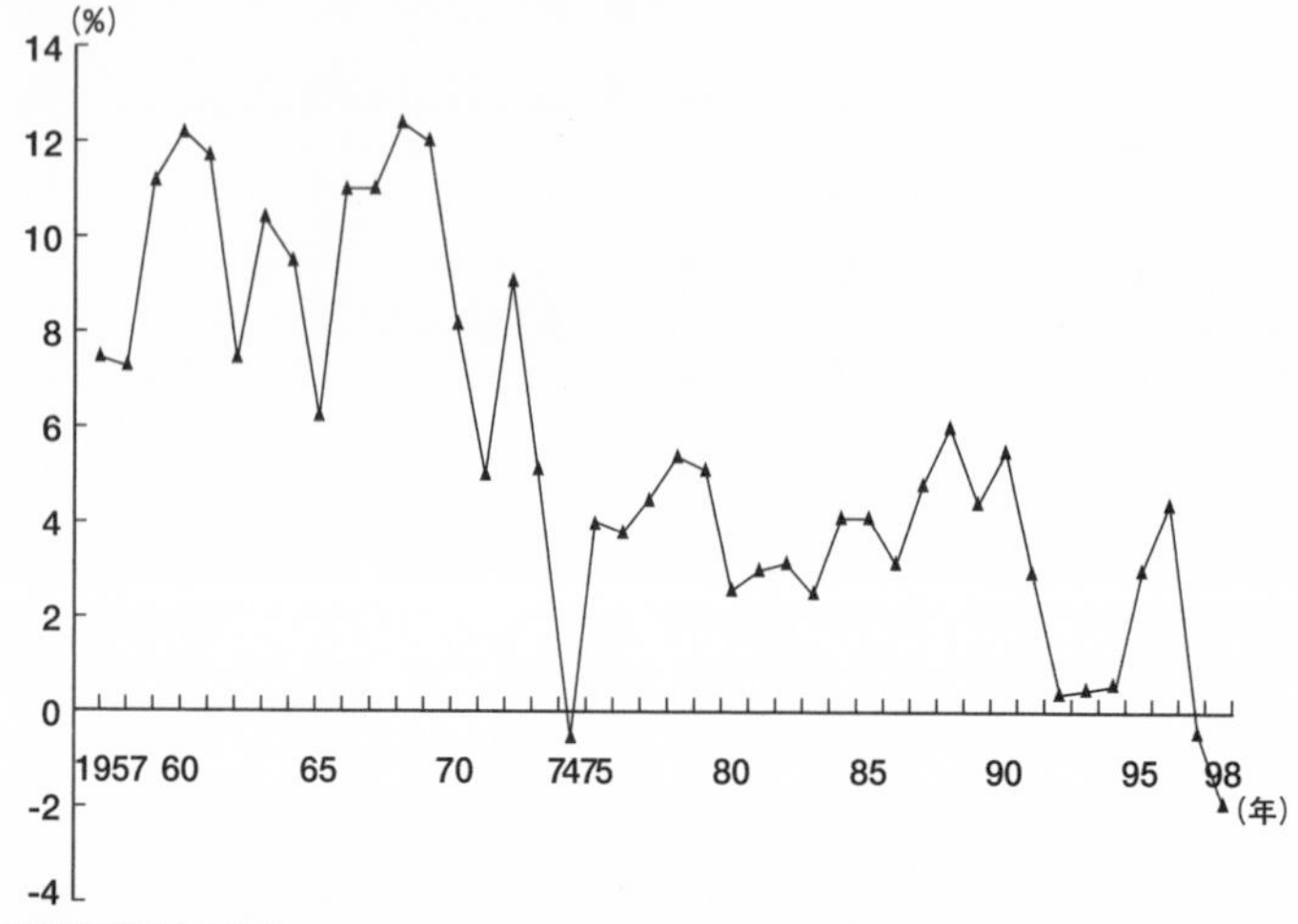

(注)経済白書から作成

図1-3　公共工事請負金額と名目公的固定資本形成

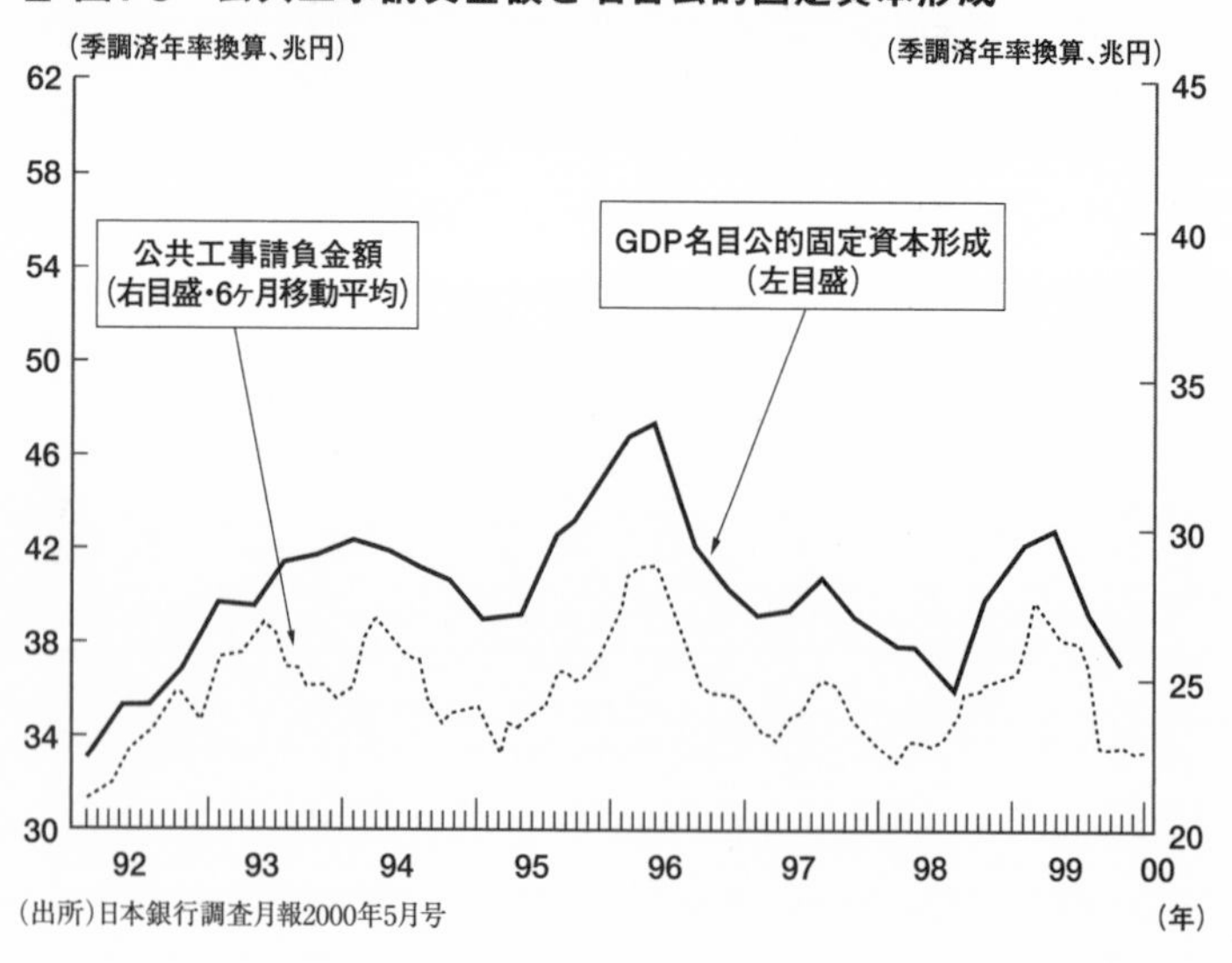

(出所)日本銀行調査月報2000年5月号

日本経済の姿は、とても健全とは言えない脆弱なものだ。

図1―3は、公共投資が名目金額ベースで、九〇年代――特に九五〜九六年度にかけて――大幅に増加したことを示している。これに伴い、公的部門の債務残高も急伸し、九八年度末には、国と地方の長期債務を合計すると名目GDPの一二〇%にも達する。このような現在のわが国の財政状況は、国際的に見ても異常なレベルである。こうした状況は国民に、財政の持続可能性（サステイナビリティ）に対する疑義と不安を植えつけてきた。

ひるがえって金融指標を見ると、日本経済の脆弱さはますます明白となる。長短の金利は九二年以降の金融緩和政策に伴って低下し、短期金利は九五年以降一%を切る水準となった。そして九九年四月以降は、日銀は無担保コールレートを実質〇%に維持する政策に踏み切った。その後、二〇〇〇年八月にゼロ金利政策は解除されたが、依然として歴史的に類を見ない低金利状態が続いている。

長期金利に関しても、歴史的に見て異常に低いレベルの状況が長期にわたり続いている。もちろん、一九世紀のイギリスや戦間期のアメリカのように、国内貯蓄が国内投資を上回るような債権大国では、金利が他国に比べて低くなる傾向は存在する。ただそういう時でも、長期金利はせいぜい四%程度というのが通常で、九七年以降の日本のように長期金利が二%を下回る状況というのは極めて異例と言えよう。

為替レートは、九〇年代を通じて大きく変動した。九〇年代前半には大きく円高が進むが、金融システム不安が顕在化した九五年後半以降円は安くなり、九八年後半からは再び円高基調へと戻っている。九〇年代後半の為替レートの変動要因の説明としては、財政政策によるマンデル・フレミング効果説など諸説が存在し、単一のものを現段階で特定することは不可能である。しかし、原因が何であれ、例えば九四～九五年と九八年後半からの円高は景気回復に対する国民の信頼を大きく揺るがせた。そうした意味で、為替レートの変動も、日本経済の脆弱性を増幅してきた。

資産と負債の変遷

八〇年代から九〇年代にかけての日本経済の体質変化を分析する上では、GDPや貯蓄・投資額といったフロー変数だけでなく、資産や負債といったストック変数に着目することが有益である（ストック変数とフロー変数の違いについては、コラム1―③参照）。従来の教科書的な経済分析では、ストック変数はフロー変数の結果として受動的に決まってくるものと見なされてきた。そのため、フロー変数を分析すれば、ストック変数の分析を追加的に行う必要はないと考えられてきた。これが、バブル期以前には、ストック変数の動向が政府の経済分析や政策決定においてあまり重要な要素と見なされてこなかったことの一因である。しかし、九〇年代に入り、戦後初めて資産価格がマクロで長期的に下落し続けた結果、政策当局者やエコノミストは、家計や金融機関を含む企業のバランスシートの健全性に大

コラム1－③ ストック変数とフロー変数

経済活動には、日々の活動と、その結果として蓄積されるものとの2種類がある。そして、日々の活動の大きさを表すのがフロー変数で、その蓄積を表すのがストック変数である。たとえば、水道の蛇口を開けて、水をバケツに溜める場面を想像しよう。水は蛇口から刻々と流れ落ちて、バケツに溜まっていく。蛇口から出てくる水の流量（フロー）が、この場合のフロー変数である。そして、その結果として一定期間内にバケツに溜まった水の総量が、ストック変数である。

経済活動の変数に置き換えると、フロー変数とストック変数には、例えば次のようなものがある。経済全体では、GDP（国内総生産）は、毎年日本経済で生みだされる価値を表すので、フロー変数である。そのGDPが蓄積されてできるのが、国富（国内純資産）であり、これはストック変数である。一企業で考えると、日々の借入金はフロー変数であり、その結果として残存する債務残高はストック変数である。政府の財政では、年々の財政赤字はフロー変数であり、その結果として累積する公的債務はストック変数である。

きな注意を払うようになった。

ここでは、九〇年代におけるストック変数の推移を概観し、第3章および第4章において、ストック変数が経済パフォーマンスに及ぼす影響のメカニズムを検討する。

まず、図1―1で見たとおり、土地や株式など資産価格は九〇年代を通じて大きく下落している。この資産価格の大変動により、各種ストック指標――国民総資産、さらに土地、株式等の総価値――の対名目GDP比率は九〇年以降大きく低下した。

一方、民間銀行貸出残高は、バブル期に膨らんだまま、九〇年代を通じてほとんど減少せずに推移し、その結果、国民経済全体の負債／資産比率は九〇年を境に上昇トレンドが続いている（図1―4）。九〇年代を通じて資産価格の下落などによって企業、家計のバランスシートの悪化が進んだ。また、売上げや所得の伸び悩みにより、負債の返済に充てることができるキャッシュフローも改善しなかった。このため、負債の負担率が企業、家計の双方のセクターで高まった（図1―5）。

企業や家計のバランスシートの悪化が進むにつれ、実質債務超過企業の割合、企業倒産数、自己破産数が増加していった。その結果、日本経済全体において、経済取引の相手方が突発的に破産し、予期できない損失が発生するリスクが高まることになった。こうして経済活動における不確実性とリスクが高まったことが、日本経済をさらに脆弱なものとした可能性が高い。

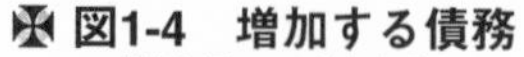

図1-4　増加する債務

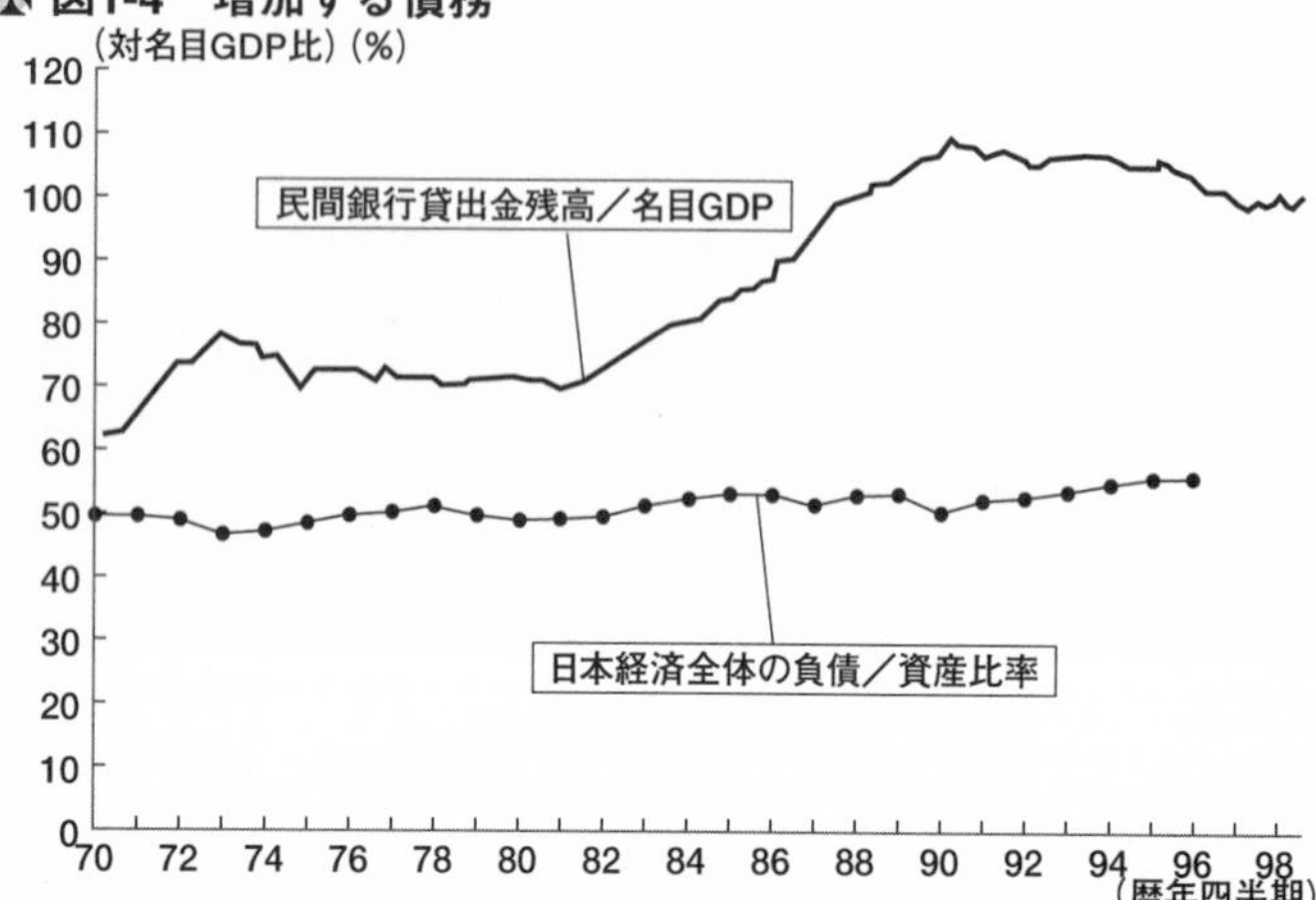

（備考）1.日銀「経済統計月報（全国銀行銀行勘定、国内銀行銀行勘定）」、経企庁「国民経済計算」により作成。
2.経済企画庁「国民経済計算年報」により作成

図1-5　企業と家計の債務負担

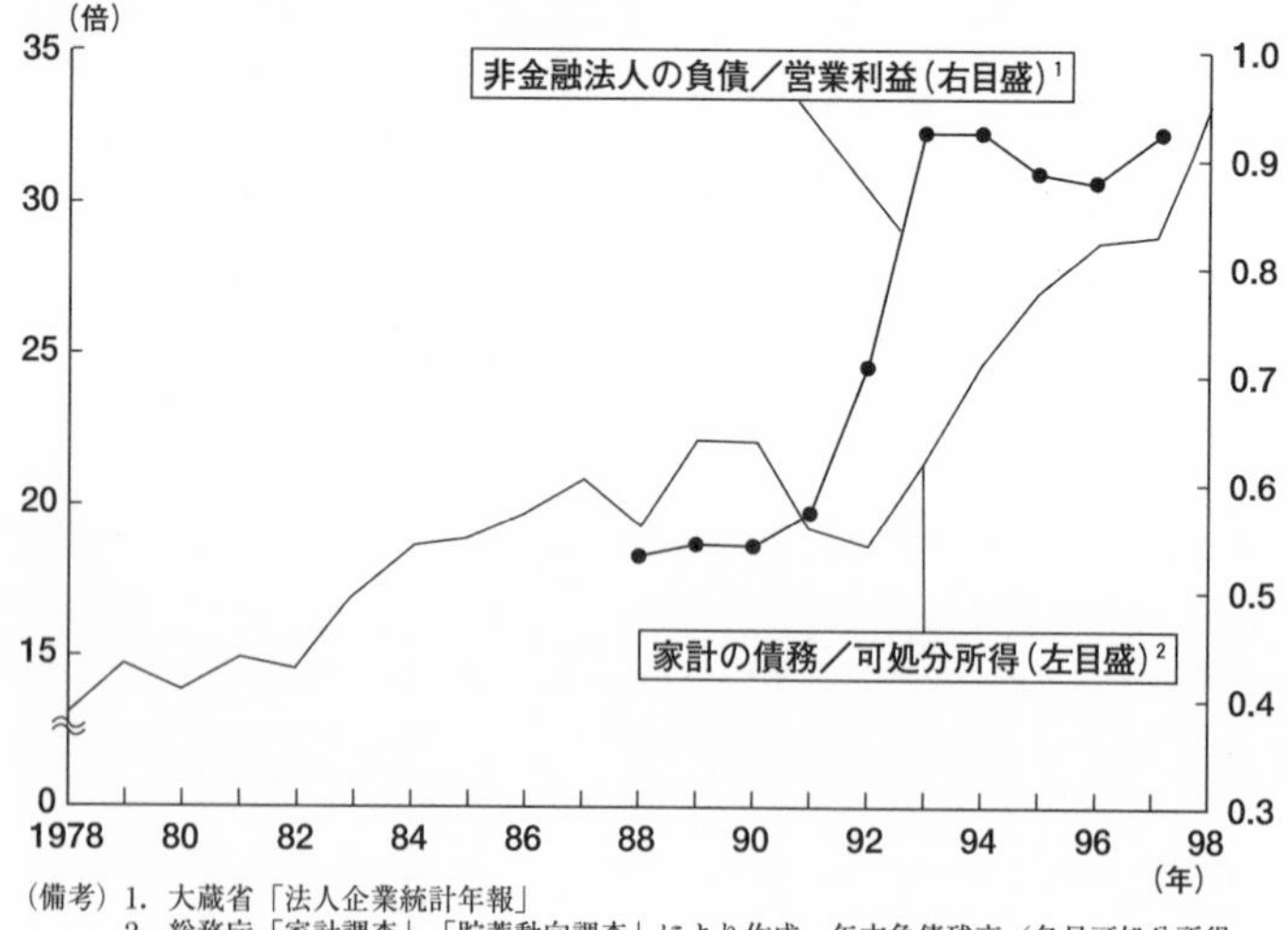

（備考）1. 大蔵省「法人企業統計年報」
2. 総務庁「家計調査」「貯蓄動向調査」により作成。年末負債残高／名目可処分所得。

まとめ――問A解題

A

九〇年代は日本経済にとって「失われた十年」だったと言われるが、その一〇年間、日本経済は実体的・指標的にどのような動きを示してきたのか。また、経済不振に陥った原因としてはどのようなものが考えられるか。

●「失われた十年」の経済指標的意味

「失われた十年」においては、実質経済成長率が、通常の経済循環では説明できないレベルにまで落ち込んだ。財政・金融関連では、相次ぐ経済対策の発動により、公的部門の債務残高がかつてない額にまで積み上がった。金利も、短期レートが一時的に実質〇%になったことに加え、長期レートも異様に低いレベルで推移している。

ストック指標を見ると、この時期、土地や株式などの資産価格が大幅に下落したことで、経済全体、企業、家計のいずれにおいても負債が資産比で増大し、それぞれのバランスシートを悪化させた。この結果、債務超過に陥る企業や、倒産件数、自己破産件数などが増大した。

このように、各種の経済指標は、「失われた十年」における日本経済の脆弱性が現在まで続いていることを示している。積み上がった公的債務は、追加経済対策の余地を狭めると同時に、急激な金利上昇や円安の危険性を増加させている。超低金利時代に突入したことで、金融政策は採りうるオプションを実質的に失った。バランスシートに堆積した負債は、企業や家計の破産リスクを高め、社会全体の経済活動における不確実性を増している。

●「失われた十年」の原因

「失われた十年」の遠因は、八〇年代後半のバブル発生期にまで遡る。バブル期の「両建て取引」によって急激に膨脹した企業や家計のバランスシートは、「土地神話」が崩れることによって深刻な毀損を受けた。地価の下落は、信用リスクが集中していた銀行部門を直撃し、日本経済の信用システムの根幹を揺るがした。こうした企業や家計のバランスシートの毀損、さらに信用システムの動揺は、「失われた十年」を経て現在に至るまで残存し、今日の経済低迷の遠因となっている。

七〇年代に変動為替制度へと移行したことに伴う国際資本市場の不安定化は、世界各地においてバブルを引き起こしてきた。日本のバブル発生と崩壊にも、国際資本市場の動きはある程度は関連しているものと思われる。ただ、日本のケースが他国と比べ特異なのは、バブルが発生し崩壊したこと自体ではなく、バブル崩壊後に経済低迷が異常なほど長期にわたって続いていることである。したがって、経済低迷長期化の原因については、国際資本市場の不安定化以外の要因を探ることが必要となる。

なお、バブルの発生と崩壊、さらに「失われた十年」の主要因として、八〇年代後半から九〇年代にかけて日銀の採った金融政策を挙げる論者が多い。九〇年の金融引き締め策がマネーサプライの収縮を呼び、経済不振の直接の原因となったというわけだ。しかし、われわれはこの点については、別の立場を採る。たしかにこの時期、マネーサプライ（M_2＋CD）の伸びは極端に収縮している。しかしわれわれは、このマネーサプライの収縮が経済低迷の原因とは考えず、むしろマネーサプライの収縮自体が、金融システムなどに内在する構造問題の結果だったと考える（その論拠については後述する）。

2節　九〇年代の経済政策——試行錯誤の一〇年間（問B解題）

B 九〇年代を通じ、政府は不況対策のため、どのような経済政策を講じてきたのか。その理論的根拠は何か。

1　バブル崩壊直後（九一～九二年）

資産デフレ——思考停止に陥った政策当局者

九〇年代に入ってから、日本の資産価格は、かつて経験したことのないレベルで下落した。特に、地価の大幅かつ長期にわたる下落という事態は、過去に存在しなかったものであり、政策当局者を、大げさに言えば判断の一時停止状態に陥らせた。それでも政府は、政治的、経済的要請を受け、九二年八月の「総合経済対策」を皮切りに、各種経済対策を次々と打ち出すこととなる。しかし、それらのいずれも、低迷する経済状況を抜本的に変えることはできなかった。

この節では、九〇年代を通じて打ち出された各種経済対策を概観するとともに、その背景となった考え方を整理する。

バブル崩壊直後の政策当局者のスタンスについて、学習院大学の奥村洋彦は、九二年の経済白書を引用した上で、当時の政策当局が「バブル崩壊の経済への影響を非常に軽くとらえていた」と述べている（奥村[1998]）。実際、不動産融資の総量規制、地価税を導入することなどで急激なバブル潰しを行ったのは政策当局であり、そういった制度はバブルが崩壊した後も一定期間存続した。

だがわれわれは、事態はある意味もっと深刻だったと考える。当時の政策当局者は、奥村が言うようにバブル崩壊（あるいは資産デフレ）の影響を軽く見積もっていたのではなく、むしろバブル崩壊が日本経済にどのような影響を与えるか全く判断できなかったのではないか。実際、資産デフレがマクロ経済のパフォーマンスにどのような影響を与えるかについて分析する標準的な経済理論は、その当時はもちろん現在に至るまで存在しない。教科書的な経済学はただ、「資産価格変動のショックは市場メカニズムで迅速に吸収されるため、経済のパフォーマンスに与える悪影響は短期的だ」と説くだけだ。

こうやって政策当局者が判断の一時停止状態に陥っている間に、経済は急激に悪化し、政府は何らかの対策を打つ政治的要請に迫られた。そして、資産デフレという未知の状況に対する新たな判断基準を見出せないまま、当時の政策当局者が反射的に頼ったのは、結局のところ、過去の不況期に採られたケインズ型の景気刺激策であった。

ケインズ型経済対策への依存

九二年八月に発表された「総合経済対策」（総事業規模一〇・七兆円）は、従来型のケインズ経済学的論理に基づくものだった。政策立案者は、この単発の財政支出により、有効需要が大きく刺激され、そのショックで経済が自律的な成長軌道に引き戻されることを期待した。設備投資など民間需要が小さくなったのだから、その分を公需で穴埋めすることによりＧＤＰの落ち込みを防ごうというわけだ。

当時の政府内の希望的観測は、資産価格の下落は急激な引き締めによって発生した一時的なものであり、大規模な経済対策で需要を下支えすれば経済は持ち直すだろう、というものだった。そのため、当面の間――つまり数ヶ月から一年程度――経済対策で下支えすることにより、資産価格が再び上昇を始めることが、政策当局者や民間企業などによって期待されていた。経済対策によって地価が再高騰することを懸念する声すらも少なからず聞かれた。こうして、「資産価格の下落は一時的」とする判断が、理論的・実証的掘り下げもないままに、多くの人々に共有されていった。

しかし、九二年の経済対策以降も経済情勢は一向に好転せず、単発の予定だった経済対策は、その後も脆弱な景気を下支えするために、毎年のように繰り返されることになる。表1―1は、九〇年代に政府が実施した経済対策をまとめたものである。この表からも明らかなように、九〇年代においては毎年のように補正予算が組まれ、景気対策がいわば年中行事化していく。

2　ストック調整期（九三～九五年）

ケインズ型経済政策の維持

九三年から九五年にかけては、資本ストック循環が、それ以前の期待成長率四%の軸から、期待成長率二%弱の軸に向かって調整していった時期に当たる。この時期、企業は設備投資を控えることなどにより、八〇年代後半から九一年にかけて日本経済に過剰に積み上がった資本ストックを除却していった。

脆弱化した設備投資を補完し需要を拡大するため、政府は本来は単発だったはずの財政支出を繰り返すことになった。財政の拡張に合わせるかのように、日銀も公定歩合を引き下げ、長短の金利を急速に

緊急経済対策 (1993.9.16)	総合経済対策 (1994.2.8)	総合経済対策 (1995.9.20)	総合経済対策 (1998.4.24)
2.0兆円	3.9兆円	8.1兆円	7.7兆円
1.0兆円	3.0兆円	5.5兆円	4.5兆円
—	0.6兆円	0.9兆円	1.5兆円
0.5兆円	—	0.7兆円	0.2兆円
0.5兆円	0.3兆円	1.0兆円	1.5兆円
0.014兆円	5.88兆円	—	4.57兆円
—	5.5兆円	—	4.0兆円
0.014兆円	0.38兆円	—	0.57兆円
2.0兆円 (0.4%)	9.8兆円 (2.0%)	8.1兆円 (1.7%)	12兆円程度 (2.3%)
5.9兆円 33.9%	15.3兆円 64.1%	14.2兆円 57.0%	16兆円程度 75.0%

公共事業は含まれていない。

低下させる金融緩和路線を維持した。しかし、このような財政・金融双方からの対策にもかかわらず、経済回復は遅々として進まなかった。

独立して扱われた不良債権問題

一方、この時期マスメディアの報道などを通じてようやくクローズアップされるようになったのが、銀行セクターに累積した不良債権問題である。だが、核心的な情報が金融監督当局——大蔵省銀行局と日銀——の外に出なかったため、問題がどの程度深刻なのかは外部からは見えなかった。このため、政府内部においてでさえ、不良債権問題の深刻さ自体と、その問題がマクロ経済低迷に与えている影響とについて一致した認識を得ることはなかった。

もちろん、この頃には、一部の政策当局者や経済学者などの間において、「バブル崩壊後の経済低迷はこれまで経験してきた循環的なものではない」という認識は広がっていた。だが、不良債権問題についての正確な情報が政府部内においてすら共有されな

表1-1　過去の経済対策の概要

（1998年5月）

		総合経済対策（1992.8.28）	新総合経済対策（1993.4.13）
社会資本整備		5.7兆円	6.6兆円
	一般公共事業	2.8兆円	2.6兆円
	施設費	0.6兆円	1.2兆円
	災害復旧費	0.5兆円	0.5兆円
	地方単独事業	1.8兆円	2.3兆円
減　　税		0.028兆円	0.15兆円
	所得税減税	—	—
	政策減税等	0.028兆円	0.15兆円
「真水」規模（名目GDP比）		5.7兆円（1.2%）	6.8兆円（1.4%）
事業総規模 「真水」対事業規模比率		10.7兆円 53.3%	13.2兆円 51.5%

（注1）95年4月の「緊急円高・経済対策」は対策規模の試算方法が従来と異なるため、ここでは省略。
（注2）ここでの「真水」には、住宅金融公庫、政府系金融機関の融資、土地の先行取得、ゼロ国債による

かったことなどから、マクロ経済の動向と不良債権問題を結びつける意識は薄かった。当時、金融監督当局と外部（政府の他部門を含む）との間では、経済低迷の原因について大きな認識の隔たりがあったものと考えられる。

ただ、金融部門の不良債権問題について当時最も正確な情報を把握していたと思われる大蔵省内部においても、不良債権問題とマクロ経済低迷との間の論理的なつながりは認識されていなかった模様である。大蔵省財政金融研究所は、九三年に発表した「資産価格変動のメカニズムとその経済効果」というレポートにおいて、バブル崩壊過程を八〇年代後半に急騰した資産価格の正常化プロセスと捉えている。そして、日本経済がそれに耐えられるようリストラクチャリングを進めることが肝要だと結論づけている。しかし同レポートは、資産価格の下落が、逆資産効果による消費や設備投資の低迷を引き起こし、また「それとは別に金融機関の不良債権問題を発生させている」という認識を示しており、不良債権問

題とマクロ経済低迷との間の相互作用の存在について認めていない。

一方マスメディアでは、不良債権問題と経済低迷との関連が盛んに報じられたが、両者の間の論理的リンク――不良債権問題がなぜ需要収縮につながるのか――について踏み込んだ分析がされることはなかった。

この時期、問題解明をさらに困難にしたのは、不良債権問題が政治問題化したことである。九四年に東京の二つ信用組合が破綻した際、公的資金を投入したことが世論の激しい批判の対象となった。その結果、金融機関の不良債権問題を政策課題として取り上げることは政治的にタブー視されるようになってしまう。このため政策当局者は、金融機関の不良債権問題を意識的に避けて政策論議をするようになった。

こうして、従来型の財政金融政策が無力であることが意識されつつも、経済低迷の原因が何か究明することができず、政策当局者やジャーナリズムの焦燥感は募った。

規制緩和論の流布

こういう状況下で出てきたのが、「規制緩和による経済復興策」という考え方である。この背景になったのは、日本経済が相次ぐ経済対策にもかかわらず一向に好転の兆しを見せず、一方でアメリカ経済が好調なのは、日本社会に数多く存在する規制のために違いない、という単純な論理である。そして、「規制緩和による構造改革」こそが経済不振打開への抜本策だ、ということが盛んに言われるようになった。

この「規制緩和による経済復興策」には、長期化が進む経済低迷に鬱憤を募らせたジャーナリズム、打開策を見出せず手をこまねいていた政策当局者、相次ぐ財政政策出動に危機感を抱く財政再建論者などが飛び乗った。世論の強い支持もあった。こうして九〇年代半ばにかけ、規制緩和論が日本を席巻し、相次ぐ規制緩和策が政府によって発表された。この時期、規制緩和策の有効性に異論を唱える者は守旧派と見なされ、以前から存在していた規制がなぜ九〇年代になって急激な需要収縮を生み出したのか、あるいは、規制緩和がいかにして短期的な需要拡大に寄与しうるのか、といったごく基本的な論点について冷静な議論はほとんどなされなかった。このように需要サイドとの関連性が論理的に示されないまま、「構造改革」や「規制緩和」が経済政策の主要課題になり、不良債権問題という難題はその全容も明らかにされないまま、ひとまず脇に置かれる形となった（なお、規制緩和論の流行が醒めた後にも、似たような事態は繰り返された。それが、後述する企業リストラ論やIT革命論の流布である。それらの理論的裏付けの曖昧な議論が一時的に政策領域を席巻したことで、不良債権問題という本質的問題の解決は一層遅れた）。

3　一時的回復の時期（九五〜九七年）

一時的回復と財政構造改革

九五年後半から九七年にかけては、財政政策の効果もあって、経済成長率が八〇年代前半並みに回復した。一方不良債権問題については、九六年に六七五〇億円の税金が住専処理に投入された（ただ、導入の際に、世論を巻き込んだ激しい政治的闘争が行われたため、以後不良債権処理に税金を投入することは政治的にタブーとなり、民間銀行部門の処理を遅らせる結果となる）。

九六年には、景気は本格的に回復し、住専処理が終わったことで不良債権問題も一応の解決をみたという認識が拡がった。こうした状況を受け、当時の第二次橋本政権は、日本全体の「六大改革」に向け取り組んでいくこととなる。

この橋本内閣による「六大改革」の一つの大きな柱として打ち出されたのが財政構造改革である。当時の財政当局は、(依然として外部に全容が明らかにされていなかった)不良債権問題による金融セクターの傷みを考慮しても、景気対策で膨れ上がった財政支出を縮小する地合ができたと判断していたようだ。

こうして九七年四月以降、消費税率アップや財政構造改革法の導入などにより約九兆円規模（社会保障費を含めると約一三兆円）の財政引き締めが行われた。その当時――九七年度前半時点――の大蔵省の予想は、「九七年七月～九月は悪いが、九七年度後半はそこそこの成長を回復するだろう」というものだったという（榊原［1999］）。

4　全面的金融危機の到来（九七年後半～九九年）

金融危機の勃発

九七年一一月、三洋証券がコール市場（金融機関間の短期取引市場）で債務不履行を起こし倒産したのを皮切りに、北海道拓殖銀行、山一証券という主要な金融機関が相次いで倒産し、わが国で戦後初の全面的な金融危機が発生した。九八年に入ると、日本長期信用銀行が危機に陥り、マーケットには、各種金融機関の経営状況に関する風評が飛び交った。

わが国の金融セクターは機能不全に陥り、経済の血液とも言える資金の循環が停止する寸前まで追い

図1-6　実質GDPに占める公需比率

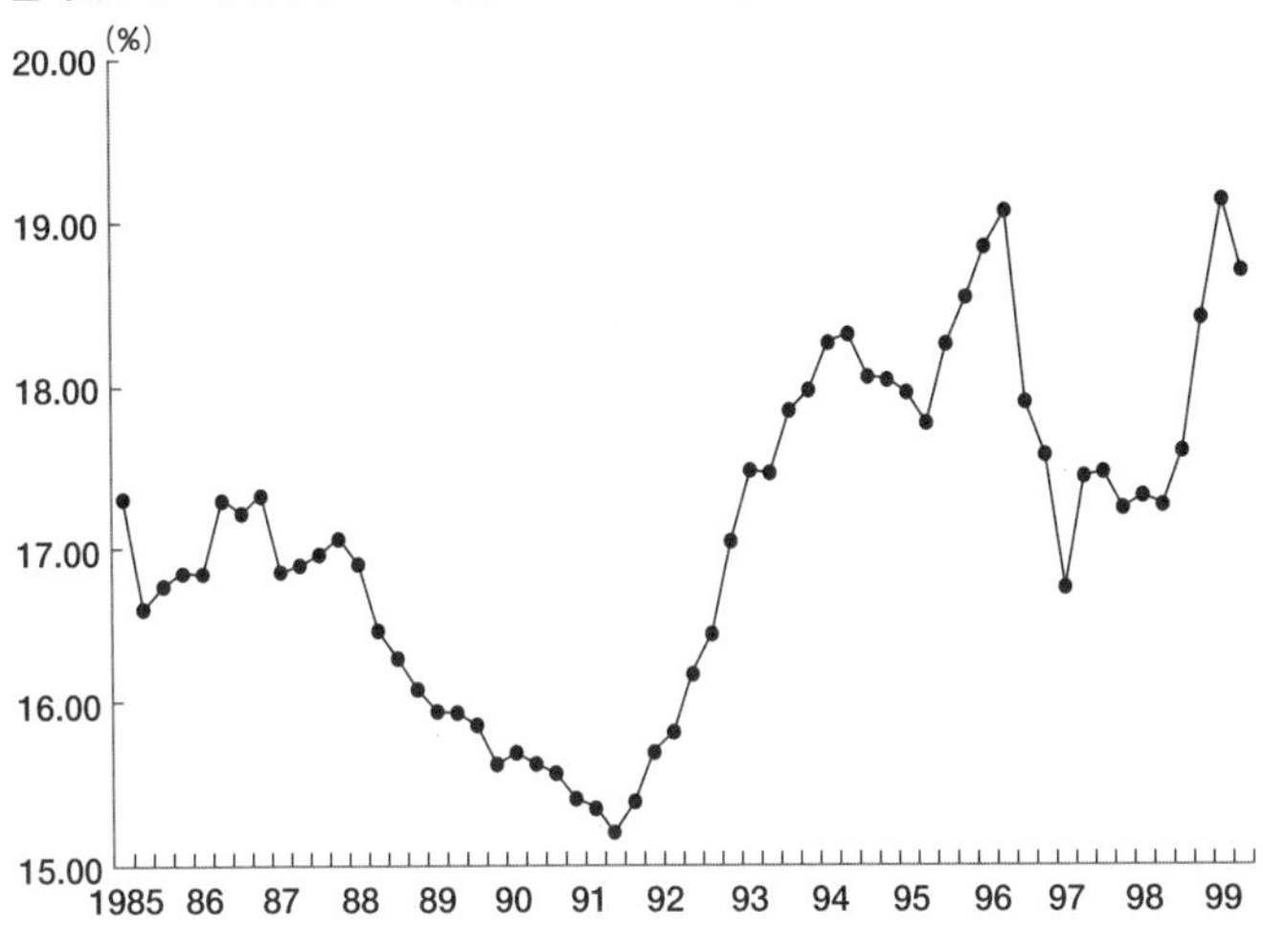

込まれた。このため、金融セクターの再生が国政の最優先課題となり、金融機関に対する公的資金の全面投入が決定された。金融危機の前では、公的資金投入に対する世論の反発も一時的に消えた。財政政策は緊縮路線から拡張路線へと再転換され、金融政策もさらに緩和された。

図1―6は九八年に、民間経済活動が大幅に収縮する一方、公需が激増したことを示している。つまり政府は、GDPを公需によって下支えすることで、パニックを抑えたのだ。だが、九九年の第1四半期(一～三月)においても、依然としてGDPに占める公需の割合は非常に大きい。

財政膨張政策の持続可能性

九八年の終わりには一連の金融再生スキームが成立し危機的状況はひとまず去った。しかし、図1―6にあるように、GDPを公需により下支えする構図は依然として続いている。景気を完全に回復させるためにどのような政策が必要かについては、議論は一向に収斂しない。

九八年後半から九九年初め頃までは、政府内外の危機意識が強かったこともあり、経済が自律成長を始めるまでは何が何でも財政政策で支えていく、という考えが、政府内でも支配的であった。しかし、九八年秋にムーディーズ社が日本国債の格付けを引き下げ、年末から長期金利が上昇したことを契機に、財政膨張政策を続けていくことへの疑義が急速に深まった。

長期金利の上昇、すなわち国債価格の下落は、日本経済への深刻な脅威を含んでいる。これまで政府は、経済対策への財政支出を、国債を発行することでファイナンスしてきた。その結果、日本の金融機関の多くは大量の国債を保有している。そういう状況下において、長期金利が上昇し国債価格が下落すると、金融機関に多額の含み損を発生させ、日本経済全体が再び動揺することになるのだ。

サプライサイド改革論

こうして財政膨張政策の持続可能性についても黄色信号が点り始めた頃、民間エコノミストや外資系アナリストを中心に、企業のリストラクチャリング（事業再構築）を進めることこそが、景気の回復に必要だという議論がなされるようになった。彼らの議論を経済学的に解釈すれば、本質的には、需要が足りないことよりも、供給力が過剰なことが景気悪化の原因だということになる。過大な設備投資や無理な雇用維持により供給能力が過剰となっていたところに、金融危機のショックがあったため景気が急速に失速した、というわけだ。これはケインズ経済学的な考え方に真っ向から対立するものである。

こうした論調は政府の政策にも反映されるようになる。九九年春には金融危機がひとまず鎮静化したため、政府が行うべき当面の課題は産業の再生だ、ということが言われるようになった。「サプライサイド改革」のかけ声の下、小渕総理（当時）の諮問機関として経済競争力会議が発足し、日本経済再生のための対策を巡り数ヶ月にわたって議論が行われた。会議での議論を受け、企業のリストラを支援するための措置を盛り込んだ産業再生法が制定され、九九年一〇月から施行された。

だが、サプライサイド改革派の議論にも不透明な部分が多い。特に、企業のリストラがいかにして需要の拡大につながるかについて論理的な説明がいまだなされていない。もちろん、不採算部門におけるリストラの進展により、情報技術関連分野など成長分野における新たな設備投資が喚起される、という可能性は存在する。しかし一方で、各企業がリストラを行うことにより経済全体の設備投資が収縮する可能性も高く、その場合需要は縮小し、失業が増え、経済成長率は低下してしまう（縮小均衡）。

見えない出口

このように、サプライサイド改革と民需回復との関係が不透明なため、九八年以降急拡大した財政支出のレベルを性急に下げることができない状態が続いている。こうしている間に、財政支出を支える国債などの政府債務は急速に拡大し、国や地方財政に対する不安は大きくなっている。

一方、国際的には、アメリカの株価や債券価格が不安定な動きを見せており、それらが今後さらに暴落するのではないか、との懸念が市場において高まっている。そういった懸念と関連して為替市場も不安定な動きを示すようになった。こうした状況の下、日銀が金融政策をさらに緩和すべきか否かについて激しい議論が闘わされるようになっている。

以上見てきたように、現時点において経済は小康状態を保っているものの、企業、家計、政府のいずれも、経済回復への確たる道程を描けずにいる。累積した政府債務は、財政拡張による需要拡大政策の持続を難しくしている。サプライサイド改革や企業のリストラの進展が果たして民需回復につながるかは、不透明なままだ。「失われた十年」からの脱出の道は、一〇年が過ぎ去ろうとしている今も、明確に認識されていない。

「失われた十年」からの脱却に向けて

本書は、改めて「失われた十年」が経済的にどういう意味を持っていたかを分析し、そこから脱却する抜本策を提言しようとするものである。

なぜ従来型の経済政策は「失われた十年」に対して無力だったのか？　「失われた十年」と不良債権問題はどのように関わっているのか？　サプライサイド改革と民需回復との関係はどうなっているのか？　企業や家計といったミクロレベルの行動とマクロレベルの需要回復とはどのように関連しうるのか？——本書は、このような従来見過ごされてきた論点につき理論的に掘り下げつつ、日本経済にとって今まさに必要な方策を提言する。

次章ではまず、本章において整理した九〇年代の経済政策がなぜ日本経済を自律的回復に導くことができなかったかを理論的に分析する。さらに並行的に、この間エコノミストやジャーナリストなどによって提言された各種政策案の理論妥当性について、批判的に検討していく。

まとめ――問B解題

B

九〇年代を通じ、政府は不況対策のため、どのような経済政策を講じてきたのか。その理論的根拠は何か。

●ケインズ型経済政策と財政の膨張

九〇年代に入り、わが国の資産価格は戦後初めて全面的かつ大幅に下落した。政府は資産価格の下落に対する有効な対策を見出せないまま、反射的に従来型の景気刺激策に頼っていった。こうした景気刺激策の理論的背景にあったのは、ケインズ経済学的な考え方である。すなわち、財政支出によって有効需要を回復し、経済を自律的発展軌道に戻そうというわけだ。しかし、政府の期待とは裏腹に、景気は一向に回復せず、経済対策はこの時期年中行事化していった。

●規制緩和論・サプライサイド改革論

従来型の景気刺激策が一向に効果を上げない状況の下、九〇年代を通じ盛んに唱えられたのが、規制緩和やサプライサイド改革による経済復興策である。この立場を採る論者は、日本経済が低迷しているのは、需要が不足しているからではなく供給が過剰だからだと考える。不要な規制に起因する不効率が残存していることや、企業のリストラ不足によって供給過剰が生じていることこそが、日本経済低迷の根本要因というわけだ。政府もこうした考えに沿って、規制緩和を推進し、また、九九年には産業再生法を施行することで企業のリストラ努力を後押しした。しかし、こうした供給サイドの要因と（少なくとも短期の）需要低迷との間の理論的リンクについて説得力のある説明は、いまだなされていない。

●政治問題化した不良債権問題への対処

資産価格の下落とともに銀行部門などに堆積した不良債権問題は、九三年頃から次第に注目を集めるようになった。しかし、政府内の金融監督部門から外に情報が出なかったことから、その正確な実態は外部には伝わらなかった。このため、例えば九六年に六七五〇億円の公的資金が住専処理のため投入された際には、不良債権問題は一段落したとの楽観論が一時的に広がった。さらに、公的資金を民間部門に投入することに対して、世論の反発が高まったため、不良債権問題は一時期政治的にタブー視されるようになった。

やがて不良債権問題の全容が次第に明らかになり、金融機関が連鎖破綻を起こすに至り、事態の深刻さが初めて政府内外に共有されるようになった。こうして、九八年には六〇兆円（その後七〇兆円に増額）もの公的信用枠が設定された。

●不良債権問題と経済低迷とのリンク？

九〇年代を通じ、不良債権問題は概ね経済低迷とは独立の問題として扱われた。政府の不良債権問題処理策も、日本経済全体の需要回復との論理的リンクを厳密に分析することなく実施された。もちろん、不良債権問題と経済低迷との関連を漠然と認識する論者は政府内外に多い。しかし、その両者の関係は、現在に至るまで理論的に明らかにされてこなかった。

第2章

経済政策の誤解

マクロ経済とミクロ経済との相克

第2章の問

C

❶マクロ経済学の立場から唱えられるケインズ的総需要管理政策とは、どのような理論的背景や目的を持つものなのか。政策当局者は九〇年代を通じ、このケインズ的総需要管理政策に依拠し続けてきた。なぜか？
❷九〇年代を通じてケインズ的発想に基づいた経済政策が実施されてきたが、日本経済は低迷を脱しきれなかった。なぜか？

D

❶九〇年代を通じて唱えられた構造改革論にはどのような類型があり、それぞれどのような理論的背景や目的を持つものなのか。
❷構造改革論は、短期の景気低迷打開策として果たして有効な手段となりうるのか。その理論的根拠は存在するのか。
❸供給サイド改革の真の意義は何か。

E

ケインズ的総需要管理策と構造改革論のそれぞれが目指す目標の違いは何か。その二つが両立するための必要条件は何か。

前章で見たように、九〇年代を通じ、数多くの経済対策が実施されてきた。本章では、それらの経済政策がなぜ日本経済を自律的な経済回復に導くことができなかったのかを、実際に行われた政策の経済学的根拠に立ち返って理論的に分析する。また、その前段階として、各種政策について通説的に理解されている根拠や効果を掘り下げて考え、どこに誤解があるのかについて明らかにしたい。

特にこの章で注目したいのは、マクロ経済学の立場から提案されたケインズ的総需要管理政策（財政出動と金融緩和）とミクロ経済学的な立場から提案された構造改革論（規制緩和とリストラ）という二つの政策思想の関係である。両者はそれぞれ、需要（ディマンド）サイドの政策論と供給（サプライ）サイドの改革論としてもしばし言及・対比され、九〇年代を通じ、主要な政策対立軸となってきた。マクロ経済学的立場を採る論者が、財政刺激などの手法によって「（消費や）設備投資を増やすべきだ」と主張するのに対し、ミクロ経済学的立場の論者が、政府の財政出動よりも「規制緩和」や「企業の経営や設備の効率化」の必要性を主張する、という図式だ。

だが、果たしてこの両者を対立的な立場として捉えるのは妥当なのだろうか？　この疑問が、本書の出発点である。次章以降では、この疑問を起点として、マクロ的政策論とミクロ的政策論とをつなぐような新しい考え方が説明される。

本章では次章以降の導入として、まずマクロ的政策論とミクロ的政策論との理論的背景を概観する。そして、両者の両立可能性や、両立させる場合の条件を見ていくこととする。

1節　総需要管理政策の誤解（問C—❶解題）

マクロ経済学の立場から唱えられるケインズ的総需要管理政策とは、どのような理論的背景や目的を持つものなのか。政策当局者は九〇年代を通じ、このケインズ的総需要管理政策に依拠し続けてきた。なぜか？

ケインズ型財政金融政策への反射的な依拠

九二年の八月にバブル崩壊後初の経済対策を打ち出すに当たって、政策当局者は答えの見つからない多くの疑問に悩まされた。今回の景気後退は果たして循環的な性質のものなのか？　株価や地価の下落という現象は、マクロ経済パフォーマンスにそもそもどういう影響を与えうるものなのか？　こういった点について、当時の政策当局者には、分析し判断する時間的余裕も知見もなかった。

時間的な制約としては、景気の悪化が急速であったため、政府は早急に対策を打つ必要性に迫られていた。思考の枠組みとしても、当時の教科書レベルの経済学には、資産価格下落の影響を分析する理論は存在していなかった（「資産価格が低下すると、金融仲介機能がうまくはたらかなくなって、景気が悪化する」というファイナンシャル・アクセレレーターの理論は、一九八九年に最新の研究として学術誌に発表されていた。しかし、当時わが国のマクロ政策当局には、そのような理論は知られていなかった模様である。なお、この理論については第3章で詳述する）。

こうした状況の中、国内需要の急落が続き、「民需が減ったのなら公需で補え」といういわば反射的対策として従来型のケインズ政策（総需要管理政策）が実行されることとなった。

ここではまず、当時から現在に至るまで、経済政策当局が理解しているケインズ政策の考え方を簡単に整理してみよう。

短期的な需給ギャップとしての不況

不況とは、原因は何であれ一義的には、一国の総需要がその国の総供給能力をかなり下回った状態（「需給ギャップ」）が発生することである。

標準的なケインズ経済学の考え方では、何らかの原因でこうした需給ギャップが短期的に発生しても、長期的には総需要と総供給能力が一致する均衡状態が達成されると想定される。そうした前提のもと、均衡から一時的に乖離した状態としての不況の被害をいかにして小さくするか、というのがケインズ経済学の中心的テーマである。

一つの国の経済は、長い目で見れば総需要（国内需要だけでなく外需も含めたもの）と総供給能力が釣り合った「均衡状態」になると考えられている。しかし、短期的にはそういう均衡状態からはずれてしまう場合もある。

短期的に需給ギャップが生じる具体的ケースとしては、例えば以下のようなものが考えられる。――ある国で、たまたま家を買いたい人が増えて、彼らが家の購入資金を貯めるために、日々の消費を節約し始めたとする。偶然そういう人の数が多くなると、経済全体では消費財の供給能力を大きく下回る量

図2-1　需要の変動と価格調整による均衡の回復

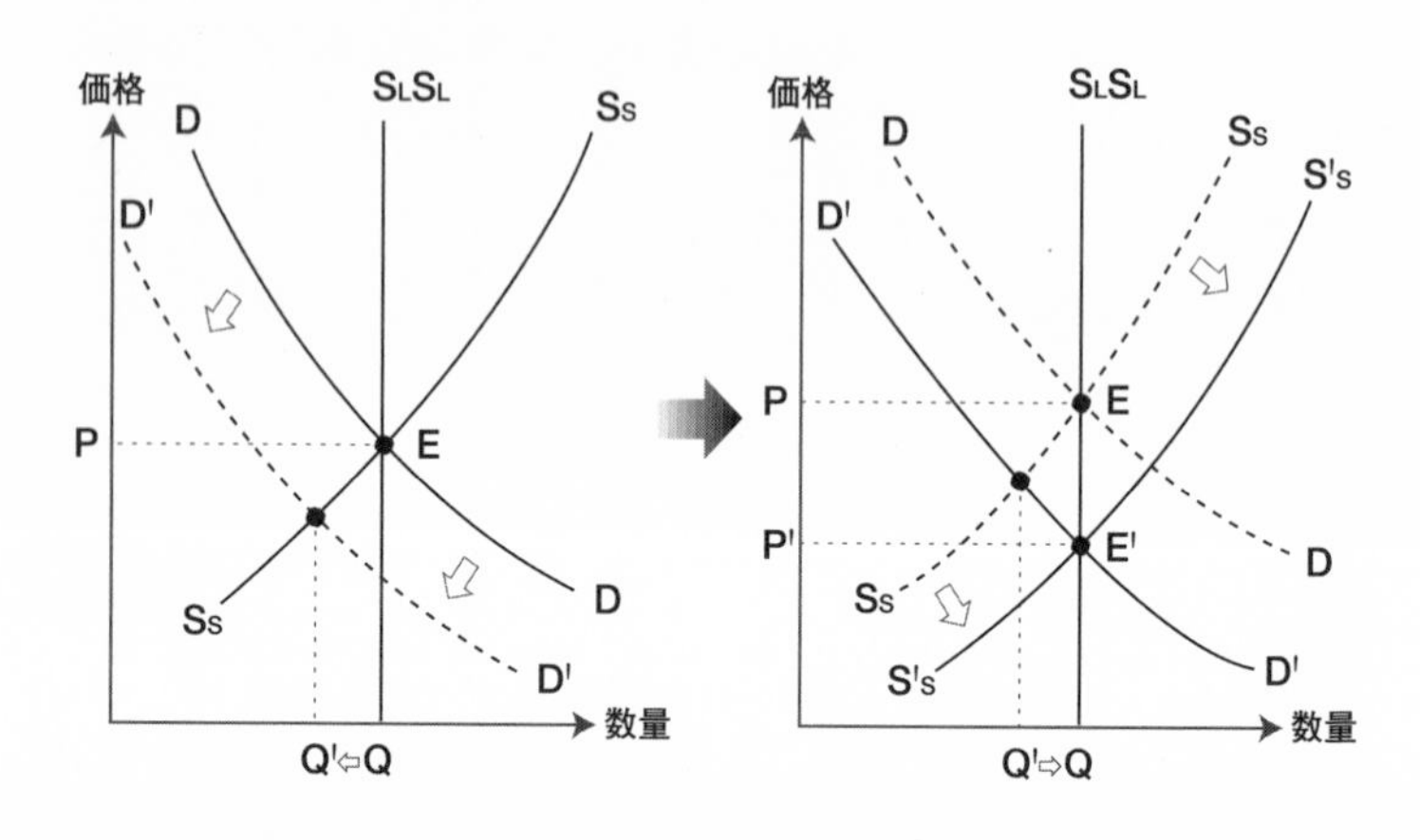

しか品物が売れなくなる。これは総需要が供給能力を下回った状態で、長期的な「均衡」からはずれた状態（脱均衡状態）である。こうした状態がしばらく続くと、余った品物が安くなって、また売れるようになるため、均衡状態はいずれ回復する。

以上のような推移を図2―1で見てみよう。縦軸は品物の価格で横軸は数量である。ここでDDはこの国の品物に対する総需要曲線を示す。品物の価格が低くなれば、消費者はより多くの品物を買おうとするから、DDは図のように右下がりとなる。一方、S_SS_Sは短期の総供給曲線を示す。短期的には、品物の価格が下がれば、供給者は労働投入を減らすことなどによって、供給量を減らそうとする。したがって、S_SS_Sは図のような右上がりの形状となる。S_LS_Lは長期の総供給曲線を示す。供給者は長期的には、価格を下げてでも、効率的に生産できる限度いっぱいまでの品物を全て市場で売ろうとする。したがって、S_LS_Lは縦軸に平行となる。

当初、需要と供給とは点E（Q、P）で長期的に均衡していたとする。この場合の価格はPで数量はQである。長期の均衡は、総需要曲線と長期の総供給曲線S_LS_Lの交点で決まる。

ここで、先ほど述べたような理由で総需要が収縮したとする。これはグラフ上では、総需要曲線がDDからD′D′へとシフトしたと説明される。総需要が収縮した結果、もはや消費者は価格Pでは数量Qを消費しない。Qが消費されるためには、価格はP′まで下がらなければならない。しかし、価格は瞬時には需要の減少に応じて下がらず、短期的な総供給曲線はS_SS_Sのままだ。したがって、総需要が収縮し総需要曲線D′D′にシフトしたとき、QQ′の供給過剰が生じることとなる。こうした状況はながくは続かない。すなわち、供給者が超過供給分（QQ′）を市場で売り切ろうと値下げする結果、短期の総供給曲線が下方にシフトする。S_SS_Sのシフトは、D′D′と$S'_SS'_S$の交点（短期の均衡点）が、長期の供給曲線上にくるまで続く。その結果、最終的に価格はP′まで下落し、点E′（数量Q、価格P′）で新たな長期的均衡が生じて、供給過剰は解消される。

ケインズ経済学と新古典派経済学——根本的な対立点

マクロ経済学において、ケインズ経済学と新古典派経済学とは、この短期と長期との関係をどう捉えるかによって対立する。新古典派は、需給ギャップが生じ景気が多少悪くなっても、放任していれば経済はいずれ再均衡するのだから、政府は何もする必要ないと主張する。これは、均衡点E（Q、P）から新均衡点E′（Q、P′）への移行は、比較的短期間かつスムーズに進むため、ケインズ経済学的需要刺激策はむしろ副作用の方が多い、という立場だ（この立場は、需給ギャップが生じてから政府が経済政策を発動するまで相当な時間がかかることをむしろ強調する）。

しかし、ケインズ経済学は、物価が下がって価格調整が行われるまでにはかなり時間がかかると主張する。さらに、価格調整が起きる前に、人々は自分が勤める会社の生産物が売れなくなったことに気づき、「儲からなくなってきたから、もっと節約しよう」とするかもしれない、と指摘する。つまり図2―1上で、需要曲線はさらに左方へとシフトするかもしれないのだ。そうなると、経済全体ではますます商品が売れなくなり、供給能力と総需要のギャップ（需給ギャップ）がますます拡大してしまう。その結果、価格調整が起きる前にさらに人々が倹約し、いっそう需給ギャップが拡がってしまう。

つまり、人々が節約することによって儲けを増やそうとすると、経済全体ではモノが売れなくなって、ますます儲けが少なくなるという「合成の誤謬」が発生する可能性をケインズ経済学は強調する。こういう悪循環を断ち切るために、「総需要を増やす」政策（総需要管理政策）を行うべきだ、というのがケインズ経済学の中心的な主張である。

総需要管理政策の手段としては、財政政策と金融政策とがある。財政支出が増えれば、それは総需要を直接増やすことになるし、金融緩和で金利が下がると、企業は資金を借りて設備投資を増やそうとするので総需要が増える。こうした財政金融政策によって需給ギャップを縮めれば、需要が縮小する悪循環を止めることができる。そうすれば、価格調整によって経済が均衡に回帰するまでの時間を早めることができ、調整の痛みを最小化することができる。図2―1で見れば、総需要曲線が何らかの理由でDDからD′D′にシフトし需給ギャップが生じた場合、ケインズ経済学は、政府は財政金融政策を発動することによって、新均衡点E′に速やかに移行させるべきだというのである。

以上が、ケインズ経済学的に考えた場合の、通常の景気循環に対する財政金融政策の意義である。こうしてみると、ケインズ政策は景気循環の振幅を緩和する緩衝剤として機能しているということができる。つまり、ケインズ的総需要管理政策の意義は、景気の落ち込みを緩和し、調整の時間を短縮し、不均衡になった経済が均衡を回復するまでの調整の痛みを軽減する、という点にあるのだ。

ケインズ経済学のスコープ――短期かつ対症療法

こうしたケインズ経済学の考え方を現実の政策に適用する上で留意しなければいけない注意点が二つある。

一つは、ケインズ経済学は「短期」の景気循環が対象だ、ということだ。均衡の総供給能力が変化するほどの長期を考えると、完全雇用（需要と供給の一致）というケインズ政策の目標は必ずしも意味をなさなくなる（この場合の「長期」とは、供給能力を調整しうるという点で、先ほどの図２―１のS_LS_Lがシフトするほどの長期を指す）。例えば、不況が長引いて設備が老朽化し、総供給能力が小さくなったとすると、たとえ完全雇用が達成されてもその国の生活水準は下がってしまう。これでは経済政策が成功したとは言えないだろう。五年～一〇年という長期の経済変動や経済成長を考えるには、ケインズ経済学とは別の思考枠組みが必要となる。

二つ目は、ケインズ政策は景気循環の原因からは独立した「対症療法」だ、ということだ。ケインズ経済学では総需要がなぜ小さくなったのか、という点は問題にされていない。したがって、総需要が小さくなった原因を除去するような政策はケインズ経済学の範疇外である。原因はともかく総需要が小さくなれば、ケインズ政策を発動してそれを緩和する――これが、ケインズ経済学の基本的な考え方である。

たしかに通常の短期経済循環の原因は、人々のマインドの変化とか民間企業の技術進歩などが複雑にからみあったものなので、そうした原因をいちいち探し出して除去することなど不可能である。したがってそうした場合は、ケインズ政策という「対症療法」で景気の落ち込みを緩和しながら自然治癒を待つことが現実的な政策だといえる。

しかし、もし総需要収縮の「構造的原因」が特定可能な場合はどうであろうか？　さらに、その「構造的原因」が、ケインズ経済学が想定する条件を歪めているような場合はどうであろうか？　そういった場合、「構造的原因」を取り除かない限り、ケインズ的需要刺激策は全く有効性を持ちえない可能性さえある。一定の有効性を持ったとしても、不況の「原因」が特定されている場合は、その「原因」を直接除去する政策の方が、（原因を特定しない）ケインズ的需要刺激策より不況対策として有効かもしれない。

こうした点に留意しつつ、九〇年代の経済対策を簡単にふりかえると、政策立案者の思考過程は、次のように要約できる。

① バブル崩壊後の景気後退について、原因を十分に究明分析する余裕を持たなかったため、「これは基本的には従来型の――しかし、サイズの大きな――景気循環だ」と暫定的に考えることにした。

② ①の前提の下、総需要の縮小を下支えする従来型のケインズ政策を発動し、景気循環が自然に好転するまで待つ、という戦略を採用した。

九〇年代の総需要管理政策の評価については意見の分かれるところである。結果的に日本は十年間を「失った」。それでも、九〇年代の総需要管理政策は所期の目的（不況の緩和）を達成したという考えは十分に成立しうる。総需要を公需と低金利で下支えすることによって、少なくとも九七年までは経済成長率がマイナスに落ち込むことを防止できていた。九〇年代の不況は長かったが、ケインズ的総需要管理政策を放棄していた場合、事態はもっとひどくなっていたかもしれない。

ケインズ型経済政策の持続可能性への疑義

しかし、一〇年近く不況が続いた結果、ケインズ的総需要管理政策の継続可能性に黄色信号が点り始めている。このことは、九〇年代の総需要管理政策を肯定的に評価する論者も認めざるをえないだろう。国と地方を合わせた政府の長期債務残高は二〇〇一年度末には六六六兆円に達すると見込まれ、これ以上、財政政策を発動し続けることは困難になってきている。金利もゼロ、あるいはそれに近い状態が続き、常識的にはこれ以上下げる余地はあまりない。つまり、「経済の自然治癒力に期待しながらケインズ政策で需要の下支えを続ける」というこれまでの戦略は今後は継続困難ということだ。一方で、日本経済が不況を脱出する出口はまだ明確には見えない。

まとめ――問C❶解題

C

❶―(i)マクロ経済学の立場から唱えられるケインズ的総需要管理政策とは、どのような理論的背景や目的を持つものなのか。

●ケインズ経済学の基本的考え方

ケインズ経済学は、一国の経済の総需要が総供給能力を相当程度下回った場合(需給ギャップ)、政府の財政金融政策によって需要を喚起することにより、その需給ギャップを埋めようと考える。その目的は、景気の落ち込みを緩和し、調整の時間を短縮し、需給ギャップによる不均衡状態が再び均衡するまでの痛み(経済厚生のロス)を和らげようというものである。

●ケインズ経済学のスコープと限界

ケインズ経済学は比較的短期の景気循環を対象とする。均衡状態における総供給能力が変化しうるような長期では、ケインズ的考え方は意味をなさない。したがって、五~一〇年タームで経済政策を考える際は、別の思考枠組みが必要となる。

また、ケインズ経済学は景気が落ち込んだ原因を問わない。また、その原因を取り除こうとするものでもない。需給ギャップが生じた原因が何であれ、財政金融政策の出動によりそのギャップを埋めようという、いわば対症療法である。したがって、何らかの構造的原因により需給ギャップが生じたことが明らかな場合、その構造的原因を直接取り除くような政策の方が、ケインズ的財政金融政策よりも有効な場合がある。また、構造的原因の性質によっては、ケインズ的政策が総需要の持続的回復に無力な場合も考えうる。

❶―(ii)政策当局者は九〇年代を通じ、このケインズ的総需要管理政策に依拠し続けてきた。なぜか？

バブル崩壊当時、資産価格下落がマクロ経済に及ぼす影響については教科書レベルの経済学において扱われていなかった。そのため当時の政策当局者は、バブル崩壊に対処しうる新たな経済政策を打ち出すことができなかった。一方、バブル崩壊後の景気後退が急だったため、政策当局者は、早急な対処をすることを迫られていた。こうした理論的・時間的制約の下、当時の政策当局者は、いわば反射的に従来型のケインズ的経済政策を発動した。その際、バブル後の経済低迷は、単にサイズの大きな景気循環だと想定された。また、政府が総需要を下支えする間に、景気が自然に好転することが期待された。

こうして当時の政策当局者は、バブル崩壊（資産価格下落）がマクロ経済に及ぼす影響を十分に吟味する思考枠組みや時間的余裕を欠いたまま、ケインズ的経済政策に依拠し続けたのである。

2節　ケインズ政策不調の理由（問C❷解題）

C ❷九〇年代を通じてケインズ的発想に基づいた経済政策が実施されてきたが、日本経済は低迷を完全には脱しきれなかった。なぜか？

それでは、なぜ不況は一〇年もの間続いたのだろうか。なぜ日本経済は、いまだに低迷脱出の明確な糸口をつかめないでいるのだろうか。

ケインズ経済学的な立場からは、度重なる経済対策にもかかわらず経済低迷を脱出できなかった説明として次のような仮説が出されている。

第一の仮説は「財政出動の規模が不十分だったからだ」というもの、第二の仮説は「旧来型の公共事業は効果がなくなっているので、情報技術関連などの新しい分野で公共事業を行うべきだった」というもの、第三の仮説は「日本経済が流動性の罠に陥っているために政策の効果がなかった」というものである。

以下、それぞれの説について通説的理解の誤謬を正しつつ、批判的に検討する。

1 「不十分な財政政策」——乗数効果の誤解

財政拡張が不十分だった？

総需要管理政策、なかでも財政拡張によって景気をもっと早く回復できたはずだという意見は有力だ。この立場を採る論者は、ケインズ経済学的立場から実施された九〇年代の日本の経済政策は、方向としては正しかったものの、規模が不十分だったと考える。彼らの主張は要するに、「もっと大きな財政政策を行っていれば経済は回復したはずだ」、あるいは、大きな財政政策をやれば経済は「自律的な回復軌道に乗る」ということだ。本当だろうか？　ここでは、財政政策の効果を需要サイドの「乗数効果」（財政拡張の乗数倍だけ総需要が拡大する効果）に着目してこの主張を検討しよう。

「真水」の規模

米国の国際経済研究所（ＩＩＥ）のアダム・ポーゼンは、「経済対策のために実際に使われた財政支出は、日本政府が『事業規模』としてアナウンスしたものよりも、かなり小さかった」と指摘した。（Posen〔1998〕）

たしかに、政府の経済対策として発表される事業規模には、政府系金融機関の融資枠の増額など、財政資金の支出を必ずしも伴わない数字も含まれてきた。現実に増加する財政支出は「真水」と呼ばれ、公共事業や災害復旧費などの社会資本整備費と、減税によって構成される。

ポーゼンは経済対策の「真水」が、公表された事業規模よりも大幅に小さい場合が多いことを指摘した。実際、彼が計算した「真水」の数値は、旧通商産業省内で試算したものとある程度一致する（図2

図2-2　過去の経済対策における「真水」の対GDP比(%)

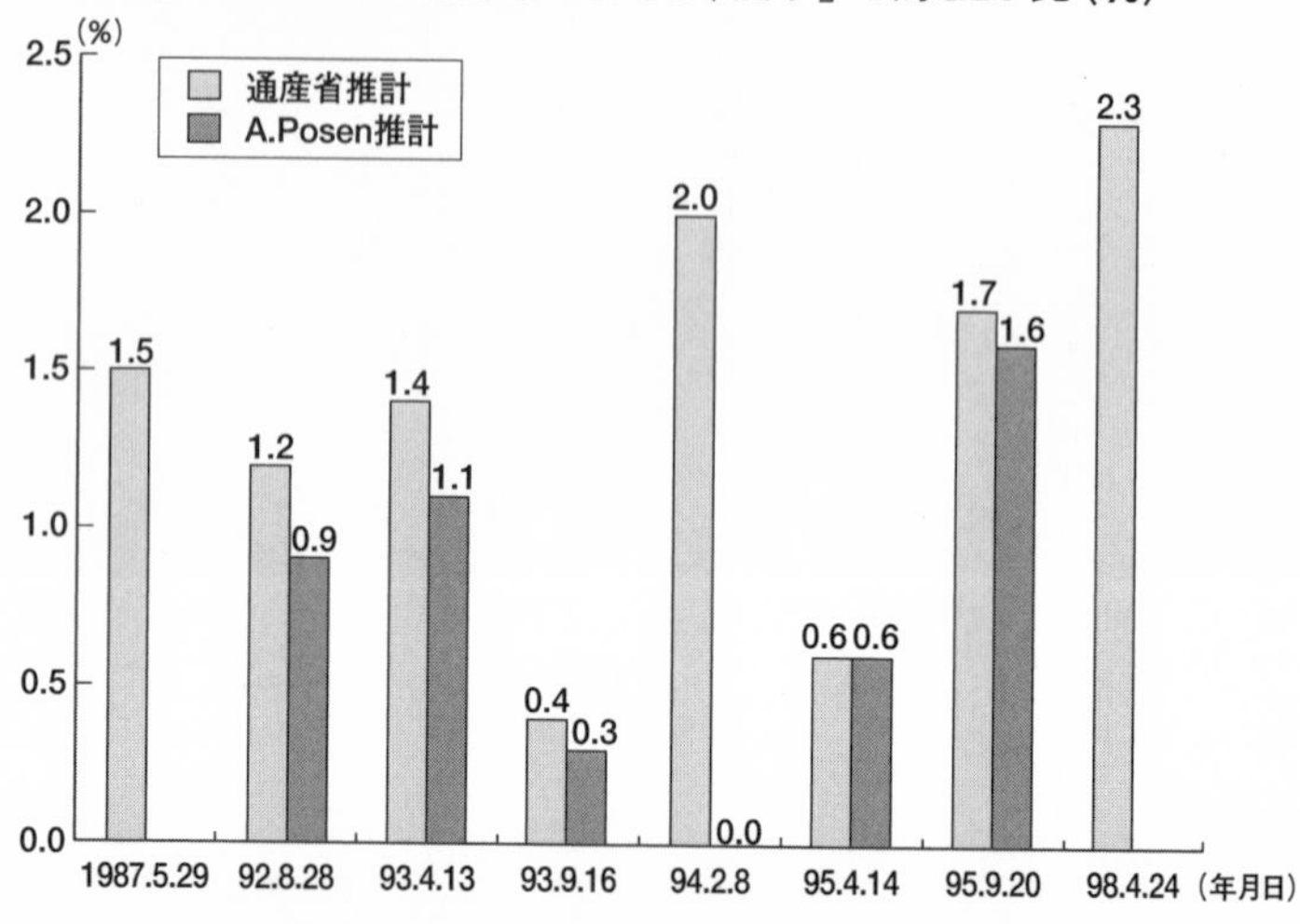

―2参照）。

ポーゼンはさらに、真水の規模が小さかったために経済対策は期待されたほどの実効をあげなかったと主張し、九八年秋の時点で、当時マイナス二％と推定された日本経済の成長率をプラス二％に転換するために、対ＧＤＰ比四％（約二〇兆円）の減税を行うべきだ、と政策提案した。

単年度成長と持続的成長
――ケインズ経済学の限界

「財政支出が実際に大きかった時期の直後には成長率の高い時期（九五年、九六年）がやってきた。だから財政拡大を行えば経済成長率を上げることができる」という主張はその限りでは正しい。実際、ＧＤＰは民間消費、国内粗投資、経常収支および政府支出の合計であるため、財政拡大を通じて政府支出が増えることにより、ＧＤＰは少なくとも財政拡大分は増大する。また、乗数効果を通じ、財政拡大は民間消費にも波及するため、財政拡大は支出額以上の総需要拡大効果を生む。

しかし、ここで注意しなければならないのは、GDPとはあくまで単年度の指標であるということだ。したがって、ある年度における財政拡大は、その年度におけるGDPあるいは経済成長率を上げることはできるが、翌年度以降の経済成長率が高水準を保つという保証はない。また、政府収入に限界がある以上、財政拡大にも限界がある。

よって、「財政拡大を行えば、その年度の経済成長率を上げることができる（できた）」という主張が正しいからといって、「経済を持続的に回復させるためには財政政策をもっと大規模に続けることが必要だ（だった）」という主張が正当化されるわけではない。なぜなら、財政拡大は永続的な効果を持つわけでなく、また、財政拡大のための財源は有限だからである。

一般の人々の中には、「財政政策を行えば、脱線した電車を持ち上げて軌道に戻すように、低迷する経済を八〇年代の『成長軌道』に引き戻すことができる」というイメージを持つ人がいるかもしれない。しかし前項で見たように、ケインズ経済学の理論はあくまで短期の経済変動を分析対象とするものだ。だから、ケインズ経済学から提案される政策も経済の自然治癒力を前提とした「痛み止め」という限定的な効果を持つものでしかない。

つまり、財政政策には「経済を回復させる力」があるとは（少なくとも正統的なケインズ経済学の中では）考えられていない。経済を持続的に回復させるのは経済自身の自然治癒力であり、財政政策は、経済回復までの痛みを和らげるだけなのだ。

もっとも、「財政支出を増やせば、増やした財政支出額以上に総需要を大きく増やすことができる」ということはできる。これは、財政支出の増加によってどれだけ総需要曲線をシフトさせられるか、とい

コラム２－① 乗数効果とは何か

「乗数効果」とは次のような効果をいう。政府が財政支出をＧ円増やすとしよう。その場合、支出を受け取る者の所得がＧ円増える。その者がＧ円の所得のうち、ｃＧ円（０≦ｃ≦１）消費し、（１－ｃ）Ｇ円貯蓄するとすると、その消費によって、別の誰かがｃＧ円所得を増やす。さらに、ｃＧ円の所得を増やした者がｃの割合（c^2G）を消費する…。こうした連鎖が続く結果、経済全体では消費が、ｃＧ／（１－ｃ）円増えて、貯蓄がＧ円増える。したがって、政府の支出がＧ円増えると、総需要（民間消費と民間設備投資と政府支出［政府の消費と投資］を足し合わせたもの）は

ｃＧ／（１－ｃ）＋Ｇ＝Ｇ／（１－ｃ）円

増えることになる。ｃは「限界消費性向」と呼ばれる値で、1人の国民が自分の所得が1単位追加された場合に消費に回す割合を表す。日本では、限界消費性向はだいたい0.3程度である。

このように、日本において政府が１兆円支出を増やせば、総需要が約1.4兆円増えることになる。

以上見たように、「乗数効果」とは、「消費と貯蓄への分配」行動を通して需要が増加する効果を指す。国民の消費スタイルはどの業界の人もそれほど変わらないから、経済の供給構造が変化しない場合は、財政支出がどのような方法で増えても乗数効果は同じはずである。

例えば、１兆円が教育対策として公立学校の教員を増員するために使われても、農村に道路を引くために使われても「乗数効果」は同じということになる。１兆円の支払いを受けるのが学校の先生でも道路建設業者でも「所得を消費と貯蓄に分配する行動」は大体同じと考えられるからである。

このように、非効率な公共事業も生産的な分野の公共事業も、乗数効果の大きさはあまり変わらない。ケインズが「不況の際には、道路に穴を掘って貨幣を埋めるだけでも効果がある」と言ったのは、こうした理論を背景にしたものだ。

う「乗数効果」だ（コラム2―①参照）。通常、財政支出の一・四倍ほど総需要が増加する。

こうしたことから、財政政策の効果が「大きい」なら、それによって脱線した経済をもとの成長軌道に戻すこともできるのではないか、と思いがちだ。しかし、実際には、先ほど述べたように「大きな効果」は「永続的な効果」とは限らないし、ケインズ経済学の理論的枠組みも、財政政策の効果が永続的であるとは言っていない。すなわち「乗数効果が大きければ、経済が自律回復軌道にジャンプする」という見方は、もし経済の自然治癒力がなければ、少なくともケインズ理論からは出てこないものである（ケインズ理論を超えた考え方については後述する）。

こうした、いわばケインズ経済学の限界は、指標的にも裏付けられる。前章の図1―3を見ると、たしかに九五年と九六年の高成長の時期の直前に行われた経済対策では「真水」の規模が増え、それに引き続いて公的固定資本形成は高まった。だが、九六年後半から公共事業が減ると景気はあっという間に失速した。これらの数値は、ケインズ的需要刺激策が、一時的には経済成長率を伸ばすことに成功したものの、経済を持続的成長軌道に戻すことには失敗したことを示している。


ケインズ型経済政策の持続可能性とそのリスク

ケインズ経済学のシナリオは、単発か、せいぜい二、三回の財政政策によって需要を刺激している間に経済が自然に回復する、というものだ。しかし、九〇年代の日本経済では、そのシナリオが破綻してしまった。財政政策の乗数効果で短期的にGDPが増えても、財政支出が減るとすぐに景気が失速するのでは、経済成長をいつまでも財政拡大で支え続けなければならない。

前項で述べたように、ケインズ経済学は対症療法であり、需要低迷の原因を取り除こうとするものではない。したがって、もし需要低迷が何らかの「構造的要因」によって生じている場合、その要因を除去しない限り、政府はいつまでたっても財政拡大をやめられないことになってしまう。

そこでさらに問題となるのは、財政政策が総需要を増やす乗数効果は「財政支出」や「税収」そのものによるのではなく、「財政支出の（前年に比べての）増分」や「税収の（前年に比べての）減少分」によって生じるということだ。したがって、ある年に財政政策を行っても、その需要刺激効果が十分でなければ、次の年はもっと規模の大きな財政政策を行わなければならなくなる。

こうして結果的に、公共部門の債務は年を追うごとに雪だるま式に増えていく。そうやって公的債務が累積するにつれ、国債価格の暴落可能性などケインズ型財政政策の政策リスクが増す。そして、ケインズ型財政政策はその持続可能性自体が疑問視されるようになる。

もっとも、「財政政策で景気を下支えすべきだ」と論じる経済学者やアナリストの多くは当然この点は理解していて、「景気は早晩自然治癒する。だから、景気の自律的な回復が確実になるまで需要の下支えを続けるのだ」ということを暗黙の前提にしている。彼らは九七年の金融危機やアジア経済危機などの「不運」さえなければ日本経済は順調に回復していたはずだ、と考えている。九二年以降の政府の財政拡張政策によって経済は自律的成長軌道に戻りつつあったが、そこに金融危機やアジア経済危機などの外的ショックが加わったため、再び総需要は低迷した、というわけだ。現在では、金融危機のショックが去り、アジア経済が回復しつつあるので、数年の間だけ短期的に財政政策で需要を下支えすれば、経済は立ち直る、というのが財政政策論者のシナリオだ。

こうした考え方には、二つの問題がある。

一つは、政策リスクの問題だ。公的債務は二〇〇一年度末には六六六兆円に達する見込みであり、政府がこれ以上の借金をすれば国債価格の暴落が生じかねない。そうなれば国債を大量に保有する金融機関の経営を悪化させて、金融危機を再発させる可能性がある。これでは財政政策の意図と正反対の結果を生んでしまう。

二つ目は、九七年以降の金融危機をマクロ経済の外からのショック（外生的ショック）とみなすことの問題だ。

前章でも触れたように、不良債権問題は金融システムの問題とみなす論者が多く、不良債権問題とマクロ経済低迷との関係を理論的に分析しようとする者はほとんどいなかった。もちろん、不良債権問題による金融システム不安が経済全体に悪影響を及ぼすことを懸念する声はあった。しかし、そういった懸念は抽象的・直観的なレベルに留まり、不良債権問題がマクロ経済にどのような影響を及ぼすかを理論的・具体的に吟味するまでに至らなかった。一方、財政拡張論者は、「銀行サイドの不良債権」＝「企業サイドの過剰債務」がマクロ経済の動きに影響を与える可能性について、真剣に考慮してこなかった。

不良債権問題がマクロ経済に与える影響については、第3章と第4章で主題的に扱うので、ここでは深くは踏み込まない。しかし、次章以降で述べるように、もし需要の低迷がこうした構造的要因によって生じているなら、「短期間だけ財政政策で支え続ければ経済は成長を取り戻す」というシナリオは成り立たなくなる。財政の下支えが外れたとたんに、再び構造的要因が顕在化し、需要は収縮してしまうからだ。いずれにせよ、ケインズ政策の効果が短期的、対症療法的なものである限り、需要を下支えしながら経済の立ち直りを待つ戦略にはかなりの不確実性とリスクが伴うことは明らかだ。

複数均衡?――財政政策有効論に対するクルーグマンの批判

財政政策の有効性を強調する政治家やアナリストの一部には「財政政策には、脱線した経済を成長軌道に引き戻す『永続的な』力がある」という考えを(暗黙に)持っている人々もいるようだ。

これはケインズ経済学を超えた考え方だが、かなり多くの人々に支持されている。このような議論に対してはプリンストン大学のポール・クルーグマンによる次のような批判が有効だろう。

クルーグマンは「財政政策で経済を成長軌道に戻せるという考え方は『経済の均衡が複数ある』という見方を前提においている」と主張する。経済には景気低迷の低位均衡と持続的成長の高位均衡という二つの均衡があって、財政政策が経済を低位均衡から高位均衡にジャンプさせるという考え方が財政政策有効論の根底にある、というのだ。クルーグマンによれば、財政政策有効論者は図2―3のような世界を想定していることになる。

総需要曲線DDと総供給曲線SSの交点が、日本経済の物価水準とGDPの組合せを示している。もし総需要曲線がこの図のように逆S字型であれば、日本経済でE_d(低位均衡)とE_h(高位均衡)のどちらかが実現する。

もし、経済がE_d点にあったとすると、財政政策によって総需要曲線を右に移動させれば、E_d点にあった経済をE'_h点(高位均衡)に引き上げることができる。その後、財政政策の効果が切れて総需要曲線が$D'D'$からDDに戻っても、経済はE_h点に行くだけで、元の低位均衡(E_d)には戻らない。

こうした状況において、ケインズ政策(財政出動と金融緩和)を短期的かつ非常に大きな規模で実施すれば、一種のショック療法として経済を低位均衡から高位均衡にジャンプさせられるのだ。

しかし、問題はなぜこの総需要曲線は逆S字型なのか、ということだ。この形状が意味するのは、「物

図2-3　S字型の総需要曲線による複数均衡

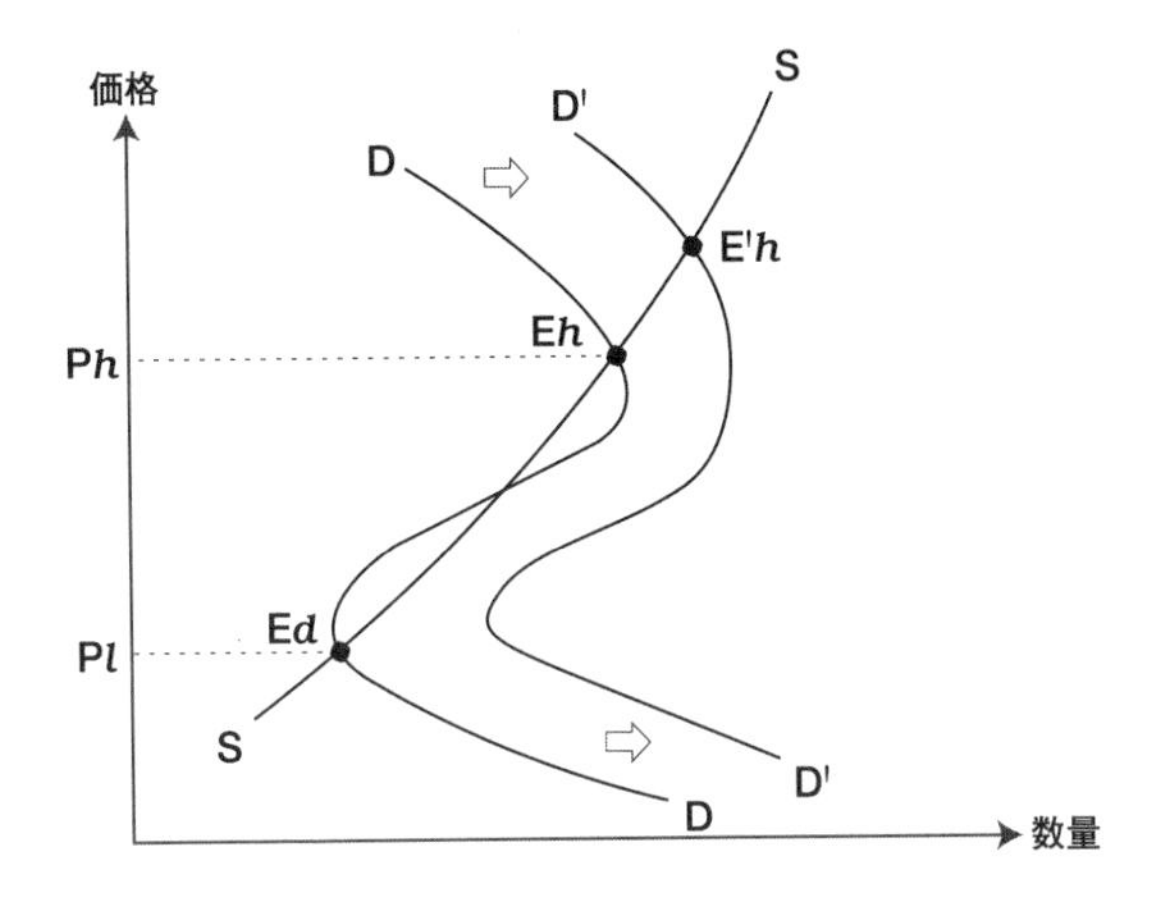

図2-4　総需要曲線の構造的シフトによる経済停滞

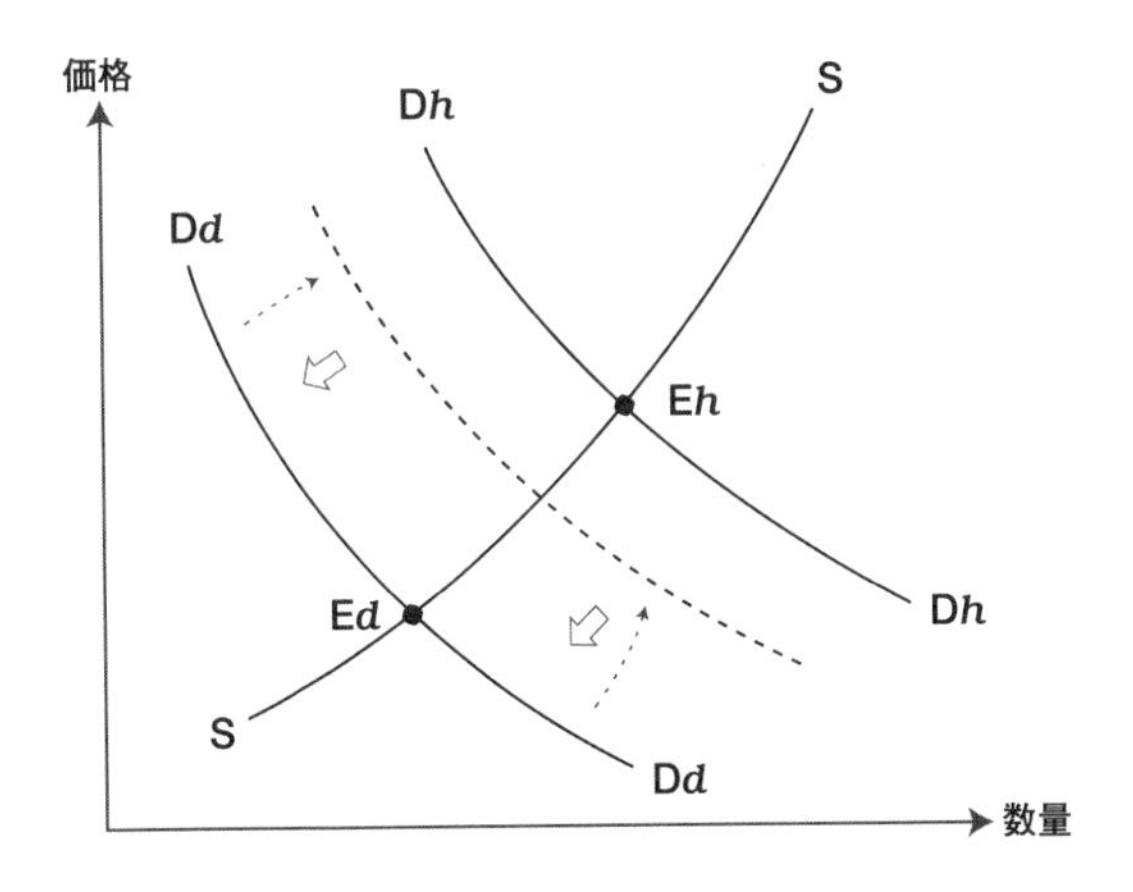

価水準がP_lとP_hの間にあるときには、物価水準が上昇すると日本経済の総需要が増える」ということである。特殊な条件におかれた個人や企業は物価が上がれば消費や投資を増やすかもしれないが、日本経済全体では様々な個人や企業の行動が平均されるので、物価上昇とともに総需要が増えるということは考えられない。現実の日本経済がこのような総需要曲線を持っていると想定することはナンセンスだ、というのがクルーグマンの批判である。

この批判は非常に説得力のあるもので、財政政策有効論者はクルーグマンの批判にどのように反論するのだろうか。「ケインズ政策の規模さえ大きくすれば、景気をショック療法で治療できる」というイメージはやはり理論的裏付けを持たない怪しげなものだというべきであろう。

(注) なお、われわれが第3章以降で示す考え方も一種の複数均衡説である。議論の混乱を避けるためにクルーグマンが批判する「財政政策有効論者の複数均衡説」とわれわれの考え方の違いを簡単に説明しておこう。われわれが想定するのは図2―4のような世界である。

持続的成長を達成したときには日本経済の総需要曲線はD_hD_hであるが、第3章以降で検討する構造的問題によって九〇年代の日本経済では総需要曲線がD_dD_dにシフトしてしまっている。すなわち、日本経済には持続的成長のE_h点(高位均衡)と経済低迷のE_d点(低位均衡)があり、現在の日本経済はE_d点にある。もちろん財政政策は総需要曲線を右に一時的にシフトさせることができるが、第3章以降の議論が正しければ、財政政策で総需要曲線を一時的にシフトさせたとしても、財政政策の効果が切れると、すぐにもとのD_dD_dに戻ってしまう。このため、財政政策の影響が途切れると、均衡点は再びE_d点に戻ってしまうのだ。したがって、持続的成長(E_h点)を回復するためには構造的な問題を解決することが必要となるのである。

2 「非効率な公共事業」の誤解

非効率な公共事業が問題？

ケインズ政策（財政政策）の論者からよく聞かれる議論として次のようなものがある。「財政政策の効果は、財政支出がどの分野で使われるかということによって異なる。同じ公共事業でも、旧来型の非効率な分野では効果は小さい。情報技術関連などの新しいタイプの公共事業を行っていれば、景気は回復していただろう」

この考え方は正しいだろうか？　まず、財政政策が総需要曲線をシフトさせる「乗数効果」について確認しよう。コラム２―①にもあるように、乗数効果とは、公共事業などで国から支払いを受けた人の消費行動から生まれる効果だ。

支払いを受ける人がどの業界の人であっても、消費行動は、理論的にも実証的にもあまり大きく違わない。したがって、「乗数効果」の大きさは、公共事業の事業分野による大きな差異はない。要するに公共事業が土木系の旧態依然たる事業分野で行われていたとしても、それが原因となって「乗数効果」が小さくなるはずはないのである。だから、財政政策は、非効率な公共事業に資金が投入された場合であっても、総需要を短期的に拡大するという所期の目的を達成することができる。

また、「非効率な公共事業」を批判する意見として、「公共事業によって整備された道路や港湾などがまったく役に立っていない」、とか、「公共事業そのものがずさんで、ひどい建築物が乱造されている」ということがよく言われる。これらは要するに「一兆円の公共事業費をかけて整備されたインフラが実は一兆円の価値がなかった」という点を問題視する主張だ。

しかしこの主張は、財政政策が経済の総需要に与える効果と経済の総供給能力に与える効果とを混同している。この主張を経済学的に解釈すれば、「一兆円のコストをかけて作ったインフラが、一兆円の価値を生みだす供給能力がない」あるいは、「財政政策が日本経済の供給能力に与える効果が小さい」ということになる。すなわちこの立場は、財政政策が需要サイドでなく供給サイドに与える影響を批判するものである。しかし、財政政策が供給サイドに与える効果は、われわれが次に検討する「生産性効果」のことで、乗数効果（＝総需要を押し上げる効果）とは全く別の物だ。財政政策が総需要を押し上げる効果は、公共事業で作った施設が効率的なものでも非効率なものでも、ほぼ同じと考えなければならない。

（注）九〇年代を通じて実際に、「公共事業の乗数が下がっている」という指摘がなされているが、これは例えば日本経済の将来への不安など何らかの理由で人々の消費性向が小さくなったことが原因と考えられる。つまり、乗数効果が下がったことは事実としても、それは、少なくともケインズ理論によれば、公共事業の事業分野や公共事業で整備した設備の非効率性の問題ではない。

財政政策の乗数効果（需要サイド）と生産性効果（供給サイド）

次に、「一兆円の公共事業で作ったインフラが、一兆円の価値を生みだす能力がない」という問題を考えよう。それには教科書的なケインズ経済学を離れて、財政政策の持つ他の効果を検討しなければならない。

財政支出を増やせばどうしても経済の供給構造が変わる。財政支出一兆円を学校に使えば国民の教育水準が上がって卒業後の生徒の労働生産性が上がるだろうし、同じ一兆円を農村の道路建設に使えば、農業の生産性が上がる。もしその一兆円を研究開発に使えば、新しい商品やサービスを生みだす技術を開発できるかもしれない。

このように公共事業で整備された社会資本が経済の供給構造を変化させる効果を、ここでは財政政策の「生産性効果」と呼ぶことにする。この効果によって、財政支出を受け取ったセクター（産業）の供給構造が変化し、関連する他の産業分野の構造も次々と変化していく。

この生産性効果は経済の構造を長期的に変えてしまうものだから、短期のケインズ分析は有効ではなくなる。つまり、財政政策は短期的には乗数効果を通じて総需要を増加させ、長期的には生産性効果を通じて総供給力を増加させる効果があるのである。ここで、総供給能力が生産性効果によってどのくらい変化するか、ということについては、財政支出がどの分野に使われたかによって大きく違ってくる。

例えば、農村に道路を整備する例では、既に二車線道路がある時にその道路の幅を広げる工事をしても、農業の生産性はほとんど変わらないだろう。この場合は生産性の上昇はほぼゼロだ。一方、学級崩壊していた学校に教員を増員してクラスを立て直せば、教育効果が上がって、卒業後の生徒の労働生産性は飛躍的に上がるかもしれない。その場合は同じ一兆円の財政支出を使っても、経済全体への生産性効果は大きくなる。

したがって、大きな生産性効果を得るためには、財政支出の使い途が大変重要になってくる。「大きな生産性効果を得るためには、新しいタイプの公共事業をすることが必要だ」という命題は正しい。しかし、生産性効果が大きければ経済が不況から脱出できる、とは必ずしも言えない。それどころか、次に述べるような生産性効果のパラドックスが生じることで、短期的には不況が深刻化する恐れさえある。

生産性効果のパラドックス——効率の良い公共事業投資が不況を深化させる？

財政政策の生産性効果には次のようなパラドックスがある。財政政策によって経済の生産性が上がると供給能力が上がり、均衡の総供給能力（図2—1のQ）が増える。ところが景気が低迷しているときには、すでに総需要が総供給能力Qを下回っているから、総供給能力を大きくすると、GDPギャップ（実際のGDPと供給能力Qのギャップ）をさらに拡げてしまうことになる。その結果、もし総需要を拡大する乗数効果が小さければ、景気回復の効果があるどころか、ますますモノが売れにくくなり失業が増えて、景気をより低迷させてしまう可能性もある。

つまり、生産性効果の大きい財政政策は、経済をいっそう悪化させる可能性があるのだ。

日本版ケインズ経済学——新産業政策の勧め

こうした問題に対して、日本のマクロ経済学者から「日本版・新しいケインズ経済学」とでも呼ぶべき考え方が出始めている。これは財政政策の生産性効果により供給構造が変わると、さらに総需要を拡大させる乗数効果が生じると動的（ダイナミック）に考える立場だ。このように考えると、前述のパラドックスは解決される。

例えば大阪大学の小野善康は、不況下で失業や遊休施設として無駄になっている生産資源を財政政策で有効利用しながら、究極的には「人々がお金を貯めることより魅力的だと思えるような」新しい財やサービスを生み出す産業分野を創造しなければならない、と論じる（小野［1998］）。そのためには、政府の財政支出を技術開発投資や人材教育投資に積極的に振り向ける「新産業政策」が必要だ、というのが、小野の主張である。

　また、東京大学の吉川洋は新しい財やサービスが誕生しなければ、従来の商品への需要は飽和してしまうと考える。したがって、新しい財やサービスを創出するためのインフラを政府の公共事業によって整備すれば、新しい分野の需要が喚起されて経済が成長すると主張する（吉川［1999］）。

　これらの考え方はいずれも、経済の供給構造を変えて、それによって新しい財やサービスへの需要を創出し、GDPギャップを埋めようという動（ダイナミック）的な発想に基づくものだ。つまり、「効率的な公共事業→供給構造の変化→新しい財・サービスの創造→新しい需要の創出」という動的な政策効果に焦点を絞るという点で、静（スタティック）的な従来型ケインズ経済学の枠組みに収まりきらないものなのである。

　この考え方をより具体的に説明すれば、以下のようになる。――まず、財政支出を新たな事業に振り向けた場合、生産性効果でマクロの供給能力が大きくなる一方、新しく魅力的な財やサービスが創造されることを通じ、限界消費性向（コラム2―①のc）が拡大する。すなわち国民は、財政支出によって生み出された新たな財やサービスを前に消費意欲を以前よりかきたてられるようになる。こうやって限界消費性向が拡大することにより乗数効果も拡大し、結果的に総需要はいっそう大きくなる。したがって、経済は迅速に「GDP＝総供給能力」の均衡に戻る――。これが、小野や吉川が想定するシナリオだ。

　しかし、実際のGDP（需要）が総供給能力に比べて小さい理由は「新しい魅力的な財やサービスが無いからだ」と考えてよいのだろうか。もし、新しい財やサービスの不足が経済低迷の原因でないような場合は、供給構造の変化は、必ずしも経済の回復をもたらさない。

　例えば、「将来の収入が減ってしまうかもしれない」という不安や不透明感が消費や投資が伸びない理由だとすると、いままでになかった新しい財やサービスが供給されるようになっても限界消費性向は変わらず、総需要はあまり拡大しないだろう。その場合は、経済の総供給の増加に対して総需要の増加が少なくなり、ＧＤＰギャップ（総供給と総需要のギャップ）はますます拡大してしまう。これでは経済低迷を脱出するどころか、不況はますます悪化してしまうかもしれない。先ほど述べた、生産性効果のパラドックスが生じるからだ。このような場合には財政政策とは異なる政策対応が必要になってくる。

3 「流動性の罠」の誤解

流動性の罠？——クルーグマン仮説

伝統的なケインズ経済学に近い立場から、プリンストン大学のポール・クルーグマンは「日本経済は流動性の罠に陥っている」という説を提唱している。この説は、特に九〇年代後半の日本経済の状況を説明する理論として非常に説得力がある。

この時期の日本経済の特徴は、短期の名目金利と物価上昇率がゼロに近い状況が続く中で、総需要が総供給を下回る需給ギャップが継続した点にある。

通常、実質金利が下がるにつれ、総需要は増加し総供給は低下する。したがって、総需要が総供給を下回ることにより需給ギャップが生じている場合、実質金利が十分に低下することによって総需要と総供給は均衡するはずである。しかし、九〇年代後半の日本においては、名目金利と物価上昇率とがゼロに近い状態でも、総需要が総供給を下回り続けたのである。

クルーグマンはこの状況を説明するために、日本経済の総需要が総供給能力に一致するときの実質金利、すなわち「均衡実質金利」がマイナスの値になっている、という仮説を提唱した。

実質金利は名目金利からインフレ率を差し引いたものだから、インフレ率がゼロで名目金利がゼロのときは実質金利もゼロである。もし、クルーグマンの仮説が正しいとすると、実質金利がゼロでも均衡実質金利より高すぎることになり、需給ギャップが継続してしまう。

クルーグマンによると、このような状況では、通常の金融政策で需給ギャップを解消できない。なぜなら、通常の金融政策で金利を下げようとしても名目金利をゼロ以下にすることはできないので、ゼロインフレ下では実質金利もマイナスにはならないからだ。つまり従来型の金融政策では、需給ギャップを埋めるマイナスの均衡実質金利は実現できないのだ。

さらに、クルーグマンは財政政策も経済が均衡するのを助けられないという。それには次のような二つの理由がある。

たしかに、公共事業や減税によって一時的に総需要を拡大させて需給ギャップを埋めることはできるかもしれない。しかし、現実の実質金利（ゼロ以上）が均衡実質金利（マイナスの値）よりも大きいままなので、公共事業や減税を止めれば再び需給ギャップが開いてしまう。財政政策によって実質金利をマイナスにできない以上、需給ギャップを持続的に埋めようとすれば、毎年需給ギャップを埋めるだけの財政支出を発動し続けなければならないわけだ。これは公的債務の累増を招き、持続可能な政策ではない。これが一つ目の理由だ。

もう一つの理由として、クルーグマンは、新古典派的な「リカードの中立性」（財政支出を増やしても、国民が将来の増税を予想して消費を抑えるため、総需要が増大しないこと）が成り立つ可能性を挙げている。

財政政策の思想は「均衡から外れてしまった経済が均衡に近づくのを助ける」ことである。現在の経済が不均衡状態にあるならば、経済には均衡に近づく自然な傾向があるため、財政政策が無効になるとは考えにくい。通常の状況では、「均衡」は需給ギャップがなくなる状態なので、財政政策によって需給ギャップは縮むと考えられる。

しかし、クルーグマンの仮説が正しいとすると、現実の実質金利（ゼロ以上）が均衡実質金利（マイナスの値）より大きいため、需要が供給より小さいこと——つまり、需給ギャップが持続すること——が擬似的な「均衡状態」なのである。

したがって、財政支出を増やしても、国民は将来の総需要も小さいままだと予想する。すると国民は経済の状況が将来好転しないまま増税されると考えるので、消費を将来の増税分だけ減らすことになる。結局、財政支出が増えた分と同じだけ消費が減って、総需要を一時的ですら押し上げることはできなくなってしまう。

つまり、均衡実質金利がマイナスならばハーバード大学のロバート・バローなど新古典派経済学者が主張する「リカードの中立性」命題が成り立つ可能性が高くなるのである。

そこで、不況を解決するため、すなわち、需給ギャップを埋めるための政策としてクルーグマンが提案するのは、インフレ率を上げる、ということだ。実質金利は名目金利からインフレ率を差し引いたものだから、インフレ率を上げて名目金利を現在のゼロ程度にしておけば、実質金利はマイナスになる。実質金利がマイナスになれば、日本の家計や企業は消費や投資を増やし、総需要が増えて需給ギャップが埋まる。これがクルーグマンが提案する処方箋である。

クルーグマン仮説の問題点

クルーグマンのこの処方箋は九八年以降、日本では「調整インフレ論」と呼ばれ大きな論争を巻き起こしている。この論争には様々な論点が錯綜しており、簡単にまとめることはできない（クルーグマン仮説を巡る論争は、小林も参加した吉川洋＋通商産業研究所編［2000］『マクロ経済政策の課題と争点』東洋経済新報社に詳しい）。

そもそも事実認識として、九〇年代の日本経済において「均衡実質金利がマイナスになっている」ことを直接示す証拠はなく、この事実認識を巡って多くの経済学者や実務家が疑問を呈している。

ここでは、仮にクルーグマンの事実認識が正しいとしても、クルーグマンの処方箋については、二つの重大な疑問点が生じることを指摘したい。

クルーグマンによると、均衡実質金利がマイナスになる理由は、何らかの原因で日本経済が長期的に衰退し、GDPが縮小していく経済だからだという。つまり、クルーグマンの処方箋は、日本経済の長期的な縮小をいわば「宿命」だと諦めて、とりあえず現在の需給ギャップを埋めようという考え方である。

ここでまず、第一の疑問が生じる。すなわち、インフレとそれに伴う実質金利の低下によって現在の需給ギャップを埋めたとして、日本経済は長期的にどうなるのだろうか、という疑問である。クルーグマンが描くシナリオは、設備投資が徐々に減少して将来的に日本経済の供給能力は小さくなり、現在よりも小さなGDPで需要と供給が均衡するという「縮小均衡経路」だ。しかし、果たしてこのような将来を目指して日本経済の経済政策を考えるべきなのだろうか？

このように、クルーグマンは日本経済のGDPが長期的に縮小する傾向にあるために、現在の均衡実質金利がマイナスになると考えている。第二の疑問としては、それならば、将来の日本経済のGDPを成長させることができれば、現在の均衡実質金利をプラスに変えることができ、現在の需給ギャップも解消するのではないか、ということが挙げられる。実際、クルーグマン・モデルで計算しても、将来のGDPが拡大すれば現在の均衡金利がプラスになることは簡単に示すことができる（例えば宮尾［1999］を参照）。つまり、クルーグマンの議論を認めたとしても、日本経済が縮小していく「原因」（この「原因」の分析こそが第3章と第4章のテーマである）を取り除けば、需給ギャップは解消するのである。

それならば、様々な副作用が生じるおそれの大きい「インフレ政策」に必ずしもこだわる理由はない。むしろ、日本経済が縮小していく「原因」を除去することを、第一義的には考えていくべきだろう。

まとめ──問C──❷解題

C

❷九〇年代を通じてケインズ的発想に基づいた経済政策が実施されてきたが、日本経済は低迷を完全には脱しきれなかった。なぜか？

●三つの通説

九〇年代を通じ発動されてきたケインズ的な財政金融政策は、日本経済を持続的に復調させることができなかった。その失敗の理由としてよく挙げられるものに、(1)財政政策が不十分だった、(2)財政資金が不効率な公共事業に投入された、(3)日本は流動性の罠に陥っている、といったものがある。

●財政政策が不十分だったのか？——通説の誤解

財政支出は政府消費を引き上げるだけでなく、乗数効果を通じて、民間消費も引き上げる。したがって、ケインズ的な財政拡張策は、乗数効果を通じて総需要を拡大し、ＧＤＰや経済成長率を一時的に増加させる。さらに、財政拡張の規模が大きければ大きいほど、ＧＤＰや経済成長率の増加の度合いは通常大きくなる。——ここまでは、財政拡張論者の主張は正しい。

しかし、以上のようなことが成り立つからといって、財政政策の規模が大きかったならば日本経済は低迷を脱することができていたとはいえない。なぜなら、財政政策の効果が大きいからといって、その効果が持続性を持つことは保証されないからだ。世間では、ケインズ的財政政策によって、日本経済を長期的成長軌道に乗せることができるという誤解があるが、ケインズ的財政政策の効果は短期的なものしか想定されていない。

このように、ケインズ経済学はあくまで短期的な景気循環に対する対症療法で、総需要低迷の原因を取り除こうとするものではない。したがって、もし総需要低迷に構造的原因があるような場合、ケインズ政策は一時的に需給ギャップを埋める効果を持つが、財政支出が途切れると総需要は再び低迷することとなる。

●公共事業の非効率性が経済低迷の原因だったのか？

九〇年代を通じて行われた財政支出が、旧来型の非効率な公共事業に充てられたため、効果が薄かったという説も有力に存在する。これは、より効率の良い情報技術関連部門などに財政支出が向けられたならば、経済低迷はここまで長期化しなかったという考え方だ。

しかし、この立場は、財政支出が乗数効果を通じて総需要に及ぼす影響と、生産性効果を通じて総供給能力に及ぼす影響とを混同している。乗数効果は、公共投資の対象となる部門によってほとんど変わらない。したがって、公共投資がどの分野を対象として行われようと、その総需要に及ぼす効果は同じである。つまり、総需要を引き上げることで需給ギャップを埋めるというケインズ政策の主たる目的は、財政支出の対象分野を問わず同等に達成されうる。

他方、財政支出は生産性効果を通じ、総供給能力にも影響を与える。例えば、情報関連分野など効率性の高い分野に財政資金が投入された場合は、ほとんど使われない農道の拡張工事に財政資金が投入されたような場合に比べ、経済全体の総供給能力は増す。しかし、そうやって効率性の高い分野に公共投資が行われると、総供給能力が増すことで、需給ギャップはより拡大してしまう可能性がある（生産性効果のパラドックス）。

しかし財政資金が適切な分野に投入されることで、新しい財やサービスが消費者に提供されるため、消費者の限界消費性向を増すことも考えられる。そうだとすれば、限界消費性向が増すことにより乗数効果が拡大するので、財政資金の投入分野によって、総需要拡大効果は異なってくる。日本のマクロ経済学者が唱えるこうしたダイナミックな考え方は、従来のケインズ経済学の範疇を超えており、日本版ケインズ経済学とも呼ぶことができる。しかし、総需要低迷の原因が、新しい財やサービスの欠如ではないような場合、財政資金を適切な部門に投じることによっては、需給ギャップを埋めることはできない。

●日本経済は「流動性の罠」に陥っていたのか？――クルーグマン仮説の検証

ＭＩＴのポール・クルーグマンは、九〇年代の日本経済において、総需要と総供給とが均衡する均衡実質金利がマイナスになっていると主張した。こうして生じた需給ギャップは、従来型の金融政策では金利をゼロ以下に落とすことが不可能なため、是正することができない。ケインズ的財政政策を出動させても、均衡実質金利がマイナスに留まっている限り、財政支出効果が薄れる頃には、需給ギャップは再び開いてしまう。

こうした状況への処方箋としてクルーグマンが提唱するのが、「調整インフレ論」だ。これは、政策的にインフレ率を上げ実質金利をマイナスにすることによって、需給ギャップを解消しようという考え方である。

この考えに対しては様々な疑義がすでに投げかけられており、本書では深くは踏み込まない。ただ、ここで強調しておきたいのは、「調整インフレ論」は、今後日本経済が縮小していくことを前提としている点である。その縮小の原因について、調整インフレ論者は明らかにしていない。しかし、もしその原因を特定でき、それを修復することができるならば、調整インフレに依らなくても需給ギャップは解消しうる。

次章以降でわれわれが吟味するのは、まさにその原因の除去のための処方箋である。

3節 構造改革論の誤解(問D解題)

D

❶九〇年代を通じて唱えられた構造改革論にはどのような類型があり、それぞれどのような理論的背景や目的を持つものなのか。
❷構造改革論は、短期の景気低迷打開策として果たして有効な手段となりうるのか。その理論的根拠は存在するのか。
❸供給サイド改革の真の意義は何か。

不況の構造的要因?

九〇年代を通じ、ケインズ型の財政金融政策によって景気の下支えが続けられたが、経済は一向に回復しなかった。そうやって不況が長引くにつれ、「不況の原因は循環的な景気低迷ではなく、構造的問題ではないか」という疑問が九〇年代半ばにかかる頃から次第に広がり、多くの人々に共有されるようになった。

特にこの時期、米国経済が力強い成長を続けたことが、この「構造的要因論」の勢いに拍車をかけた。日米間の構造的相違が、両国間の経済パフォーマンスの違いに帰結しているというわけである。

不況の原因が景気循環ではなく構造的要因であるという場合、用いられる経済学的な分析枠組みも異なってくる。すなわち、ケインズ経済学ではそのような構造的問題を分析することはできないため、そういった問題の分析には、個々の企業の行動を記述する「ミクロ経済学」（あるいはそれを単純に延長した新古典派のマクロ経済学）が用いられる。

経済低迷の「構造的要因」として最初に疑われたのは非効率で時代遅れとなった「規制」である。そして金融危機が一段落した九〇年代後半になると、日本企業の（米国企業などに比べた）「資本収益率の低さ」が槍玉に挙がった（八〇年代には、「資本収益率の低さ」、すなわち、安い金利で大量の資金を調達できることこそが日本企業の国際競争力の源泉と言われていたのだが）。本節では九〇年半ばの「規制緩和論」と九〇年代末に議論された「企業リストラ論」の経済学的根拠を検討し、それらの政策論の難点を明らかにしたい。

1　規制緩和論

規制緩和論――規制が経済低迷の元凶？

日本経済低迷の「構造的要因」として最初に注目されたのは政府の規制である。九〇年代半ばにかかる頃には、規制こそが日本経済低迷の「構造的要因」であり、経済復興のためには規制緩和が必要だという「規制緩和論」は爆発的な広がりをみせた。その論旨は、①日本経済では、非効率な規制が多いために、競争原理が十分にはたらいていない、②企業がもっと競争するようになれば、競争が企業を鍛え日本経済の活力が高まる、というものである。要は、規制によって効率的な経済活動が阻害されることこそが、日本経済が低迷してきた最大の要因というわけだ。

規制緩和論者は他にも、時代遅れの規制のために「内外価格差」が拡大し、日本経済の「高コスト構造」が定着している、と主張した。このような規制によって生じた非効率性が産業の空洞化を招き、経済活動を低迷させる原因となっている、というのである。彼らの議論を経済学的に解釈すれば、規制のあり方が不適切なために市場メカニズムによる効率的な資源配分が阻害されて、結果的に「経済の生産性が落ちている」ということになる。

さらに、規制によるもう一つの弊害として経済学者などが挙げたのは、時代遅れの規制により、「消費者の需要を呼び起こす新しく魅力的な財やサービスが創造されなくなっている」という点である。

規制緩和論の理論的・実証的脆弱さ

この時期、規制緩和論は、政府内外のエコノミストやジャーナリストなどから圧倒的な支持を受けた。しかしそれが、理論的根拠や実証的厳密さを欠いたまま、時代のムードに乗るようなかたちで広がっていった面も否定できない。例えば、なぜ供給サイドの改革である規制緩和によって、不況下で収縮状態にある総需要を拡大できるのか、という基本的な論点について厳密な説明はなされなかった。

このように、その当時の規制緩和論には理論的背景の弱いものが多かったが、われわれなりに経済理論的に筋の通るものとして再構成すると以下のようになる——まず、①規制緩和を進めれば、非効率な使われ方をしていた労働力や設備が生産性の高いセクターに移動し、経済全体の活力が高まる。②こうした資源の再配分は、供給力を増やすとともに、企業の設備投資などの民間需要も増やすので需給ギャップを縮小させるだろう。③一方、より長期的には、規制緩和により資源が再配分されることで、消費者の需要を喚起する魅力的な商品やサービスが提供されるようになり、経済の自律的な成長が始まるだろう。
以下では、このような規制緩和論者のシナリオの正当性を批判的に吟味していく。

2 規制緩和の誤解——合成の誤謬

合成の誤謬——ミクロとマクロの違い

「規制による非効率をなくし、市場メカニズムが十分に機能するような環境整備をすれば、日本経済は不況から脱することができる」という、ミクロ経済学的（あるいは経営学的）視点に立った規制緩和論の主張は、果たして正しいのだろうか。

こうしたミクロ経済学的な考え方をマクロ経済政策に採り入れようとする際には、企業や家計などの個々の経済主体（ミクロレベル）にとっては正しい行動が、経済全体（マクロレベル）としては必ずしも正しい結果にならないという「合成の誤謬」に注意しなければならない。

ここではまず、規制緩和論者が主張するように、非効率な規制が改革されてある産業の効率性が高まったと仮定しよう。その場合、その産業部門において、同一量の生産物を産出するのに要する投入要素（資本、労働、原材料）の量は減少するはずだ。したがって、その産業で投入される財・サービスに対する需要は一般に減少する。こうして、規制緩和を通じた効率化が進むことにより、各産業分野の投入要素に対する需要が減少すると、経済全体としての総需要（各産業の需要の総和）は縮小するかもしれない。つまり、個々の企業が効率性を上げて収益を増やそうとした結果、投入要素に対する需要減少が起きて、経済全体では企業収益が減少する可能性がある。言い換えれば、個々の企業（ミクロレベル）が収益を向上させるため効率化を進めると、経済全体（マクロレベル）では、企業収益の総和が減少するかもしれないのである。これがまさにケインズの言う「合成の誤謬」だ。

この「合成の誤謬」を、より具体的な例を通じて見てみよう。例えば、ある小さな国において、毎年米だけが一〇〇トン消費されていたとしよう。ここで、何らかの原因で総需要が総供給を下回る需給ギャップ（不況）が生じた場合を考えてみる。米に対する需要が八〇トンになってしまったような場合だ。その際に、政府が不況対策として規制緩和を打ち出すことにより、各農家の経営が効率化する場合、国全体の総供給能力は増加する。すなわち、農家は従前より少ない人員や資本で、一〇〇トンの米を生産できるようになるのだ。ただ、そうやって増大した供給能力を各農家がフル稼働させると、米は一〇〇トン以上生産されることになり、需給ギャップはさらに開いてしまう。したがって各農家はむしろ、人員を解雇することなどで、供給能力を削減しようと考えるであろう。しかし、そうやって解雇した人員が、収入不足のため米の消費量を減らせば、その国の総需要はさらに縮小してしまう。そして、各農家の収益はさらに減少してしまうかもしれない。

このように、規制緩和によって各農家が効率化すると、経済全体では総需要が縮小し、収益の総和は下がってしまうかもしれないのである。すなわち、ミクロレベルで経済的に望ましいことを各主体が行っても、マクロレベルでは経済的に望ましくない状態が生じうる。繰り返しになるが、これが「合成の誤謬」である。

規制緩和論への批判

ケインズ経済学の立場から規制緩和論に対して行われる批判には、この「合成の誤謬」を背景にしたものが多い。典型的な批判としては、「日本経済の問題は需要が供給能力を下回っていることだ。この状況で市場がより効率化されれば、有効需要がますます減って、需給ギャップが拡大してしまう」というものがある。

それに対して、規制緩和論の立場からは、「非効率な規制がなくなれば新しい財・サービスが生まれて消費が増えたり、企業の設備投資が増える。だから規制緩和が進めば需要も増える」という反論をすることが論理的には可能である。すなわち、規制が消費や設備投資を阻害し、総需要を縮小させている、というわけだ。前段の例で言えば、各農家からリストラされた人員が、新たな財――例えば小麦粉――を生産することで、その財に対する新たな（あるいは潜在的な）消費を掘り起こすという論理である。言い換えれば、ケインズ経済学の「合成の誤謬」は、いくら供給サイドで個別主体が効率化しても、総需要が伸びない限り、供給能力が過剰になるだけという点を強調する。これに対しこの反論は、供給サイドの効率化によって余剰資源が新部門に配転されることで新たな財・サービスが生まれ、それらに対する需要が新規に掘り起こされると主張するのである。

しかし、この考え方に対しては、以下のような重大な疑問が生じる。すなわち、もし九〇年代に規制のせいで消費や設備投資が阻害されたとするなら、なぜそれ以前の時代に消費や設備投資が抑制されなかったのだろうか？　特に、八〇年代にも規制が存在していたにもかかわらず、なぜその時期に膨大な設備投資や消費が発生し、資本ストックが積み上がったのだろうか？

九〇年代前半に規制緩和論者によって指摘された「非効率な規制」の多くは、八〇年代からすでに存在していたものばかりだ。むしろ、八〇年代の方が、そういう「非効率な規制」の数は多かったであろう。したがって規制緩和論は、①バブル期には「非効率な規制」があったにもかかわらず旺盛な需要が存在したこと、と②九〇年代に入って需要が急速に萎縮してしまったこと、とを整合的に説明できない。すなわち、「合成の誤謬」に対する右記の反論には重大な欠陥があり、規制緩和論はケインズ経済学からの批判に有効に応えることができない。

ここで念のため断っておくが、われわれは別に、規制緩和が経済を活性化することを否定しようとしているわけではない。むしろ後ほど詳しく述べるように、その点については非常に肯定的に捉えている。ただここで強調したいのは、九〇年代の日本経済低迷の理由を規制の存在に求めることには無理がある、ということである。もし規制が九〇年代に総需要を縮小させ経済の低迷をもたらしたのならば、それ以前から日本経済の総需要は縮小していなければおかしいからである。よって、九〇年代のGDPギャップは「非効率な規制」の存在以外の問題によって生じたと考えるべきである。同時に、「規制緩和によって経済が効率化されれば需要も回復してGDPギャップ（不況）も解消するはずだ」という一部の規制緩和論者の議論は、経済学的に見て説得力を持たないといえよう。

3　企業リストラの誤解

企業リストラ論――資本収益性の国際ギャップが元凶？

九八年の金融危機が一段落すると、日本経済低迷の構造的要因として、今度は「日本企業の収益性が低いこと」あるいは「不効率な企業経営」が挙げられるようになった。そして、企業が収益性を向上させるためには、過剰雇用や過剰設備を整理するような事業の再構築（リストラクチャリング）が必要だと唱えられた。

図2-5　主要国の限界資本係数の推移

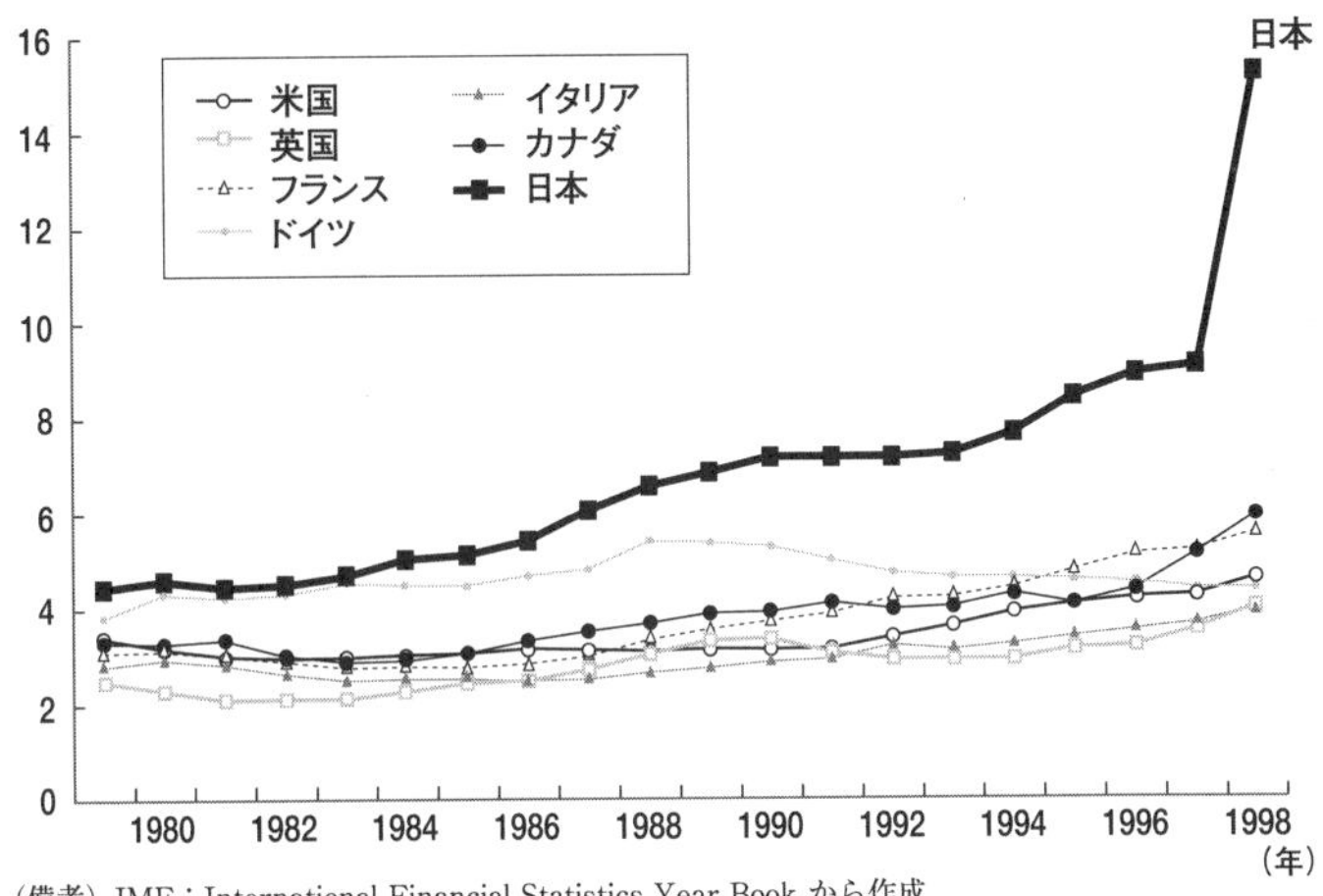

（備考）IMF：International Financial Statistics Year Book から作成

こうした企業リストラ論も、後ほど詳しく見るように、前述の規制緩和論と同様の問題に突き当たる。「合成の誤謬」だ。すなわち、ミクロレベルで各企業がリストラにより効率化すればするほど、全体としては失業率が上昇し設備投資が低下し、総需要も低下してしまう。

こうした中、規制緩和論と異なる文脈で唱えられたのが、資本市場のグローバル化の動きと、日本企業の収益性の低さとを関連づけた考え方だ。これはすなわち、大規模な国際資本移動が起こる中、日本企業の資本収益性が欧米企業に比べ低いことが円高や不均衡を呼んでいる、という主張である。この主張を延長すれば、そういった円高や不均衡を是正するために、日本企業は抜本的な企業リストラをしなければならない、ということになる。この「企業リストラ論」は、九八年頃から、海外の投資家や証券アナリストなどの間で急速に広がった。

国際資本市場における均衡

国際資本市場において、投資家は少しでも収益性の高い投資案件を探して、グローバルに資金を移動させる。ここでは、そういった投資家にとっての「均衡」とは、日本の供給能力と総需要が一致することではないことに注意する必要がある。例えば、もし日本に投資した場合と他の先進国に投資した場合とで、資本収益性が大きく異なるような場合、彼らはより高い資本収益性を生み出す国へと資金を移動させるため「均衡」は生じない。よって、グローバルな資本市場で「資本収益性」が同じレベルに収斂していくことこそが、彼らにとっての「均衡」なのだ。

投資家たちは、日本企業の資本収益性が他の先進国に比べて低すぎることを問題視した。例えば、図2―5は日本と他の先進諸国の限界資本効率を比較したものである。縦軸はGDPを一単位増やすために必要な資本ストックの追加量である。他国に比べて急速に日本の資本効率が悪化していることが分かる。

この図からも明らかなように、日本の限界資本収益性は他国に比べて過小になっている。そこで、グローバルな資本市場で資金の流れが均衡するためには日本の資本収益性を高めなければならない、というのが投資関係者が主張する企業リストラ論である。

この主張を経済学的にもう少し詳細に見てみよう。たしかに九〇年代になって国際的な資本移動はますます膨大な規模で起こるようになっており、資本市場はグローバルな「単一の市場」が成立したといってよい状況になっている。

そこで、資本市場は世界規模で単一のものだと仮定しよう。国際資本市場で均衡が成立するためには、為替の変動を織り込んだ投資の収益性は、投資対象が日本企業でも米国企業でも同じにならなければばならない。もし為替変動込みの収益性が日本より米国の方が高いときには、投資家は日本から米国に資金を移動させる。そのため、日本では投資資金が減少し米国では増加する。その結果、日本では収益性の低い投資は実行されなくなって日本全体の収益性が上がり、米国では収益性の低い投資まで実行されるので米国全体の収益性が下がる。こうして日米の（為替変動込みの）収益性は均衡するのである。

しかし、図２―５で見たように、日本の限界資本収益率（一円を日本企業に投資したときに何円投資家に返ってくるか）は米国の限界資本収益率（一ドルを米国企業に投資したときに何ドル投資家に返ってくるか）よりかなり低い。この差はどう合理的に説明できるのであろうか？

ここでは、一万円を持っていて日本企業に投資する投資家と、一万円をいったんドルに替えて米国企業に投資し、米国企業からの収益（ドル）を再び円に両替する投資家とがいたとしよう。国際資本市場が均衡状態にあるならば、両者の期待収益は同じにならなければならない。そして、日本に比べ米国の限界資本収益率がかなり高くなっている現況で、両者の収益が同じになるには、投資の収益が返ってくるまでに、円高が進まなければならないはずだ。つまり、日本企業に投資した者の円ベースの資本収益率は、米国企業に投資した者のドルベースの資本収益率よりも低いため、投資から投資回収の間に円高が進まない限り、両者の間の資本収益率の差はなくならないのである。

このように、現在の日本企業の低い資本収益性を仮定する限り、国際資本市場が均衡するためには、円高がどんどん進行するということになってしまう。一方で日本経済の実体面に目を転じると、もし円高が際限なく進行してしまうなら、輸出が抑制され、景気に大きな悪影響がある。これでは日本経済は安定して持続的な成長を達成することはできない。

逆に実体経済が安定するためには為替レートの安定が必要ということになる。しかし、為替レートが

図2-6　G7の資本係数の推移

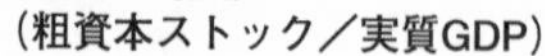
(粗資本ストック／実質GDP)

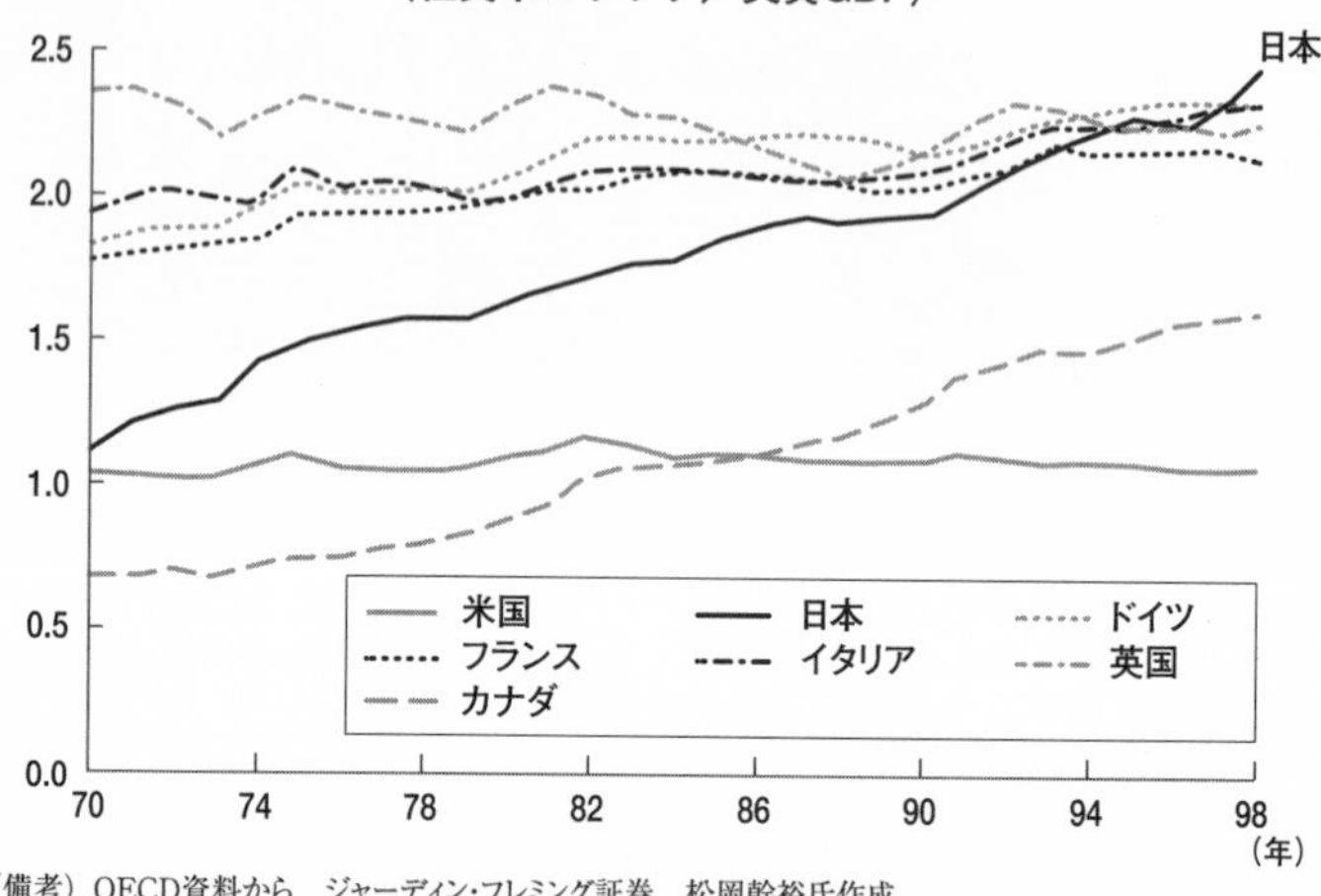

(備考) OECD資料から　ジャーディン・フレミング証券　松岡幹裕氏作成

安定しているときには、日本企業の資本収益性が高くならない限り資本市場が国際的に均衡しなくなるのである。

そこで投資関係者らの主張は、「日本の実体経済の安定とグローバルな資本市場の均衡を同時達成するためには、ROA（総資産収益率）やROE（株式資本収益率）を高めるべきだ」ということになる。そのための処方箋として唱えられたのが、「企業による厳しいリストラクチャリングの推進」だ。つまり、現在の日本企業は資本ストックを過剰に持っているので収益率が小さい、また雇用が過剰なため人件費がかさんで企業収益が悪化している、だから設備やヒトを減らせば収益性が向上する、というのが彼らの主張の骨子である。

企業リストラ論の問題点

しかし、このような企業リストラ論も規制緩和論と同様、「なぜ九〇年代に需要が不足したのか」という問題に答えることができない。なぜなら日本の資本係数（資本ストックとGDPの比率）は七〇年代以降、ずっと上昇トレンドを辿っていて、決してバブル崩壊後に急に悪化したわけではないからだ（図２―６参照）。また、米国以外の先進諸国と比べて、日本の資本係数はそれほどひどいものでもない。

なお、図２―５でみた限界資本係数の悪化は、バブル崩壊後にＧＤＰの成長率が落ち込んだ結果という側面もあるため、資本収益性の悪化がＧＤＰ低迷の原因とは限らない。つまり、資本収益性が悪化したからＧＤＰが低迷したというよりは、ＧＤＰが低迷したから資本収益性が悪化したと考える方がむしろ自然なのである。

再び「合成の誤謬」

このように、国際的な収益性のギャップが日本経済低迷の原因だとする主張は説得力を持たない。したがって、個々の企業が設備や雇用を削減してＲＯＡやＲＯＥの向上に努めたとしても、そういった供給サイドの改革がどのようなメカニズムで眼前の不況（＝需要不足の問題）を解決するかは明らかではない。すなわち、各企業が設備や雇用を削減して効率的になれば、それは設備投資の減少や個人消費の低迷を招き、総需要を押し下げると考えられるからだ。よって、各企業がリストラを積極的に行うと、経済全体の有効需要が縮小し、結果的に企業の収益性をも下げることになりかねない。典型的な「合成の誤謬」のケースである。

もちろん、個々の企業がリストラによって効率化すれば、そういった企業は新たな設備投資をしたり、新たな財やサービスを生み出すかもしれない。その結果、総需要が押し上げられる可能性も出てくる。しかし、こうした考え方もまた、規制緩和論と同様の問題に行き当たる。すでに見たように、日本の資本係数は、長期的に上昇傾向を辿っており、また、国際的に見てさほどひどいレベルにあるわけでもない。よって、この考え方では、なぜバブル崩壊後に日本の総需要が急速に低下したのかを説明できない。さらに、より根元的な問題は、たとえこの論理の流れが長期的には正しいと仮定しても、設備や雇用の削減が先行することにより、短期的には総需要が引き下げられてしまうことだ。したがって、企業リストラ論は、短期の景気対策として論理的に成り立ちにくい。むしろ短期的には有効需要を収縮させ、需給ギャップをさらに大きくしてしまう恐れが高いというべきであろう。

4 規制緩和論や企業リストラ論の有益性

わかりやすい論理とその脆弱な基盤

九〇年代の経済不況は、わが国が五〇年代以降初めて経験する長期的な不況であり、経済政策的にも、従来型のケインズ政策が限界を露呈した。こうした状況に国民やジャーナリズムは鬱憤を募らせ、経済論壇では、経済低迷の「犯人探し」が活発に行われた。それは例えば、前節で述べたような「不十分な財政政策」であり「無駄な公共投資」であり「流動性の罠」であった。

こうした数多くの「容疑者」の中でも、この説で取り上げた「無駄な規制」と「不効率な企業経営」は、いわば「最有力容疑者」であったといえよう。「日本に残る数多くの無駄な規制が、経済の円滑な運営を妨げ、内外価格差を招き、景気回復を遅らせている」あるいは「日本企業がアメリカなどに比べ非効率的なことが、現在の日米間の経済成長率格差につながっている」といったミクロ経済学的な発想に立った論理は一見単純明快で、マスコミや政財官界などで短期間に多くの支持を獲得していった。一方、「合成の誤謬」といったマクロ経済学的な論理はなかなか浸透しなかった。

この時期に唱えられた規制緩和論や企業リストラ論など供給サイド改革論の多くが、脆弱な理論的・実証的基盤に立っていたことはすでに見たとおりである。供給サイド論者の大半は、供給サイドの改革がどのように需要拡大につながるかを論理的に示すことができなかった。また、日本経済の潜在成長率を向上させることと実際の成長率の上昇とを混同する論調も一部で見受けられた（経済の潜在成長率と実際の成長率との関係についてはコラム2―②参照）。マクロ経済学の基本的概念である「合成の誤謬」の可能性について触れた供給サイド改革論は驚くほど少なかった。

短期と長期

われわれは、すでに述べてきたように、短期の景気対策としての規制緩和論や企

コラム2―②　潜在成長率と実際の経済成長率

経済成長を議論するには、「潜在成長率」と実際の成長率を区別することが必要となる。簡略に定義すれば、潜在成長率とは、経済の総供給能力の成長率である。つまり、供給能力をフル稼働した場合に達成される経済成長率のことを指す。それに対して、実際の成長率とは、総需要の成長によって定まる現実のGDPの成長率である。

実際の成長率は、不況期には需要不足のために潜在成長率を下回り、好況期には過大な需要に対応して無理な生産が行われるために潜在成長率を上回る。

我々は図2-1で、一時点での需要と供給の関係を見たが、その時間的変化を考えると、潜在成長率と実際の成長率の関係が分かりやすい（以下では、長期の供給曲線S_LS_Lも変化するほど長い期間、つまり5年～10年以上の長期の時間的変化を考える）。

図2-1の長期の総供給曲線S_LS_Lは、生産性の向上が続く限り時間とともに右にシフトする。つまり、総供給能力Qは時間とともに増加するが、そのスピードが潜在成長率である。一方、総需要曲線DDと短期の総供給曲線S_SS_Sの交点が、実際のGDPと物価水準を表す。DDもS_SS_Sも時間とともに右にシフトするため、その交点も右にシフトする。この交点がシフトするスピードが実際の成長率である。また、何らかの原因でDDがD'D'に落ち込むようなこともあるため、総需要曲線と短期の総供給曲線の交点Q'は、Qに一致しないことも多い。これが需給ギャップ（GDPギャップ）である。

✠ 図2-7　潜在成長と実際の成長

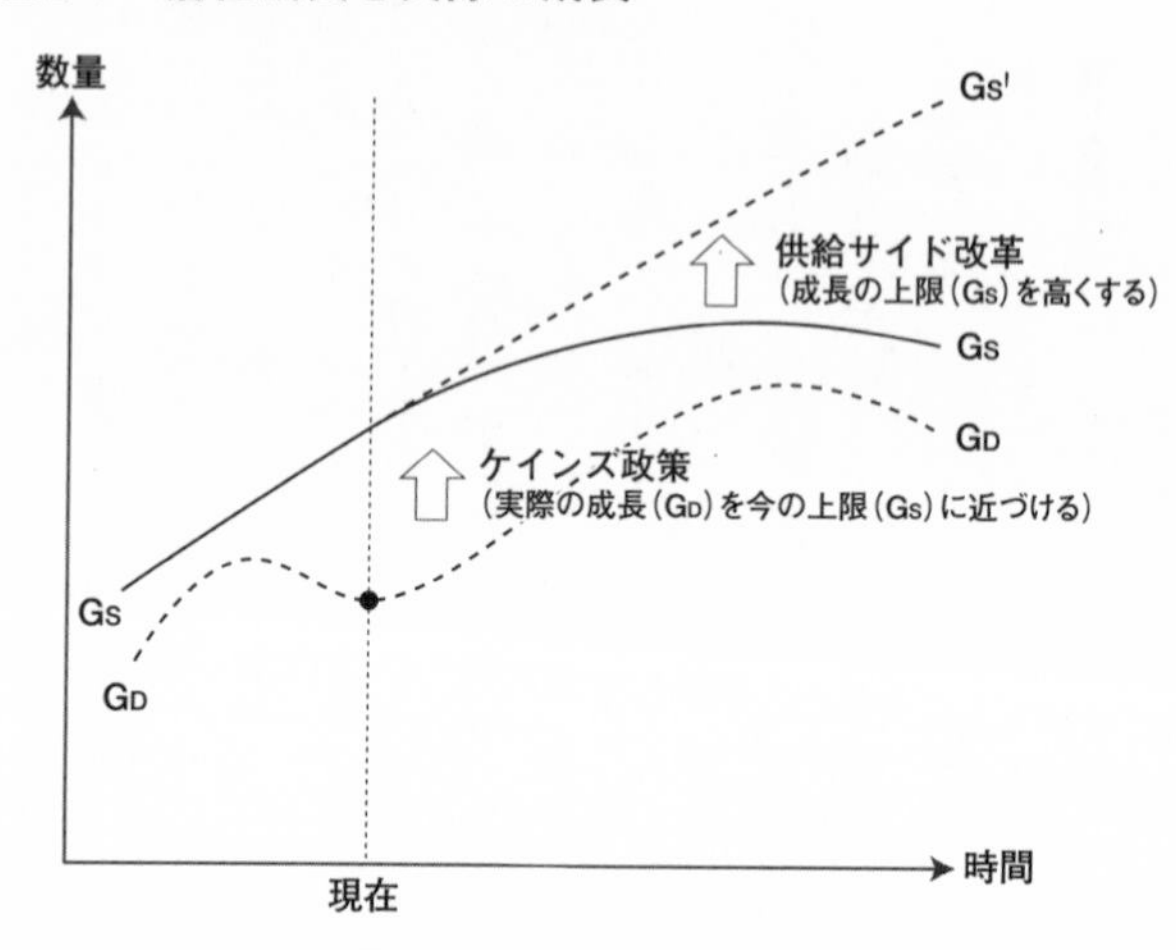

業リストラ論の有効性には懐疑的である。この二つの考え方は結局、供給サイドの改革が、なぜ短期間で総需要を拡大できるのかを説明できなかった。より具体的には、これらの考え方に立つ論者は、ケインズの指摘した「合成の誤謬」に対し有効な反論をなしえていない。

それでは、規制緩和や企業リストラなどの供給サイド改革は日本において必要ないのだろうか？

われわれは、この問に対しては、必要だ、と答える。矛盾していると思われる読者もいるだろう。しかし、われわれは短期の景気対策としての供給サイド改革論に懐疑的なだけで、日本経済に対する長期的な処方箋としての供給サイド改革論を否定しているわけではない。

以下では、われわれの考えを、コラム2―②で詳述した潜在成長率と実際の成長率という概念を用いて説明してみよう。

ケインズ経済学は、ある一国の潜在成長率と実際の成長率との間に短期的なギャップが存在する場合、積極的な財政金融政策を通じ、そのギャップを埋めようとするものである。したがって、ケインズ経済学は、一国の潜在成長率が低いことを問題視するわけではなく、それを是正しようとするものでもない（また、そのギャップが生じた原因を修復しようとするものでもない）。横軸に時間、縦軸に供給可能なGDPや実際のGDPをとった概念図（図2―7）でみると、実際のGDPを表す曲線G_DG_Dが、供給可能なGDPを表す曲線G_SG_Sを下回ったときに、G_DG_Dを押し上げてギャップを埋めようとするのがケインズ政策である。この場合、経済の供給能力G_SG_Sは変化しない。

一般に景気対策は、供給能力から決まる潜在成長率と実際の成長率とのギャップを埋めることを目的として実施される。そしてわれわれは、規制緩和論や企業リストラ論など供給サイド改革論は、そうした潜在成長率と実際の成長率とのギャップを埋める短期的な景気対策としては有効ではない、と考えるのである。

ただ、時間軸をより長期に広げた場合、話は異なってくる。例えばケインズ経済学は、一国の潜在成長率を向上させることはできない。繰り返しになるが、ケインズ経済学は、そもそもそのようなことを念頭に置いていないからだ。これに対し、規制緩和や企業リストラは企業の生産活動を効率化し、長期的には日本経済の潜在成長率を高めると考えられる。また、リストラなどによって企業収益を国際レベルまで引き上げることは、為替相場の安定に資するだろう。よって、供給サイドの改革は、短期の景気対策としてはあまり意味がなくとも、日本経済が今後持続的に発展していくためには、重要な意味を持つ。図2―7では、供給能力G_SG_Sを、より高い潜在成長率を意味する$G'_SG'_S$に変えようとするのが、供給サイド改革なのである。

われわれが、景気対策としての供給サイド改革論に疑義を呈しながらも、日本経済にとって供給サイド改革は必要だと考えるのは、以上のような文脈においてである。

規制緩和と企業リストラの真の意義——政治経済学的観点の導入

規制緩和や企業リストラの必要性は、すでに八〇年代から度々指摘されてきた。しかし、経済が好調だった間は、規制緩和も企業リストラもあまり進まなかった。そういった動きが本格化したのは、経済低迷が深刻化・長期化し、規制緩和や企業リストラが景気回復の処方箋として注目されてからである。九五年には各種規制緩和策をまとめた「規制緩和推進計画」が発表され、九九年には企業リストラ支援策をまとめた「産業再生法」が施行された。その他にもこの時期、企業などの経済活動を円滑化するために、数多くの法的な手当が施された。これらの対策が、どの程度短期的な有効需要の回復に役立ったかは定かではない。だが長期的に見れば、それらの改革は日本経済の体質を強化し潜在成長率を高めると考えられる。

以上は、純粋経済学的観点から見た、規制緩和や企業リストラなど供給サイド改革の意義である。このような観点からすれば、供給サイド改革は、不況時でなく好況時に行うべきものだということになる。なぜなら、不況時(需要収縮時)に供給サイド改革を促進すると、「合成の誤謬」が起こり、不況はますます悪化してしまう恐れがあるからだ。これに対し、好況時に供給サイド改革を行えば、供給サイドはより多くの需要を吸収できるようになり、経済はさらに成長する。もちろん、潜在成長率への影響は、不況時も好況時も同じ程度のはずだ。

しかし、このような純粋経済学的観点は、理論的には正しいとしても、現実的に実行可能であろうか?——例えば、経済が絶好調の時に、既存の規制を大幅に緩和するインセンティブが政治家や官僚に生じるであろうか。あるいは、業績が絶好調の会社において、リストラを行って無駄な支出を減らすインセンティブが経営者に湧くであろうか。

以上のような疑問を背景に、より政治経済学的に考えると、短期の不況と供給サイド改革との間に、経済学的には考慮されない新しいリンクが見えてくる。すなわち、もし不況の時のみ供給サイドを改革するインセンティブが政治家・経営者・官僚に生じるとするならば、たとえ短期の景気回復策として供給サイド改革が無意味（あるいは時には有害）だったとしても、不況時に供給サイド改革論を打ち出す意義が出てくるからである。

こうした政治経済学的な仮説は、九〇年代に実際に起こった出来事からもある程度裏付けられる。

例えば八〇年代には、商法を経済情勢の変化にあわせて改正するには（問題提起から改正法が国会を通過するまでに）一〇年かかると言われていた。それが、九〇年代末には企業組織のリストラクチャリングを迅速に行うための商法改正（企業合併手続の簡素化、株式交換制度の導入など）が、問題提起からわずか二〜三年で実現した。もし九〇年代が好景気で現状に不満を持つ人々が少なかったら、これほど迅速に規制が変更されることはなかっただろう。

また、金融ビッグバンに加え、電気事業法が三十数年ぶりに大改正されるなど、九〇年代には様々な分野（金融、労働法制、会社法、情報通信、エネルギー、独占禁止法など）で数十年ぶりの大きな制度改革が行われた。これらの改革は九〇年代の不況によって大きな推進力を得たことは間違いない。

不況時の政治的・経営的インセンティブ

それでは、なぜ不況時に、政治家・経営者・官僚は、規制を緩和したり、リストラを行い収益性を向上させるインセンティブを得るのだろうか？　すなわち、この政治経済学的な仮説は、どのように理論的に裏付けられるのだろうか？

この点については、第3章以降でより詳しく見るので、ここでは簡単に触れておく。――例えば、社会厚生を減少させるような「無駄な規制」が、政治的なプロセスを通じ存続していたとする。これは、少数の利益者が、民主主義過程のキー・プレーヤー――例えば、族議員や関係省庁の官僚など――に、自分たちが規制によって得たレントの一部を再配分することで、「無駄な規制」を維持するという構図だ。この「無駄な規制」を取り払うには、民主主義過程を通じた立法作業が必要となる。

なぜ「無駄な規制」によって損をする多数者（消費者）が、平時（または好況時）において、それを取り除くべく行動しないかについては諸説存在する。有力なのは、好況時などでは、経済政策が政策争点として顕示性(issue saliency)を得ることが少ないから、というものだ。実際、好況時の選挙では「経済政策・景気対策」を重要争点として挙げる有権者が少ないことは、実証的にも裏付けられている。こうして、好況時においては、少数の利益者の立場が相対的に強化される。彼らは、好況時においても不況時と同様に既得権限を守るべく、投票やその他の政治活動（ロビーイング、献金等）を行うからだ。

他方、不況時には「経済政策・景気対策」の政策争点としての顕示性は一気に高まる。二〇〇〇年の総選挙で、六割以上の有権者が、投票行動を決定する際に「経済・景気対策」を重視すると答えたのはその一例である。不況時には、マスコミなどで政府の経済政策が取り上げられる機会が増える。また有権者は、実際に失業などの脅威を感じ始めることで、各政党・政治家の経済政策に関する立場をより真剣に吟味しようとするようになる。こういう過程を通じ、「無駄な規制」の存在が、多数者の前で顕示される可能性が高まる。また、各種の「無駄な規制」が露わになるにつれ、よりマクロな「規制緩和」という争点が政策論争の議題として新たに設定される可能性も出てくる。

こうやって不況時に、少数者を利する「無駄な規制」の顕示性が高まれば、多数決を原理とする民主主義過程において、多数者の手によってそれが廃止される可能性も高まるというわけだ。

また、企業内においても似たようなことが当てはまる。ハーバード大学のジョン・コッターは、経営者が企業の抜本的な経営改革を成功させるための必要条件に、「危機」と「（社員による）危機感の共有」とを挙げている（Kotter〔1996〕）。不況時こそ、経営者にとっても経営改革を成功裡に達成する可能性が増す、というわけだ。

新たな意義とその限界

以上のように、政治経済学的あるいは経営組織論的に見れば、不況時に供給サイド改革を行うことの意義は存在するようだ。すなわち、政治経済的制約下では、不況時にのみ一国の潜在成長率を高めるような供給サイド改革が可能なのかもしれない。とすれば、供給サイド改革に（一部の論者が主張するような）需給ギャップを狭める効果がなくても、不況時こそ供給サイド改革を進め、将来的な潜在成長率を高めるべき、という主張が成り立ちうる。

しかし、すでに何回も述べたように、不況時の供給サイド改革は、理論的には需給ギャップの縮小にはつながらない。むしろ、「合成の誤謬」を通じ、需給ギャップをさらに拡げてしまうかもしれない。

それでも構わない、と言う極端な供給サイド改革論者が少なくない。需給ギャップが拡がって不況が深刻化すれば、政策担当者や国民の危機感が高まり、供給サイドの構造改革は進む。そうすれば、一時的に経済成長が低下しても、構造改革を通じ将来的な潜在成長率が高まることで、十分元を取れるというわけだ。そういう立場からしてみれば、需給ギャップを速やかに解消するような政策は、構造改革を阻むものとしてむしろ害にさえなりうる。

こうした立場に立つ論者は、暗黙の内に、右で述べたような政治経済学的、あるいは経営組織論的な議論を前提としている。つまり、不況がさらに深刻化し、国民や経営者などの間で危機感が共有されない限り、政治的にも経営的にも変革が起こらないことを前提としているのである。だからこそ、需給ギャップの存在に目を瞑り、短期的には国民に多大な損失をもたらす可能性のある改革を実施すべきだ、と主張するのである。

しかし、これはあまりに乱暴な議論である。構造改革をやみくもに進めることによって、不況が深刻化し、結果的に経済が破綻すれば、元も子もなくなってしまうからだ。規制緩和などの供給サイド改革は、潜在成長率を高めるので長期的にプラスだが、「合成の誤謬」を通じ需給ギャップを拡大する短期的なマイナスの効果があって、長期と短期の損失は、にわかに判断できない。この立場の論者は、潜在成長率が向上すれば、いずれ実際の成長率も向上すると考えているようだが、潜在成長率とはあくまで潜在的なものであり、短期的な需給ギャップが存在する以上、実際の成長率が向上するとは限らない。日本経済の持続的な発展には、潜在成長率の向上も必要だが、需給ギャップの解消も必要なのだ。

さらに、国民（あるいは、その意思を汲んだ政治家）や経営者が、改革のために必要となる危機感を共有するためには、本当に不況の深刻化が必要なのだろうか？　必要だ、と考える供給サイド改革論者は、彼らの視野（time horizon）が（合理的なレベルを超えて）近視眼的であることを前提としている。しかし、われわれは、そうは考えない。むしろ、国民などの間で、危機感の共有が「平時」になされてこなかった最大の原因は、潜在的な危機の存在やその理由が、政府や企業などによって十分に開示・説明されてこなかったことにあると考える。先ほどの「顕示性の理論」の例でも、政府や企業によって説明や情報開示が常時適切に行われていれば、将来的な問題に対する「顕示性」も上がるはずなのである。さらに、会計システムなど制度的要因も、国民や経営者などの一見近視眼的な嗜好をインセンティブ付けし、彼らの間における危機感の共有を妨げてきた（投票者の近視眼性を前提とせずに近視眼的行動を分析する政治経済研究については、例えば、Alesina and Rosenthal［1995］などに詳しい）。よって、政府や企業が十分に説明や情報を行い、また、（第5章などで述べるような）各種の制度改革が実施されれば、政治経済的にも、短期的な需給ギャップの解消は、長期的な構造改革の進展を妨げることはないはずだ。

したがって、次章以降では、短期的な需給ギャップを埋めるために長期の潜在成長率を犠牲にする景気対策でもなく、長期的な成長のために短期的な不況を深刻化させる供給サイド改革でもない、需給ギャップ解消と潜在成長率向上のための「第三の道」を探ることとする。

D まとめ――問D解題

❶九〇年代を通じて唱えられた供給サイド改革論にはどのような類型があり、それぞれどのような理論的背景や目的を持つものなのか。

●類型

まず九〇年代半ばに「規制緩和論」が流布した。さらに、金融危機が一段落した後には、「企業リストラ論」が急速に広まった。前者は、日本に残る「時代遅れの規制」が経済の活力を失わせていることを問題視する。これに対し後者は、日本企業の収益性の低さを問題視し、過剰雇用・過剰設備をリストラする必要性を強調する。

●理論的背景・目的

規制緩和論は、時代遅れの規制によって効率的な企業活動が阻害され、日本経済の活力を削いでいることこそが、不況の原因だと主張する。この立場によれば、九〇年代の日米間の成長率格差も、両国の規制緩和の度合いを反映したもの——ということになる。競争によって日本企業の体質を強化することが、日本経済復活の鍵を握るというわけだ。

企業リストラ論も、規制緩和論と同様の論理で唱えられたものが多い。リストラによって日本企業の体質を強化しなければ、国際的な「大競争時代」に勝ち抜けない、といった類の主張だ。

より洗練された企業リストラ論は、国際的な資本移動が自由化する中、日本企業と他国企業との収益性にギャップがあることを問題視する。この議論は以下のような論理を採る——①国際的に活動する投資家にとり、「均衡」とは一国の経済の需要と供給が一致する点ではなく、各国に投資した際、期待収益率が一致するような点を指す。②そこで日本企業の収益性が他の先進国企業の収益性に比べ恒常的に低いならば、円高が恒常的に進まない限り、投資家にとっての「均衡」は成立しないことになる。③しかし、円高が際限なく進めば、輸出は抑制され景気に悪影響を与える。

そして、こうした状況を打開するには、リストラによって日本企業の収益性を他の先進国企業と同等のレベルに引き上げるべき、という主張が生まれてくる。

D

❷供給サイド改革論は、短期の景気低迷打開策として果たして有効な手段となりうるのか。その理論的根拠は存在するのか。

●不明確な需要サイドとのリンク

規制緩和論や企業リストラ論など供給サイド改革論の多くは、なぜ供給サイド改革が収縮した需要を拡張することができるのかを示していない。しかし、需要収縮が続いたまま各企業が「効率化」すれば、マクロとしての失業率は増え設備投資は減り、総需要はさらに収縮してしまうかもしれない。ケインズの言う「合成の誤謬」だ。

この「合成の誤謬」を背景にしたケインズ経済学の立場からの批判に対し、供給サイド改革論者は有効な反論をなしえていない。論理的に一応考えられる反論は、無駄な規制や過剰雇用・過剰設備が、新たな需要を掘り起こすような財・サービスを生み出すことを阻んでいる、というものだ。しかしこの反論も、なぜ日本経済が八〇年代には好調で、九〇年代になって急速に落ち込んだのかを説明できない。「無駄な規制」は八〇年代にも存在していたし、資本ストックの対GDP比率を示す資本係数の上昇傾向は七〇年代以降一貫して続いているからだ。

●短期の景気低迷打開策としての有効性

以上見てきたように、供給サイド改革が収縮した需要を拡張させるメカニズムは、理論的に明らかにされていない。よって、短期の景気低迷打開策として見た場合、供給サイド改革論の有効性には疑問点が多い。

●短期と長期

規制緩和や企業のリストラは、短期の景気対策としては有効ではない。しかしそれらは、より長期的には、日本経済の生産性を向上させ、日本の潜在成長率を高めることができる。また、企業リストラによって日本企業の収益性が米国企業と同等のレベルに達すれば、円の対ドルレートは安定する。

九〇年代を通じて行われてきた供給サイド改革の真の意義は、一部の論者が期待したような短期の景気浮揚効果よりは、こうした長期的な効果にあったと言うべきだろう。

●政治経済的な意義

より政治経済学的に見れば、九〇年代には不況が深刻だったからこそ危機感が高まり、抜本的な供給サイド改革ができた、ということが可能だ。とすれば、不況対策として供給サイド改革は有効でないとしても、不況時に供給サイド改革を実施する意義が出てくる。

ただ、不況時に供給サイド改革を行うと「合成の誤謬」の問題が生じる。つまり、供給サイド改革により、総需要はさらに縮小してしまうかもしれない。したがって、不況時の供給サイド改革の政治経済的な意義を唱える際には、「合成の誤謬」の可能性についても十分に考慮する必要がある。

4節　何が目指すべき「均衡」なのか？(問E解題)

E ケインズ的総需要管理策と構造改革論のそれぞれが目指す目標の違いは何か。その二つが両立するための必要条件は何か。

ケインズ経済学と構造改革論

これまで見たように、ケインズ経済学と構造改革論が九〇年代の日本経済について提示した処方箋は、全く異なる問題意識に立脚し、一見鋭く対立している。ケインズ経済学は財政拡張や金融緩和によって総需要を刺激し、設備投資や消費を増加させようとする。構造改革論は日本経済の効率性を高めることを重視し、そのために雇用や資本ストックの削減を主張するため、結果的には設備投資や消費を減少させる。

両者にはそれぞれ欠落がある。ケインズ政策は、需要不足が構造的要因によって生じている場合には根本的な治療法を提示できない。また、構造改革論はGDPギャップの解決を直接の目標としたものではないため、不況（＝需要不足）をどのように解消できるのか不明確なままだ。

「需要不足の構造的要因」は本書の主要テーマであり、第3章と第4章で議論するのでここではしばらく措く。ただ本章の締めくくりとして、ここでは、ケインズ経済学と構造改革論のそれぞれが目指す目標が何なのか、それらが両立するための必要条件は何なのか、という点を考察しておきたい。

均衡のジレンマ――異なる「目指すべき均衡」

ケインズ経済学と（一部の洗練された）構造改革論の処方箋の違いは、日本経済の「目指すべき均衡」をそれぞれ異なった側面で捉えていることに起因している。ケインズ経済学が目標とする均衡は「総需要＝総供給」の状態である。これはもっぱら日本のＧＤＰというフロー変数に着目した見方だ。一方、構造改革論が想定する均衡は、前節でみたように「日本の資本効率＝世界（米国）の資本効率」というグローバルな資本市場が均衡する状態である。

失業などの弊害（経済的な無駄）が減るためにはケインズ経済学の目標が達成されなければならない。また、国際的資本移動が自由化された環境では、経済が安定するためには構造改革論者のいう均衡条件が成立することが必要である。

したがって、日本経済が安定した成長軌道に乗るためには、両方の「均衡条件」が成立しなければならない。

まず、「総需要＝総供給」となるためには、消費や投資が増えなければならない。しかし、単純に設備投資が増えるだけで既存の資本ストックがそのままなら、資本ストックは増え続けるため中長期的に資本効率を悪化させることになる。つまりケインズ政策だけでは、構造改革論の目指す「均衡条件」は満たされない。

一方、資本効率を向上させるために設備投資や雇用が抑制されれば、ケインズ経済学が目指す「均衡条件」が満たされなくなる。ここに、二つの均衡条件が両立するためのジレンマがある。

もっとも、資本効率が上がるためには資本ストック一単位が生産する生産量（GDPを資本ストックで割ったもの）が増えなければならない。ケインズ経済学の処方箋、または自然な景気回復によって総需要が増えれば、GDPも一定レベル増えるので短期では日本の資本効率も向上する。しかし、それだけでは足りない、というのが構造改革論者の立場だ。

これを実際の数値で見てみよう。九〇年代末において、需要不足によるGDPギャップは高々一〇%程度である。一方、投資家にとっての資本効率を、非常に大まかに長期金利で測ることにすれば、九〇年代末現在で、日本の長期金利は二%弱、米国や他の先進諸国はだいたい四%〜五%程度である。よって、日本の企業リストラを主張する投資家にとっては、グローバルな資本市場と為替レートが安定するためには日本の資本効率が現状の二倍程度になることが望ましい。ところが、当面のGDPギャップが完全に埋められたとしても、資本ストックが変化しなければ、日本の資本効率は高々一〇%向上するだけだ。

二つのリストラ――物理的なリストラとバランスシート的なリストラ

こうした前提から、構造改革論者は日本の資本ストックが減少することが不可避だと考える。したがって一部の論者は、相当な長期間にわたって企業リストラが続かない限り、高い失業率や設備投資の低迷が解消しないだろうと見る。これは、「資本ストックの減少」を設備投資の減少や既存設備の廃棄などの手法で行い、資本ストックの「物理的な量」を減少させる場合の見方だ。

しかし、多くの企業リストラ論者が「リストラクチャリング」というときに前提としているのは、物理的な手法とは「別の手法」で資本ストックを減少させることである。

企業会計や国民経済計算で「資本ストック」として計上される数字は、大まかに言えば資本ストックの数量とその単価を掛け合わせたものだ。資本ストックの単価は基本的に企業等がその資本ストック(機械設備や建物)を取得したときの価格から計算される。その価格は、取得の時点では、その資本ストックが将来生み出す収益の現在価値に等しいと期待されている。

ところが、九〇年代の日本では、資本ストックが取得時(バブル期以前)に期待された収益を生み出せないことが様々なところで判明した。これは、バランスシート上に現れる資本ストックの「単価」が、その資本ストックが生み出す収益から見て高すぎることを意味している。つまり、「リストラクチャリング」によって実際に求められているのは、既存の資本ストックを、それが生み出す収益に見合った価格に「評価替え」することなのだ。既存資本ストックの物理量をそのままにして、その価格を収益力に見合ったものに減価すれば、企業会計や国民経済計算上の資本ストックは減少する。これが資本効率を高めるための(設備投資抑制や雇用調整に代わる)「別の手法」だ。ミクロ的に言えば、これは企業や金融機関のバランスシート上の不良債権や不稼働資産を処分すること(減価して売却すること)を意味する。

バランスシート調整論へ

このように、ケインズ経済学と構造改革論の二つの「均衡条件」が両立するための必要条件は、既存資本ストックを実際の収益に合った価格にバランスシート上評価替えすること、すなわち個々の経済主体の「バランスシート調整」なのである。既存資本ストックが減価すれば、消費と設備投資が増大して需給ギャップが解消しても、資本効率が低下することにはならない。また、資本効率の向上のために設備投資や消費が抑制されることもなくなる。よって「合成の誤謬」は生じない。

つまり、バランスシート調整を進めた上で、さらに需要低迷の「構造的原因」を除去できれば、「需給ギャップの解消」と「資本効率の向上」という均衡の二つの条件が同時に成立するのである。その結果、日本経済は安定した成長軌道に戻ることができるはずだ。

ここで結論を先取りして言えば、われわれが第3章と第4章で検討する「需要低迷の構造的原因」の多くは、実はバランスシートの毀損（「資本ストックが現実の収益性よりも割高に評価されていること」）を引き起こしている原因でもある。さらに、バランスシートの毀損が、総需要を低迷させていることを第4章で論証する。つまり、不良債権や不稼働資産の最終処分を進めることは、二つの均衡条件を達成するための「必要条件」であるのみならず、ほぼ「十分条件」に近いものにもなっているのである。

E　まとめ——問E解題

ケインズ的総需要管理策と構造改革論のそれぞれが目指す目標の違いは何か。その二つが両立するための必要条件は何か。

●二つの均衡（目標）とジレンマ

ケインズ的総需要管理策が目標とする均衡は、一国の「総需要＝総供給」となる状態だ。これに対し構造改革論（供給サイド改革論）は、国際資本市場において「日本の資本効率＝世界（米国）の資本効率」となる均衡状態を達成しようと考える。

二つの均衡を同時に達成しようとするとジレンマが生じる。すなわち、ケインズ的均衡を達成するため、設備投資をいたずらに増大させれば、収益に比べて資本ストックが増えすぎるため、資本効率（収益／資本ストック）は低くなる。また、国際資本市場における均衡を達成するために設備投資や雇用を抑制すれば、需要が不足してケインズ的均衡状態から遠のく。

●二つの目標を両立させるための必要条件

ケインズ的に設備投資を増大させつつ、構造改革論的に資本効率を向上させるには、既存の資本ストックを「リストラ」する必要がある。ただここで「リストラ」と言う場合、物理的なリストラとバランスシート的なリストラとに区別することが肝要となる。前者は、設備投資の抑制や既存設備の廃棄などを通じ、実際の設備量を減少させようとするリストラである。それに対し後者は、過大評価されていた既存設備を、そこから生み出される収益に見合うレベルにバランスシート上で「評価替え（減価）」するリストラである。

前者のリストラは、資本効率を高めても、「合成の誤謬」を通じ、需要をさらに収縮させてしまう。よって物理的なリストラでは、二つの均衡を両立させることはできない。これに対し後者のリストラは、資本ストックをバランスシート上で減らすため、資本効率を高めつつも、新たな設備投資（需要）を吸収することができる。

以上見てきたように、既存資本ストックを収益に見合うレベルにバランスシート上で評価替えすることこそが、ケインズ経済学と構造改革論との二つの異なる目標を同時に達成するための必要条件なのである。

第3章

不良債権問題の経済学

モラルハザードと信用収縮

第3章の問

F

❶不良債権問題は、ミクロ経済学的には、どのような影響を経済に与えていると理解されているのか。

❷ミクロ経済学的な理解を前提とすれば、不良債権問題にはどのような政策的対処が必要と考えられるか。

G

❶土地や株式などの資産価格の変動や、不良債権問題は、マクロ経済学的には、どのような影響を経済に与えていると理解されているのか。あるいは、「情報の非対称性」や、そこから生じる「プリンシパル・エージェント問題」は、マクロ経済にどのような影響を与えているのか。

❷マクロ経済学的な理解を前提とすれば、資産価格の変動や不良債権には、どのような政策的対処が必要と考えられるか。

前章では、マクロ経済学的なケインズ型総需要管理策とミクロ経済学的な構造改革論（供給サイド改革論）双方の長短を概観した。さらに章の終わりでは、ケインズ経済学と構造改革論のそれぞれ求める均衡が異なることを示し、その二つの均衡を同時に満たすためには、企業が、バランスシートの毀損（資本ストックが現実の収益性よりも割高に評価されていること）を修復することが必要なことを指摘した。

以上を前提に、本章以降では、近年の政策論争において対立的なものとして扱われてきたケインズ経済学と構造改革論とを「つなぐ」新たな考え方を提案する。

すでに見たように、ケインズ経済学は、需要が収縮した原因を取り除こうとするものではない。したがって、需要収縮の原因が特定できるような場合、景気回復の手段として、ケインズ型総需要管理策が最善の手段とは限らない。一方、構造改革論は、供給サイドの構造改革が、なぜ収縮した需要を拡大しうるのかを示すことができなかった。

だが、このようなケインズ経済学と構造改革論双方の問題点は、両者を対立的な立場としてでなく補完的な立場として捉えることにより、克服しうるとわれわれは考える。それでは、どのように両者を「つなぐ」ことができ、どのように両者は補い合えるのだろうか？

われわれは、ケインズ経済学の論者と同様、景気回復のためには、総需要を拡大する必要があると考える。ただ、通常のケインズ経済学論者の立場と異なるのは、バブル後の日本経済における需要収縮の根本要因を特定する点にある。すなわち、不良債権問題、あるいは様々な経済主体のバランスシートの毀損が、日本経済の需要収縮を引き起こしていると考えるのである。このため、景気の持続的回復のためには、（原因を特定しない）従来型のケインズ的需要喚起策よりは、需要収縮の根本要因――バランスシート毀損――を直接取り除く政策を実行する方が有効だ、というのが、われわれの立場である。

一方、不良債権問題、あるいは各経済主体のバランスシートの毀損は、一種の供給サイドの構造問題である。したがって、その修復の必要性を強調する点において、われわれの主張は、構造改革論者のそれと共通する。ただ、構造改革論者と異なるのは、不良債権問題（あるいはバランスシートの毀損）が、供給サイドの問題に留まらず、総需要の収縮をも引き起こしていることを、理論的に明らかにしようとする点である。

短く言い換えれば、本章以降で展開されるわれわれの基本的な立場は、マクロ的な需要収縮問題を、ミクロ的な構造問題（とりわけ、不良債権問題）のレベルまで掘り下げることによって吟味しよう、というものである。その際には、従来曖昧（あいまい）にされてきた、マクロ的需要収縮問題（需要サイド）とミクロ的構造問題（供給サイド）との理論的リンクを明らかにする点に主眼が置かれる。

不良債権問題が日本経済に悪影響を及ぼしていることについては、すでに多くの論者が指摘してきた。しかし、今までの議論の大半は、単に不良債権の存在を漠然と問題視するだけで、それがなぜ市場メカニズムによって自動的に治癒されないのかを掘り下げてこなかった。また、不良債権がどのようなメカニズムを通じて、企業行動あるいは日本経済全体に悪影響を及ぼすのかも、緻密に分析されてこなかった。さらに、不良債権問題は主として金融部門を始めとするセクターレベルの問題と認識されてきたため、それがマクロレベルの需要収縮につながることを理論的に指摘した者も少なかった。しかし、そういった点を理論的に分析しない限り、不良債権問題や、それが日本経済に及ぼす悪影響を根本的に治癒することはできない。本章以降でわれわれが掘り下げて分析するのは、まさに、そういった点についてである。

本章ではまず、不良債権問題のメカニズムに関する経済学者の考え方を、最新のものも含め概観する。その上で、そのメカニズムがいかにしてバブル後の急速な需要収縮や、九七～九八年の金融危機を誘発したかを理論的に吟味する。こうした作業を通じて、不良債権問題が、いかに日本経済の脆弱性を生み出してきたかが浮き彫りにされる。章の終わりでは、不良債権問題とそれが原因となった需要収縮への政策的対応のあり方について軽く触れる。

次章ではさらに、不良債権を巡る「問題の先送り」という九〇年代の日本経済に特徴的な現象とその弊害に焦点をあてる。そして、その「問題の先送り」こそが、九〇年代の「低成長」というトレンドを決定づけたことを論じたい。

1節　「不良債権問題」のミクロ経済学的理解（問F解題）

❶不良債権問題は、ミクロ経済学的には、どのような影響を経済に与えていると理解されているのか。
❷ミクロ経済学的な理解を前提とすれば、不良債権問題にはどのような政策的対処が必要と考えられるか。

不良債権問題——明らかにされてこなかったメカニズム

金融機関などに堆積する不良債権が日本経済に大きな悪影響を及ぼしている——という「印象」は、現在多くの人々に共有されている。ただ、不良債権がどういうメカニズムで日本経済に悪影響を及ぼしているかを理論的に分析した者はほとんどいない。しかし、不良債権問題に対する真に有効な政策を講じるには、そういったメカニズムを明らかにすることが必要だ。

以下の第1節ではまず、不良債権問題に関する標準的なミクロ経済学の理解を整理する。さらに第2節では、不良債権問題が企業内部だけでなく経済全体に及ぼす悪影響——経済学用語でいう「外部不経済効果」——が発生するメカニズムについて整理する。

不良債権に関する教科書的な理解――MM定理

新聞などでよく、「会社Aは多額の負債を抱えているため、今期は設備投資を抑制した(せざるをえなかった)」という表現を見かける。エコノミストの中にも、そのような論理を当然の前提としている者が少なくない。たしかに、頭にすっと入りやすいロジックだ。しかし、厳密に考えてみると、このロジックの整合性には疑問が生じる。そもそも、企業に堆積した不良債権(企業側から見れば過剰債務)は、企業の将来の事業活動に影響を与えうるのだろうか?

教科書的な経済学あるいは経営学では、過去の借金が焦げ付くことが、ある企業の、現在または将来の事業活動に影響を与えるとは考えない。つまり、①現在の投資決定は、その投資が今後どれだけの収益を生みだすかという「期待収益性」によって判断される、②不良債権は、過去の投資決定が失敗した結果であり、現在の経済活動がそれによって悪影響を受けることはない、というわけだ。これは、よりかみ砕いた表現を使えば、不良債権を抱えているにしろ抱えていないにしろ、企業は儲かる案件には投資するという考え方である。

この考え方の背景にあるのが、「モディリアーニ＝ミラーの定理(MM定理)」である。七〇年代に発表され、経済実務の常識を覆したこのMM定理は、「企業の資金調達が『融資』で行われても、『(株式や持分への)投資』で行われても、企業の事業活動は影響を受けない」ということを、非常に簡単なモデルを用いて証明した。この定理を延長すれば、企業のバランスシート右側における負債／資本の割合がどのようなものであっても、企業の事業活動には影響を与えない、ということになる。その後MM定理が長らく経済学・経営学の常識とされたため、日本では、今でもMM定理が経済学の最前線だという誤解があるようだ。

新しい理論――プリンシパル・エージェント問題

しかし、最近の経済学の研究では、企業と投資家（銀行）との間に情報の非対称性（企業の行動を銀行が把握しきれないことなど）が存在するため、不良債権が経済活動に悪影響を及ぼしうると理解されるようになってきた。

MM定理は暗に、企業も融資する側の銀行も、完全な情報を保有していることを前提とする。しかし最新の経済学は、「情報」の問題に注目することによって、「借金と出資は全く違う」という普通の人々（あるいは前掲の新聞記事的ロジック）の実感がやはり正しかったことを示すようになった。情報の非対称性と銀行と企業の利益相反が産み出す問題は経済学では「プリンシパル・エージェント問題」と呼ばれる（コラム3―①参照）。

プリンシパル・エージェント問題を重視する最近の経済学では、負債による債務者の規律付けの重要性が強調される。以下では、そういった最近の標準的な経済学を前提に、不良債権問題がどのように銀行の融資活動や企業の事業活動に影響するかを見ていきたい（以下の議論を展開する際には、大瀧［2000］と池尾［1996］を参考にした）。

不良債権のペナルティ

例えばバブルの崩壊など、何らかの理由で、企業が過去の債務を返済期限までに返済しきれない状況を想定しよう。この場合、その企業は倒産するか、あるいは、債権者の承諾を得た上で債務を次の期まで持ち越すことになる。通常、その企業の利払い前のキャッシュフローがある程度黒字の場合、または

コラム3－① プリンシパル・エージェント問題

経済活動においては、ある主体（プリンシパル＝本人）の委任を受けた他の主体（エージェント＝代理人）が、何らかの対価を得てプリンシパルの利益のために働く、というプリンシパルとエージェントの関係がしばしば観察される。例えば銀行は、資金を企業に融資し、その企業が、元本プラス利子を返済するのに十分な利潤を上げることを委任する。企業は銀行の代理人として、利潤追求活動を行う。つまり、資金の出し手と受け手の関係では、銀行がプリンシパルで企業がエージェントである。

こうした関係を扱うときに問題になるのは、「プリンシパルはエージェントの活動を完全には把握できない」という情報の非対称性が存在することだ。つまり、企業の事業活動については、エージェントである企業の方が、プリンシパルである銀行に比べ、より多くの情報を持っているのである。そのためエージェント側には、情報の優位性を活かし、プリンシパルが監視できないところで怠業したい、という「モラルハザード」のインセンティブが発生する。

例えば、あるプロジェクトの遂行のため、企業が銀行から融資を受けたとしよう。その際、銀行が、企業の資金運用――プロジェクト遂行のため全資金が効率的に使われているか？――を逐一監視するのは難しい。そのため企業サイドでは、情報の優位性を活かし、資金の一部を例えばこっそりと自己の飲食に充ててしまうかもしれない。これがまさにモラルハザードである。

プリンシパルがエージェントの怠業を観察できないなら、怠業の結果として事業が失敗しても、エージェントはプリンシパルに「失敗の原因は不運だったからで、自分に責任はない」と言い逃れできる。このため、契約時に「怠けたら罰を与える（倒産させる）」という条項を入れても、プリンシパルはこれを実行できない。プリンシパルはエージェントが怠けたことを証明できず、エージェントは言い逃れできるからだ。

プリンシパルにとって次善の策は、エージェントに支払う対価について「怠けたかどうかにかかわらず、事業が失敗した場合はかならず罰を与える」というようなルール（非免責条項）を導入することだ。この場合、エージェントは怠ければ必ず罰を受けるから、モラルハザードのインセンティブは減少する。

一方、エージェントが真面目に働いても、不運で事業が失敗してしまう場合もある。その場合も、エージェントは罰を受けてしまうので、非免責条項は効率性が悪い。しかし、これは情報の非対称性を克服するために不可避のコスト（「情報コスト」）なのだ。

経済学における「プリンシパル・エージェント問題」とは、プリンシパルとエージェント間の情報の非対称性を前提とし、そこから生じる様々な現象を分析するものである。特に政策的には、プリンシパルがエージェントに与える罰についてどのようなルールを作れば、最小の情報コストでエージェントの怠業を防げるか、という点が吟味される。

黒字となることが将来的に見込まれる場合、債務は持ち越される。したがって、ここでは、そうやって債務が持ち越された場合、あるいは、債権者側から見れば債権が不良債権化した場合を考えよう。こうした状況は、バブル後の日本経済においてごく一般的に見られるケースだ。

このような状況において、持ち越された債務（債権者側にとっての不良債権）は、企業の事業活動に影響を与えるのであろうか？　プリンシパル・エージェント問題を考慮に入れた最近の標準的な経済学は、影響を与える、と考える。つまり、たとえ収益を生み出すことが期待される投資案件があっても、持ち越された既存債務の債権者が優先的な返済を要求するため、企業はその投資を実行する資金を確保できない可能性がある、というのだ。それでは、なぜ過去の債務が、現在あるいは将来の投資活動に影響を与えるのだろうか？　具体的に見てみよう。

既存債務を持つ企業が新規の投資プロジェクトを実施したとする。その場合、既存債務の返済が優先する限り、新規の投資からの収益が生じても、企業の経営者や新たに資金を融資した銀行へのリターンは少なくなる。例えば、一億円の既存債務を持つ企業が、新規プロジェクトへの投資により一億一〇〇〇万円の収益を得ても、既存債務の返済が優先された場合、新規投資の融資者へのリターンは一〇〇〇万円のみということになってしまう。この場合のように、新規投資の収益から既存債務の返済を差し引いた残高があまりにも小さければ、企業の新規投資のために必要な新たな融資が受けられなかったり、企業自身が「新規投資は採算が合わない」と判断して投資を断念してしまうことになる。

つまり、新規投資それ自身は有益なプロジェクトであっても、「既存債務の返済が優先する」ために、そのプロジェクトが実施されない可能性があるのだ。そして、もし収益を生み出すプロジェクトが既存債務の影響で見送られれば、社会全体の経済厚生は害される。「経済全体にとって有益なプロジェクトが、企業の債務超過が原因で実行されない」というこの現象は、債務者企業が実施したかった事業が実施できなくなるという意味で、「不良債権のペナルティ」と呼ぶことが適当である（ミクロ経済学では、「デット・オーバーハング（債務超過）効果」と呼ばれる。例えばHart［1995］などを参照）。これが標準的なミクロ経済学から見た不良債権のコストである。

不良債権のペナルティが生じる理由――情報の非対称性

そもそも、なぜ既存債務の債権者は「債務返済の優先順位」にこだわるのだろうか？

既存債務の債権者が、収益を生み出すような新規プロジェクトへの融資者や企業の経営者に対し、「既存債務の劣後化」を認めたとしよう。すると新規投資のための融資を行う銀行やプロジェクトを実施する企業は、十分な収益を確保することができる。そして、新規の融資者と企業の取り分を引いた後の残りが、既存債務の債権者への返済に充てられることになる。この場合、既存債務の債権者は、全額返済をしてもらうことはできないが、一部は返済してもらうことができる。それに引き換え、「既存債務の劣後化」を認めない場合は、新規投資そのものが実行されないので、既存債務の返済はゼロになってしまう。

先ほどの例で言えば、もし既存債務の債権者が「債務の劣後化」を認めたとすると、プロジェクトへの新規融資者と企業が取り分（ここでは仮に七〇〇〇万円としておく）を先に受け取ることになる。その結果、一億一〇〇〇万円の収益から七〇〇〇万円の取り分を引いた差額四〇〇〇万円のみが、既存債務の返済に充てられる。先ほどは債権者が一億円全額の返済を受けるとしていたため、「債務の劣後化」を認めることによって、債権者は一見損をするようにも思える。しかし、「債務の劣後化」を認めない場合、そもそも新規事業は実施されないため、既存債務の返済もゼロとなってしまう。よって、「債務の劣後化」を認めることによって、既存債務の債権者は四〇〇〇万円の得をすることになるのだ。

こう考えると、既存債務の債権者が合理的なら、ゼロの返済より、一部でも債務が返済される方を選ぶはずではないか、ということになる。つまり、合理的な債権者は「債務返済の優先順位」にこだわるのを放棄して、「既存債務の劣後化」を認めそうなものである。しかし、現実にはそうならない。なぜなら、既存債務の債権者と企業との間に「情報の非対称性」が存在するからである。すなわち、既存債務が返済期限通りに返済されないとき、債権者は債務者企業が怠業したのか、不可抗力で事業が失敗したのかを区別できず、そのため「既存債務の劣後化」を認めることに慎重になるのだ。

情報の非対称性の下で、もし企業が借金をする前に「債務が期限通り返済されなくても債権者が『既存債務の劣後化』に応じる」と予想すると、企業には「怠業したい」というモラルハザードのインセンティブが発生する。なぜならば、①真面目に経営するよりも怠業する方が債務者（企業）の利得は大きい（「会社の借金で飲み食いする方が楽しい」）、②情報の非対称性が存在するために、債務不履行が怠業によるものかどうか債権者は確認できない、③既存債務は次の期にどうせ劣後化するので、怠業しても企業は次の期に新規の資金供給を受けられる、からである。

こうした債務者のモラルハザードを防止するためには、債権者は、「債務が期限通り返済されない場合は、状況の如何にかかわらず『既存債務の優先返済』にこだわる」という強い姿勢をあらかじめ示さなければならない。「不良債権のペナルティ」を課すのはそうした文脈においてである。債務者は、理由の如何を問わず「不良債権のペナルティ」を課せられるとあらかじめ知れば、「情報の非対称性」がいくら大きい場合でも、怠業するインセンティブを失うのだ。

現実の経済活動では、債務者と債権者の間の「情報の非対称性」は非常に大きい。銀行は債務者企業を四六時中モニターできないので、債務者の事業が失敗して債務不履行を起こした場合、それが怠業によるものなのか、債務者に責任のない不運によるものなのか、はっきりと区別することはできない。したがって、債務者のモラルハザードを防止する自生的な知恵として、「債務不履行が生じた場合は、既存債務への返済がまず優先される」という慣行が確立しているのだ。しかし、この慣行を守ることによって、債権者は自分が本来得をするような「債務の劣後化」もできなくなってしまう。

ここでも具体的な例を考えてみよう。ある人（債権者）が、投資信託会社に一〇〇万円の資金運用を委託したとする。このとき、投資信託会社の情報開示が十分でないと、債権者である人と、債務者である投資信託会社との間に「情報の非対称性」が生じる。このため、投資信託会社は「情報の非対称性」に乗じて、一〇〇万円を他の用途に流用してしまうかもしれない。これがモラルハザードだ。しかし、「情報の非対称性」が存在するため、債権者は一〇〇万円が焦げ付いた理由が、不可抗力による投資の失敗によるものか怠業によるものか見分けることができない。したがって債権者は、モラルハザードを防ぐためには、資金を貸す段階から、「債務の劣後化」には応じないという断固とした態度を示す必要がある。ただ、債権者がそのような態度を取ることによって、怠業でなく不可抗力によって投資を失敗した投資信託会社も影響を受ける。つまり、不可抗力によって投資を失敗した投資信託会社は、例えばその後確実に一五〇％の収益を得るような投資案件を見つけても、融資が得られなくなってしまうのだ

このように、「債務不履行を起こした企業は（たとえ収益を生み出すような事業であっても）新規投資ができない」＝「債務不履行を起こした企業は事業の継続ができない（倒産する）」というペナルティは、「情報の非対称性」によって起こるモラルハザードを防ぐために「支払うべき必要なコスト」とも言えよ

う。先ほどの例で言えば、怠業でなく不可抗力によって投資を失敗した会社であっても、その後収益を生み出すような事業についても融資を受けられなくなってしまうのだ。そしてそのコストは、「新規投資ができない＝事業継続ができない＝倒産する」ことで、一義的には債務者自身（企業）が支払うことになる。

（注）「経済全体にとって有益な新規投資プロジェクトが実行されない」ことは、事業継続ができなくなる債務者（企業）だけでなく、社会全体にとってのコストでもある。これがモラルハザードを防ぐ上で必要不可避なミクロ経済学的なコストだ。一方、過剰債務企業が事業継続できないことは、他の企業の経済活動も阻害する「外部不経済効果」を持つ。これが、次節のマクロ経済学的な議論である。

不良債権のペナルティへの対処は必要か？

以上が、標準的な経済学による「不良債権問題」の理解である。この考え方からすれば、バブル崩壊後の経済低迷が、不良債権のペナルティによって生じたとしても、それはモラルハザード防止のための代償ということになる。このコストから逃れたければ、債権者は「既存債務の劣後化」というペナルティ免除、つまり既存債務の減免（銀行による不良債権の債権放棄）や「既存債務の株式化」に応じなければならない。

しかし、債権者が「既存債務の劣後化」や「既存債務の株式化」に応じると、今度は逆に、債務者のモラルハザードを将来発生させることになる。すでに述べたように、そのような場合、債務者は最初から金融機関が「既存債務の劣後化」に応じると予見して、怠業するようになるからだ。すると今度は、金融機関が債務者のモラルハザードを予見して、少しでもリスキーな債務者には資金を提供しないという「貸し渋り」傾向を強めることになる。こうした悪循環が続く結果、信用収縮がより厳しくなり、結局、民間経済活動が現在よりも低迷することになりかねない。つまり、不良債権問題のコスト（＝過剰債務企業が収益性のある事業をも継続できなくなること）から逃れようとすれば、経済全体としては、信用収縮というより大きなコストを支払う羽目になりかねないのだ。

では、どうすればよいのだろうか？

標準的な経済学の答えは次のようなものになるだろう。「モラルハザードを防ぐために支払われる不良債権問題のコストは一過性のものだ。不良債権の債務者企業が倒産整理され、銀行が損失処理を終えれば、不良債権問題は決着する。バブル崩壊後の経済低迷が非常に深刻なのは事実だが、これは不良債権が処理されるまでの『一過性のショックによる大きな景気循環』なのである。したがって、しばらく待てば、経済は自然に立ち直る」。

こうした考え方は、「景気がなんらかの要因で落ち込んでも、経済は自然に治癒する」という通常の景気循環論が描くシナリオと基本的には同じである。つまり、通常の景気循環論は、ストック調整などの「実体経済」の動きに注目しているが、上記の議論は資金の融通という「信用」面に注目して論じているという違いがあるに過ぎない。

したがって、「不良債権」が「債務者へのペナルティ」を通じて景気を悪化させても、通常の景気循環に比べて特別な違いはないし、政策対応も特に必要ではない。これが、ミクロ経済学的な結論になる。

一過性ショックか構造的要因か

しかし、不良債権問題によって生じる弊害は、「不良債権のペナルティ」の実施によるミクロで一過性のコストだけなのだろうか。簡単な計算によって検証してみよう。

バブル期以前は、日本の銀行貸出残高はだいたいGDPの七〇％程度で安定していた。それがバブル期にGDPの一〇〇％程度になった。日本のGDPはおよそ五〇〇兆円だから、その三〇％にあたる一五〇兆円が地価や株価の上昇をあてにした「過剰な貸出し」だった可能性がある。

見方を変えれば、これは、バブルの崩壊直後に、貸出先企業の収益性が低い債権を「不良債権」として処理していれば、一五〇兆円の不良債権処理が必要だったということだ。一方で、九〇年度末から九九年度末までの間に国と地方を合わせた公的債務の残高は約三四〇兆円増加している。この数字は、公的セクターから民間セクターに九〇年代の九年間で三四〇兆円の所得移転が行われたことを示している。額がこれだけ増えたのは、公共事業の増加や減税などの財政政策に加え、景気低迷によって税収が減少したからだ。しかし、これだけ公的セクターから民間セクターに所得移転が行われたにもかかわらず、九〇年代末になっても、銀行貸出残高はGDPの一〇〇％近く残っている。つまり、いまだに一〇〇兆円を超える「過剰な貸出し」が残存しているわけだ。

もしも不良債権問題のコストが「債務者へのペナルティ」による一過性のものだけであれば、一五〇兆円の不良債権は三四〇兆円の公的セクターからの所得移転によって損失処理され、銀行貸出残高はバブル以前の水準であるGDP七〇％程度に圧縮されていたはずだ。しかし、九〇年代を通じて銀行貸出残高はほとんど減らなかった。こうした数字から、「不良債権問題」は一過性のものでなく、構造的要因によるものだ、という見方が出てくるのである。

このような考え方に対しては、「九〇年代の継続的な地価下落によって、民間セクターの資産の（含み）損失が次々と新たに生み出された。三四〇兆円の公的セクターからの所得移転は地価下落による民間セクターの損失を穴埋めするだけで手一杯だったのだ」という反論があるかもしれない。

マクロ変数の動きは確かにその通りだろう。地価の下落によって失われた資産価値は日本経済全体で約七〇〇兆円、そのうち企業セクターの損失は約二二〇兆円に及ぶ。三四〇兆円の公的セクターからの所得移転は、企業や家計の損失を穴埋めし、経済の大幅な落ち込みをくい止めるのに手一杯だったという見方は一見もっともだ。

しかし、地価下落が継続して貸出先の担保価値が下がったのだから、通常なら銀行は、融資姿勢を厳しくし、貸出残高を縮小しようとしたはずである。ところが現実には貸出残高は下がっていない。やはりそこには、ミクロ経済学が想定する「不良債権問題は一過性」という考え方に当てはまらない何らかの「構造的要因」がある、と見るべきではないだろうか。

F まとめ――問F解題

❶不良債権問題は、ミクロ経済学的には、どのような影響を経済に与えていると理解されているのか。

●教科書的な経済学の理解――モディリアーニ＝ミラーの定理（MM定理）

情報が全ての経済主体に共有されている理念的な「完全競争市場」では、不良債権の存在は、債務者企業の経済活動に何ら影響を与えない。なぜなら、不良債権の債権者は、債務者がこれから行う新規事業が収益を生むと予想すれば、過去の不良債権にかかわらずその新規事業への融資を行うはずだからである。

こうした教科書的な考え方のベースになっているのが、「企業の資金調達が『融資』で行われても、『(株式や持分への）投資』で行われても、企業の事業活動は影響を受けない」という、モディリアーニ＝ミラーの定理（ＭＭ定理）だ。

●情報の非対称性から生じるモラルハザードのインセンティブ

しかし、現実の経済社会は、教科書的な経済学が想定するような完全競争市場とは、ほど遠い状態にある。例えば、資金の貸し手である金融機関などと、借り手である債務者企業との間には、情報の非対称性が存在する。つまり、資金の貸し手（債権者）は、借り手の企業（債務者）の行動を全て把握することはできない。

こうした情報の非対称性が存在するとき、情報面で優位に立つ債務者には、債権者の目を盗んで怠業しよう、というインセンティブが生じる。これが、いわゆるモラルハザードのインセンティブだ。こうしたモラルハザードを未然に防ぐためには、債権者は、自らの「既存債権の劣後化」には絶対に応じない、という態度を、前もって債務者に示す必要がある。

●「不良債権のペナルティ」による社会的コスト――ミクロ経済学的な理解

「焦げ付いた既存債権の劣後化」を認めないことで、債権者は、債務者のモラルハザードを防ぐことができる。しかし、債権者が「既存債権の劣後化」を認めなければ、焦げ付いた債務を抱える企業は、たとえ正の収益性を生み出すような事業を持っていても、新たな融資を受けることができなくなって倒産する。このように、不良債権の債務者にペナルティを与えることが経済全体にとって有益な事業活動までも阻害し、社会全体の経済厚生を減少させる可能性がある。

しかし、標準的なミクロ経済学では、このような「不良債権のペナルティ」によって生じる経済厚生の損失は、債務者のモラルハザード（怠業）を防止するための必要不可避なコストとして理解される。

F ❷ミクロ経済学的な理解を前提とすれば、不良債権問題にはどのような政策的対処が必要と考えられるか。

右で述べた「不良債権のペナルティ」を避けようとすれば、債務超過を起こした企業へのペナルティを免除せざるを得ない。しかし、その場合は、債務者のモラルハザードが横行し、経済全体の資金循環がさらに収縮しかねない。また、標準的なミクロ経済学は、「不良債権のペナルティ」に起因する経済低迷はせいぜい一過性のものだと考える。したがって、不良債権による経済低迷に対しても、通常の景気循環に対するケインズ的政策で対応すべきだ、というのが標準的な理解だ。

しかし現実には、九〇年代を通して、不良債権の処理は一向に進んでいない。それでも、標準的な経済学のように、不良債権問題は一過性の問題と捉えるべきだろうか。あるいは、日本の不良債権問題には、ミクロ経済学が想定する「不良債権のペナルティ」の問題以外の何らかの構造的要因が潜んでいると考えるべきだろうか。もし後者のように考えるならば、不良債権問題に対する政策的対処のあり方も、ケインズ経済学的なものとは異なった方向で検討する必要が生じる。

2節　信用収縮スパイラル――マクロの外部不経済効果（問G解題）

G

❶土地や株式などの資産価格の変動や、不良債権問題は、マクロ経済学的には、どのような影響を経済に与えていると理解されているのか。あるいは、「情報の非対称性」や、そこから生じる「プリンシパル・エージェント問題」は、マクロ経済にどのような影響を与えているのか。

❷マクロ経済学的な理解を前提とすれば、資産価格の変動や不良債権には、どのような政策的対処が必要と考えられるか。

不良債権問題による経済低迷が一過性で終わらなかったことには、様々な要因が関係していると考えられる。

不良債権処理が進まず問題が長期化した原因と、それによる弊害は次章で検討する。ここでは、不良債権の債務者に対するペナルティが、当事者にとどまらずマクロ経済全体に信用収縮という外部不経済効果（コラム3―②参照）を及ぼすことを見る。次に、その効果が九〇年代の経済動向に与えた影響について考える。

不良債権がマクロ経済全体に外部不経済効果を及ぼすのは、「信用制約」が存在するためである。まずはじめに、信用制約とは何か、また、なぜ現実の社会に信用制約が存在するのか、を見ておこう。

情報の非対称性による信用制約

現実の経済では、家計や企業などの経済主体は、土地などの所有資産の値段以上の資金を借りられないという「信用制約」に直面することになる。つまり、資金の貸し手と借り手の間に情報の非対称性が存在するため、資金提供者は担保価値を上限として貸出を行うのが通例となっているのだ。それを経済全体で見れば、土地などの評価資産額の総額に、供給される信用の量は制約される、ということになる。

1節では、債務者と債権者の間の情報の非対称性が、「既存債権の劣後化が（通常は）実行されない」という経済慣行を生んでいることを議論した。その情報の非対称性は、以下のようなメカニズムで「信用制約」をも生み出す。

銀行が債務者（企業）の事業活動を十分にモニター（監視）できないという現実の下では、企業の経

コラム3－②　外部不経済効果とは

一般に「外部効果」とは、企業や消費者などの経済取引とその取引に基づく行為が、市場を通じることなしに、その経済取引に参加していない第三者などに影響を与えることをいう。「外部効果」の「外部」とは、経済取引の外部、という意味である。「外部効果」には、経済社会全体にとって正の効果を与えるものと負の効果を与えるものがあり、前者を「外部経済効果」、後者を「外部不経済効果」と呼ぶ。前者の例としては、ある企業がハイテク技術に投資を行う際、その技術が他の産業や経済主体などの技術水準を向上させる波及効果を及ぼす場合がある。外部不経済効果の例としては、ある企業が建設した工場から吐き出された煤煙により、環境が汚染されて、近隣の消費者の健康が害されるようなものがある。

「不良債権の債務者が、経済的価値の高い事業を実施する能力があっても、必要な追加融資を受けられずに倒産する」という経済厚生の損失（先述の「不良債権のペナルティ」）は、融資の取引において債権者と債務者には当初から想定されていたことだから、外部効果ではない。これに対し、ある企業に対する不良債権のペナルティが、その不良債権とまったく無関係の企業や消費者に、思いもよらない悪影響を与えるならば、その悪影響は「外部不経済効果」である。

営者には怠業したいというインセンティブが発生する。融資された資金を遊興に使って経費として計上し、銀行には「まじめに事業を行ったが、不運のために失敗した」と申告すれば、怠業が銀行に露見する可能性は低い。情報の非対称性のために、銀行には企業の怠業を確認するすべがないからだ。

こうした事態を予見する銀行は、債務者のモラルハザード（怠業）を防ぐため、企業の所有地など企業の資産にあらかじめ担保権を設定する。そして、事業が失敗したときには、理由の如何を問わず、担保資産を売却して資金を回収できるようにしておく。そのとき、事業資金として銀行が提供する金額は、担保の価値と事業が失敗する確率（＝純粋な事業リスクに経営者が怠業する確率を加味したもの）とを勘案して決定される。

その結果、投資家が提供する資金の量は、企業側の所有地など担保資産の価格（またはそれに比例した金額）を超えないことになる。こうして企業などの資金調達には「担保となる資産の価値以上の資金は借りられない」という信用制約が課されることになるのである。

信用収縮の発生――マクロ経済学的な外部効果

信用制約があると、「債務の担保となる資産の価格が下落すると借入可能な資金量が減少する」という制約が個々の債務者企業に生じる。このため、保有する資産の価額が低い（下落した）企業は、たとえ優良な投資案件を見出しても、十分な資金を借り入れることができない。こうして、優良な投資案件への投資が見送られることにより、社会全体の経済厚生は害される。しかし、これは「既存債務の劣後化」を認めないために発生する「不良債権のペナルティ」と同様、ミクロ経済学的にはモラルハザードを防ぐため不可避な社会的コストと見なされる。

つまり——債務者と債権者間の情報の非対称性がないような理想世界では、担保の有無にかかわらず、収益性のある投資案件は融資を受けられるはずである。しかし、情報の非対称性ゆえに、債務者にはモラルハザードのインセンティブが生じる。それを防ぐために、債権者は担保を要求するのであり、その結果、個別企業に対し供与される信用は制約される。これは経済にとって理想的な状態とは言えないが、情報の非対称性が存在する現実の社会が負わなければならないコストなのである。つまり、担保となる資産価格によって債務者の借入能力が制約されることは、モラルハザードを防ぐために不可避な社会的コストと見なされる。

しかし、以上の論理はあくまでミクロ経済学的なものであり、そのため、個別企業のレベルのメカニズムしか視野に入れていない。これを、経済全体（マクロ）に拡げるとどうなるか？

信用制約が存在する経済では、担保となりうる資産（株式等の金融資産や土地などの固定資産）の価格が少し変化するだけで、経済全体に大きな変動を引き起こす可能性がある。なぜなら、資産価格に対応する形で経済全体の信用制約が生じている以上、資産価格が下落すれば、信用制約はさらに強まるからだ。

それでは、そのような経済において、資産価格が急激に下落すると——あるいはバブルが崩壊すると——どのような変動が生じるだろうか？

バブルの崩壊によって、経済全体の総需要は二つのメカニズムを通じ収縮する。まず、バブル崩壊は不良債権を発生させるため、前節で論じたような「不良債権のペナルティ」が、不良債権の債務者企業に厳しく課せられることになる。この結果、債務者企業は新規投資や事業活動が継続できなくなり、経済全体で投資が急減し「総需要の量」が減少する。他方、バブル崩壊で資産価格が下落すると、その下落幅に対応して信用制約が強化される。この結果、家計や企業が新たに調達可能な「資金の量」が減少し、経済全体で消費や投資が抑制され「総需要の量」が減少する。

こうして、「不良債権のペナルティ」や「信用制約」を通じて「総需要の量」が減少すると、今度は資産価格がさらに低下する。なぜなら、経済全体の「総需要の量」が収縮すれば、その資産から将来得られる収益（例えば土地なら将来の地代収入）の総和も下がり、資産価格はその収益に見合ったレベルまで下がるはずだからだ。

より具体的に見てみよう。例えば、ある経済主体が、土地に投資してオフィスビルを建てたとする。その際、土地などの資産価格が下落すると、経済全体で信用制約が強化され総需要が縮小する。総需要が縮小する不況期にはオフィス需要も低迷するため、オフィスビルから得られる収益は減少する。その結果、ビル建設は採算が合わなくなり、採算の合うレベルまで資産価格（ビルの価額）は下落する。このように、資産価格の下落は総需要を収縮させ、総需要の収縮は資産価格をさらに低下させてしまうのである。こうして資産価格の下落と実体経済活動の収縮が相乗的に増幅し合って不況が長引くことになる。

要するに、

資産価格の低下→不良債権の発生と信用制約を通じた総需要の収縮→さらなる資産価格の低下→不良債権の増加と信用制約を通じたさらなる総需要の収縮→………

という信用収縮の悪循環が生じるのだ。

このように、「信用制約」や「不良債権のペナルティ」の存在は、「債務者企業」の投資活動を制約するだけでなく、経済全体の総需要を収縮させる。そして、総需要が収縮すれば、「他の企業」が保有する資産の価格も低下し、信用制約が、より強くかかるようになる。その結果、「他の企業」の投資活動も制約される。こうして、ある「債務者企業」の投資活動にかかる「信用制約」や「不良債権のペナルティ」は、経済全体の総需要の収縮を通じ、「他の企業」の投資活動をも制約する。

こうした「信用制約」や「不良債権のペナルティ」の「他の企業」に対する影響は、もはや個別企業を対象とするミクロ経済学の次元を超えており、マクロ経済学的な「外部不経済効果」として理解される。つまり、ある「債務者企業」にかかる「信用制約」や「不良債権のペナルティ」は、①ミクロ経済的には、モラルハザード防止のためのコストを社会が負担することを要求し、②マクロ経済的には、総需要の収縮を通じた「外部不経済効果」を、「他の企業」に及ぼすのである。

ファイナンシャル・アクセレレーター（金融増幅効果）の理論

このように、「信用制約」や「不良債権のペナルティ」が総需要を収縮させる現象は、一九三〇年代の大恐慌を説明したアービング・フィッシャーの「デット・デフレーション（債務デフレ）理論」（コラム3―③参照）として知られたストーリーに近い。しかし、マクロ経済学がこのような現象を数学的に厳密な形に定式化できたのは意外にも最近になってからである――九七年に発表された、清瀧とムーアの二人による論文は、こうしたメカニズムが景気の循環運動を引き起こすことを洗練された数理モデルで初めて示した（Kiyotaki and Moore [1997]）。彼らは、信用制約のある経済では、一時的なマクロ経済ショックによる生産性の低下が、ＧＤＰに循環運動を発生させることを証明したのだ。彼らのコンピュータ・シミュレーションによると、一時的なショックが消滅して生産性が回復しても、景気の循環運動は長期間にわたって持続することが確認された。

資産価格の下落が信用制約によって総需要を収縮させ、さらなる資産価格の下落を通じてさらなる総需要の収縮を引き起こし、不況が長期化するという清瀧らの考え方は「ファイナンシャル・アクセレレーター（金融増幅効果）」の理論と呼ばれる。最近のマクロ経済理論の中では、これは通常の景気循環を説明する理論の一つとして理解され、新しいケインズ経済学の一例と考えられている。つまり、ケインズ経済学では有効需要の収縮が賃金の下方硬直性や企業家の悲観など様々な要因を通じて、さらにいっそう有効需要を収縮させると考えるが、ファイナンシャル・アクセレレーターの理論も、有効需要の収縮メカニズムを説明する理論の一つとして位置づけられているわけだ。

このようにファイナンシャル・アクセレレーター（金融増幅効果）によって総需要が収縮する場合、政策的にはどのように対応すべきであろうか？ファイナンシャル・アクセレレーター理論の提唱者は、伝統的なケインズ経済学の処方箋を用いるべきだ、と考える。つまり、総需要が収縮した際に、財政的・金融的な需要喚起策を講じれば、い

コラム３－③　フィッシャーのデット・デフレーション理論

1930年代の大恐慌を説明するためにフィッシャーが提唱したのは、物価の下落と企業の債務負担の増大が相互作用で加速する悪循環のメカニズムである。

何らかの原因で物価が下落し始めると、企業は以前と同じ量の生産物を売っても、単価が下がってしまうから、債務返済に十分な売上総額を確保できなくなる。すると、企業は債務を減らそうとして、物資を投げ売りする。これが、物価のさらなる下落を招くため、投げ売りをしてもあまり収入が増えず、企業はたいした額の借金返済はできない。逆に、さらなる物価下落によって、企業が所有する在庫や物資の価値が下がるので、含み損が発生し、企業の債務負担はますます増加する。こうして、物価下落と企業の債務負担の増大が、とどまるところを知らずに進行するという、デット・デフレーションのスパイラルが発生するのである。

大恐慌の時期には、米国の物価は大きく下落した。フィッシャーのデット・デフレーション理論は、この事実に一致する。これに対し、90年代の日本では一般物価水準は安定していた。このため、デット・デフレーションの理論をそのまま日本経済に当てはめることはできない。しかし90年代の日本では、「物価」ではなく、地価や株価の下落を通じて「資産価格下落によるデット・デフレーション」が発生していた、というのが本節の議論である。

ずれ総需要は自律的に回復すると考えるのである。しかし、金融増幅効果は経済の「循環」ではなく「崩壊」を引き起こす可能性もある。清瀧とムーアのモデルでは、「生産技術が変化しない」という仮定があるために、低迷した経済が自律的に回復する景気循環運動が発生する。しかし、そのような仮定を取り除くと、金融増幅効果によって、経済が大幅な崩壊にいたるかもしれないのだ。

そのアイデアをより厳密にモデル化したのが、次に概観するクルーグマンのアジア通貨危機モデルである。

アジア通貨危機との類似性——クルーグマンのアジア通貨危機モデル

九〇年代の日本経済をテーマとする本書が、アジア通貨危機の理論モデルを取り上げることは一見唐突な印象を与えるかもしれない。しかし、九七年にタイや韓国で起きたことは、「現地通貨の(ドルへの換算)価値」を「地価と株価」に置き直せば、九〇年代初めに日本で起こったことと極めて似ている。すなわち、九七年のアジア通貨危機が、現地通貨の対ドル・レートが暴落したことを端緒として起きたのに対し、九〇年代の日本経済の低迷は、土地や株式などの資産価値が暴落したことを端緒として起こったからである。

そこでまず、アジア通貨危機についてのクルーグマンの理論モデルを概観しよう。クルーグマンは、金融増幅効果のメカニズムによって経済が厳しい停滞均衡に引き込まれる可能性があることを示した(Krugman[1999])。クルーグマンが、アジア通貨危機の考察を通じ、通貨危機モデルの新しい類型として提唱したのは、「危機の直前まで実体経済は健全であるにもかかわらず、通貨の下落が現地企業のバランスシートのポジションを悪化させて実体経済を急速に悪化させる」というメカニズムである。

そのモデルの概要は以下のようなものである。

まず、通貨危機前のタイや韓国のように、現地企業がドル建ての対外債務を多く抱えていると想定しよう。一方、企業の投資は「信用制約」を受けていて、企業は自分の純資産（資産から負債を差し引いたもの）の一定割合（倍）以上は投資ができないものとする。このとき現地通貨の対ドル・レートが高い状態で安定しているなら、企業の投資は「信用制約」によって影響を受けない。なぜなら、現地通貨の対ドル・レートが高いため、企業の対外債務（ドル建て）は現地通貨で計ると大きな額にはならず、負債を資産から差し引いた純資産は十分に大きいからだ。こうした「信用制約」が緩い状態では、企業の投資は、投資案件そのものの採算性で決定され、実体経済活動は極めて健全に見えることになる。唯一、企業の対外債務が多いことは懸念材料だが、それは通貨価値が安定している限り、企業の意思決定に何の影響も及ぼさない。

ところが、何らかの原因で、現地通貨がドルに対して減価し始めたとしよう。右で見たように、当初の段階では、現地企業は「信用制約」によって投資を制約されていない。しかし、現地通貨の対ドル・レートが下落するにつれ、現地企業のバランスシートに堆積したドル建ての対外債務は膨張する。その結果、企業の純資産額は減少し、企業は「信用制約」を受けるようになる。また、海外の投資家たちは「もし、通貨がもっと下落すれば企業の対外債務の負担が重くなり、企業の投資は信用制約をさらに厳しく受けるようになるだろう」と考えるようになる。

こうして、通貨下落によって企業の投資が信用制約を受け始めると、投資が縮小するので現地国経済の需要が減り、その結果、通貨の価値がさらに下落することになる。

つまり、「通貨の下落によって企業の対外債務の負担が大きくなり、企業の純資産が（現地通貨ベースで）減少する。そのため企業の信用制約が厳しくなって投資が減少し、それがさらなる通貨下落を誘発する」という負のスパイラルが作動することになる。

これは図式的に示せば、

通貨の下落→現地企業の対外債務の膨張→信用制約の強化→総需要の収縮→さらなる通貨の下落→現地企業の対外債務のさらなる膨張→………

という悪循環だ。

実際には、このような悪循環は瞬時にして起こる可能性がある。なぜなら、海外の投資家たちがこの負のスパイラルを予想した瞬間、彼らは資金を引き揚げ、現地通貨は暴落を始めるからだ。

つまり、通貨下落が始まる前に現地経済が健全であっても、海外の投資家たちが「負のスパイラルが始まる」という悲観的予想を抱くと、その予想は彼ら自身の行動によって自己実現的に達成されてしまうのである。結局、クルーグマンのモデルでは、海外投資家が悲観的になると現地経済は企業倒産が多発して設備投資がほとんどゼロになるまで一気に落ち込んでしまうことになる。

アジア開発銀行研究所長の吉冨勝も同じくアジア通貨危機について「資本収支型」通貨危機という考え方を提唱したが、その発生メカニズムもクルーグマン・モデルと基本的には同様のものである（吉冨[1998]、吉冨・大野[1999]）。

複数均衡経済——「良い均衡」と「悪い均衡」

これらのモデルに共通する特徴は、通貨危機国の経済が「複数均衡」経済になっているということだ。そこでは、市場参加者の悲観的予想が自己実現的に現実のものとなる「悪い均衡」（低位均衡）と、彼らの楽観的予想が自己実現する「良い均衡」（高位均衡）とが併存する。そしてこのような二つの均衡が併存する原因は、企業の資金調達が純資産額によって制限される「信用制約」の存在だ。

したがって、クルーグマンや吉冨の議論を「通貨」ではなく「土地」や「株式」などの資産に適用すれば、日本経済についても同様な議論を以下のように展開できる。

企業がその純資産の一定割合（倍）しか資金調達できないという「信用制約」に直面しているとする。そうした状態で土地や株式の価格が下落すると、企業の純資産は減少し、その企業に対する信用制約は厳しくなる。信用制約が厳しくなれば、企業の投資額は減少し、経済全体の有効需要が減少する、その結果、土地や株式の収益性は低くなり、低くなった収益性に対応するため、資産価格はさらに下落することになる――。最終的に経済は、「低い資産価格、多くの企業倒産、設備投資の低迷」で特徴づけられる「悪い均衡」に引き込まれ、そこから抜け出せなくなってしまうのだ。

以上のようなモデルは、「信用制約」や「不良債権のペナルティ」による信用収縮が、もし条件さえ揃えば、景気循環を引き起こすだけに終わらず、九〇年代初頭の「バブルの崩壊」のような経済の大規模かつ持続的な落ち込みを引き起こす可能性があることを示している。

日本経済における信用収縮の存在

九〇年代の日本経済で、マクロ経済的な信用収縮の悪循環は、実際に発生していたのだろうか？

すでに前項でクルーグマン・モデルを扱った際に議論したように、われわれは、バブル崩壊とそれに引き続く九〇年代初頭の経済の落ち込みは、相当な部分この効果で説明できると考える。以下では、その根拠をより詳細に見ていこう。

まず、家計や個人企業など中小企業の資金借入能力が、主に所有地の担保価値によって制約されていることは実証研究によって明らかにされている。このため、バブル期にマンション・土地投資や株式投資を行った多くの家計や個人企業は、バブル崩壊以降の資産価格低迷で大きな損失を被ると同時に、資金借入能力に大幅な制約を課せられるようになった。また融資サイドから見ても、銀行などが個人や中小企業などに対する融資額を決定する際に最大の基準としてきたのは、少なくともごく最近に至るまでは、その個人や中小企業の所有する資産の価額であった。つまり、個人や中小企業は、保有する資産の価値によって、信用制約を受けてきたのである。

特に、銀行借入による土地投資の含み損はいまだに根強く残っている。このため、過去の土地投資に対する資金返済負担は家計や中小企業に現在も重くのしかかり、それらのバランスシートを大きく毀損し、資金借入能力に大きな制約を加えている。

こうした状況の下では、仮に将来の収入増が見込めたとしても、担保資産の価値が下がると借入ができないため、現在の消費や投資を切り詰めざるを得ない。つまり、将来的に収入が上がると見込まれる家計や中小企業でさえ、担保となる資産価値が下がると予想される状況下では、既存債務の優先弁済が求められたり信用制約が働く関係で、資金借入能力は抑制されかねないのである。日本開発銀行の調査によると、九二年以降、住宅ローンの返済に追われている勤労者世帯では、ローンのない世帯に比べて著しく消費が減少している。これは、信用制約と資産価格の下落による債務過剰が、家計の消費を抑制していることを示している。

また、中小企業の設備投資についても、実証的に次の結果が知られている。

八〇年代までは、中小企業、とくに非製造業の中小企業の設備投資が、経済全体の景気の回復や悪化に先行して回復または悪化した。これは、中小企業が大企業に比べ、伝統的に信用制約を強く受けていたことから生じた傾向である。つまり、大企業に比べより強い信用制約を受けてきた中小企業の設備投資は、金融の緩和や引き締めにより敏感に反応してきた。このため、景気が悪い状態が続いて金利が低下すると、それに反応して中小企業の信用制約が緩み、中小企業の設備投資が景気に先行して回復したのである。

ところが、九〇年代に入ってからは、貸出金利が長期間にわたって低下し続けているにもかかわらず、中小企業の設備投資は収縮を続けている。これは、九〇年代には、金利低下にもかかわらず信用制約が緩和されなかったことを示している。

こうした九〇年代とそれ以前との違いは、九〇年代に続いた地価の下落によって、土地担保の債務を負った経済主体のバランスシート毀損が進行したことを示唆している。この結果、九〇年代を通じて金利が低下したにもかかわらず、その効果を打ち消すようなペースで信用制約が悪化し続け、家計の消費が収縮したり、中小企業の設備投資が金利の低下にもかかわらず誘発されない、という事態が発生した可能性がある。

なお、九七年秋から九八年の金融危機で経済が急激に落ち込んだことも、この時期銀行サイドの事情によって、信用制約や既存債権者の姿勢が極端に厳しくなったと理解すれば、信用収縮の外部不経済効果で説明することが可能である。

信用収縮の外部不経済効果に対する政策的対応のあり方

こうしたバランスシート毀損による信用収縮に対する政策対応としては、どのようなものが考えられるだろうか。

以上見てきたような、外部不経済をもたらす「信用制約」や「不良債権へのペナルティ」は、新古典派経済学の立場からすれば、市場が不完全であるために発生するものと考えられる。つまり、資金の貸し手と借り手の間に情報の非対称性が生じることが問題の原因と考えるのだ。

だが、情報の非対称性を解消することは現実には困難だ。つまり、信用収縮の悪循環を原因とするマクロ経済の低迷は、現実の分権的な市場経済においては不可避の現象と考えざるを得ない。したがって、もしもこの悪循環をどうしても止めようとするならば、現実的な政策としては、債務の除去によって不良債権や信用制約自体を解消することを考えるしかない。しかし、政策的に債務を除去することの正当性については、次のような理由から経済学者の間でコンセンサスを得られていない。

もし政府が不良債権そのものを政策的に除去しようとすれば、結果的に「不良債権のペナルティの免除」を債権者に強制することになる。そのため、政府の政策的介入は、1節に記述されたメカニズムを通じ、債務者のモラルハザードの問題を深刻化させる可能性がある。

そうなると今度は、債務者のモラルハザードを嫌う金融機関の「貸し渋り」が激化してしまう。――このように、信用収縮を政策的に除去しようとすると、モラルハザードが横行し、経済は一層収縮してしまう恐れがあるのだ。したがって、信用収縮による経済の落ち込みは、「債務の規律」を維持するためのコストだと諦めざるを得ない、というのが今までの経済学者の一般的な考え方である。そのような立場からすれば、たとえ信用収縮の外部不経済効果が需要を収縮させていたとしても、不良債権問題に政府が直接介入するのは得策でなく、債権者・債務者間の不良債権処理が一刻も早く終わることをただ祈るしかない、ということになる。

他方、金融増幅効果を論じる経済学者は、不良債権処理が終わるまでの間、「外部不経済」を除去するために、ケインズ的な対症療法で経済を下支えすべきだと主張する。つまり、不良債権を直接除去するような政策は副作用が大きいので、次善の策としてケインズ型の財政・金融政策で総需要を下支えすべきだというのである（例外的に、債務リストラクチャリング［コラム3―④参照］を行うことが低位均衡を脱出するのに有効だとする経済学者もいる。Lamont［1995］を参照）。

不良債権処理の問題先送り――もう一つの外部不経済

では、不良債権問題への政策的対応として、ケインズ政策による対症療法以外は、本当に必要ないのだろうか。

すでに見たように、九〇年代の日本において、財政拡張や金利を低下させることによって需要を誘発しようとしたケインズ政策は、持続的な経済回復をもたらすことができなかった。また、九〇年代を通して、不良債権の直接償却は遅々として進んでいない。

こういう状況にあっても、「ケインズ政策で経済の下支えをしている間に不良債権処理が進むはずだ」という理屈で、ケインズ的な総需要喚起策を採り続けるのが正しいのだろうか？

ここで考えなければならないのは、九〇年代の日本経済において、そもそも不良債権はどのような外部不経済効果を及ぼしていたか、という点である。果たしてそれは、本節で検討したような、あるいはケインズ経済学者が想定するような、信用収縮を通じたものだったのだろうか？

本節で検討したのは、「不良債権のペナルティ」と「信用制約」によって引き起こされる外部不経済効果だった。すでに見たように、この種の外部不経済――信用収縮の悪循環は、「不良債権のペナルティ」

コラム3－④　債務リストラクチャリング

債務の返済が見込めない債務者は、倒産処理によって残余財産を清算し債権者間で分配する、というのが経済取引の原則的なルールである。しかし、現実には債務者企業を存続させる方が社会にとってプラスになる場合もある。例えば、債務者企業が経済的価値の高いプロジェクトを実施する能力がある一方で、そのプロジェクトから生み出される利益では、既存の焦げ付いた債務をすべて返済するには足りない、という場合である。この場合は、債務者企業の経営責任や株主責任をきちんと取らせるという「不良債権のペナルティ」を課すことができれば、企業のモラルハザードも防止できるので、企業本体は存続させる方が債権者あるいは社会にとって有益である。

そのような場合には、債務者の責任追及を行うことと引き替えに、既存債権者の犠牲（「既存債務の劣後化」）によって、債務者企業の事業継続を許すことになる。その際に採りうる企業財務上の様々な手法を総称して「債務リストラクチャリング」と言う。

債務リストラは、以下の2つの手法に大別できる。

①債権放棄　債権者が既存債権の一部を放棄することで、債務者の債務残高を圧縮する。この場合、債権の額を小さくする代わりに、返済の優先順位を上げることで、債権者の同意を得ることが一般的だ。

近年、債権放棄に対する批判が激しい。しかし、債権放棄によって債権者が損するとは、必ずしも限らない。例えば、債権者が債権放棄を拒否し、債務者企業が倒産すれば、債権者は債務者企業のごくわずかな残余財産のうちの一定割合しか受け取ることができない。しかし、債権放棄をすることで、債務者企業が収益性の高いプロジェクトを継続することができれば、放棄しなかった残りの債権全額が戻ってくる可能性がある。

②債務の株式化　これは、債権者が債務者企業に対する債権を放棄する代わりに、債務者企業の株式を手に入れることである。つまり、債務の株式化を通じ、債権者は株主になる。

債務の株式化によって、債務者は定期的に（有利子負債に対する）金利を払わずに済むようになる。株主への配当は、業績が悪い時期には行わなくても済む。したがって、債権者が株主に変われば、債務者企業への返済圧力が軽くなり、事業継続が容易になるという効果がある。

債権者にとっても、債務の株式化はメリットがある。例えば企業の業績が向上すれば、その企業の株価が上がるので、キャピタル・ゲインを通じて、債権者（新株主）は債権放棄による損失を取り戻すことができるのである。

や「信用制約」を課せられた債務者企業が資金を借り入れられずに連鎖倒産し、総需要が収縮することによって、発生するはずなのである。この場合、不良債権の処理も急速に進むはずだ。

ところが、実際は、不良債権の直接償却は九〇年代を通して遅々として進まず、ようやく前半戦が終わったところに過ぎない。このことは、日本の不良債権問題には、信用収縮の悪循環以外の、より深刻な、「もう一つの外部不経済効果」があるのではないか、という可能性を示唆している。

すなわち、「不良債権のペナルティ」と信用制約による信用収縮は、モラルハザード防止のコスト（＝債務者の倒産など）を支払うことによって生じる外部不経済効果だった。しかし、もし「モラルハザード防止コストが支払われない（＝不良債権処理が先送りされる）」ときには何が起こるのだろうか。

このように、現実の日本経済では、「不良債権処理の先送り」を通じ、右記の信用収縮の悪循環とは別の外部不経済が発生している可能性がある。そして、そういった新たな外部不経済効果を考慮に入れたとき、ケインズ政策とは異なった処方箋が必要になってくるかもしれない。

次章では、そのような「もう一つの外部不経済効果」と、それに対する政策的対応のあり方について詳しく見ていく。

まとめ――問G解題

G

❶土地や株式などの資産価格の変動や、不良債権問題は、マクロ経済学的には、どのような影響を経済に与えていると理解されているのか。あるいは、「情報の非対称性」や、そこから生じる「プリンシパル・エージェント問題」は、マクロ経済にどのような影響を与えているのか。

前回のまとめでは、「情報の非対称性」が生み出すミクロ経済的な影響を概観した。ここでは、「情報の非対称性」が、そこから生じるモラルハザードの問題を通じ、マクロ経済的な影響を引き起こすメカニズムを概観する。

●ファイナンシャル・アクセレーター（金融増幅効果）の理論――信用収縮の外部不経済

すでに見たように、事業資金の貸し手（銀行）と借り手（企業・個人）との間には、情報の非対称性が存在する。そこから生じるモラルハザードの問題を防止するため、企業・個人の借入金は、土地や株式など担保となる資産価値を超えられないという「信用制約」が発生する。

信用制約が存在する状況で資産価格が下落すると、資金調達が困難になるため企業の投資活動が停滞し、経済全体の総需要が収縮する。一方、資産価格の下落によって不良債権が発生すると、「不良債権のペナルティ」が企業活動を圧迫し、総需要を減少させる。総需要の収縮は、資産の収益性を引き下げることを通じ、さらなる資産価格の下落を引き起こす。このように、信用制約下で資産価格が下落すると、資産価格の低下→不良債権の発生と信用制約の強化→総需要の収縮→

資産価格の一層の低下→不良債権の増加と信用制約の一層の強化→総需要の一層の収縮→………、という悪循環を引き起こし、不況は長期化する。これが、「金融増幅効果（ファイナンシャル・アクセレレーター）」と呼ばれるメカニズムだ。

　金融増幅効果は、一企業の投資縮小が資産価格の下落を通じて他の企業の投資縮小を招く「外部不経済効果」の一種である。これは通常の景気循環の一つの原因だと考えられている。

●アジア通貨危機とバブル崩壊の類似性

　アジア通貨危機も、それを理論化したクルーグマン・モデルなどによれば、信用制約を通じた総需要収縮の一形式として理解することができる。

　アジア通貨危機においては、現地通貨の対ドル・レートの暴落を通じ、企業のドル建て債務が一気に膨張した。この結果、企業の純資産（資産から負債を差し引いたもの）が減少し、信用制約が強く働くようになり、経済全体の総需要が収縮した。さらに、総需要が縮小し、経済が不況に陥ると、現地通貨の対ドル・レートが一層下落する。――このような、通貨下落と総需要収縮とが相互に増幅し合うメカニズムを通じ、現地国の経済は、「低い通貨価値、総需要の低迷、企業倒産の増加」によって特徴づけられる「悪い均衡」（低位均衡）に陥る。

　このアジア通貨危機モデルは、「通貨」を土地や株式などの「資産」に置き換えれば、そのまま、バブル崩壊後に日本経済の低迷を説明することができる。つまり、前項で述べたファイナンシャル・アクセレレーター（金融増幅効果）は、通常想定される景気循環のみならず、バブル崩壊のような、急激な経済の落ち込みをも引き起こす可能性が存在するのだ。

●まとめ

このように、理論的には、マクロ経済学における既存の研究に加え、クルーグマンのアジア通貨危機モデルなどによって、「不良債権のペナルティ」と「信用制約」が総需要のスパイラル的な収縮をもたらすメカニズムが明らかにされている。また、日本経済に関する既存の実証研究には、バブル崩壊後の日本経済低迷の原因の一つが、このような信用収縮の外部不経済効果だったことを示唆するものが多い。

G

❷マクロ経済学的な理解を前提とすれば、資産価格の変動や不良債権には、どのような政策的対処が必要と考えられるか。

●信用収縮の外部不経済効果を除去するには、二つの方策がある。一つは、市場から「情報の非対称性」をなくすことである。つまり、新古典派経済学が想定する「完全競争市場」の実現である。もう一つは、需要収縮の原因となる不良債権自体を、政策的に除去することである。これには例えば、「債権放棄」や「債権の株式化」などの「債務リストラクチャリング」を、政策的に進めることが考えられる。

前者は、政策目標として非現実的だ。それでは後者はどうか？

標準的な経済学では、後者のような政策介入は支持されない。なぜなら、不良債権を政策的に除去することは、債務者への「不良債権のペナルティ」を政策的に免除することにつながりかねず、そうなると、企業にモラルハザードのインセンティブが高まるからだ。そうやって産業界にモラルハザードが横行すれば、銀行の「貸し渋り」を招き、経済はさらに収縮しかねない。

標準的な経済学は、「信用収縮の外部不経済」には、通常の対症療法的なケインズ政策によって対処すべきだと考える。不良債権を直接取り除くような政策には副作用が大きいため、次善の策としてケインズ政策で需要の下支えを行い、その間に不良債権問題が当事者間の交渉によって自律的に終わることを祈ろう、というわけだ。

しかし、すでに見たように、九〇年代を通じて実施されてきたケインズ政策は、日本経済を持続的に回復させることができなかった。その間、民間ベースにおける不良債権処理も、遅々として進まなかった。そこではいったい、何が起こっているのだろうか？　そもそも、「信用収縮の外部不経済」は、債務者企業に対し「不良債権のペナルティ」が実施されることによって生じる。つまり、信用収縮は、債権者・債務者間で不良債権処理が進むときに、副作用として発生するのである。だとすれば、もし信用収縮が日本経済を長期間低迷させていたというなら、不良債権処理はもっと進んでいたはずなのではないか？

次章では、「不良債権のペナルティ」が先送りされてきたことによる「もう一つの外部不経済効果」について見ていく。

第4章

バランスシートの罠

日本経済が陥った「停滞均衡」

第4章の問

H バブル崩壊後、日本経済は、従来の景気循環論では説明ができないほど長期的な低迷に陥った。なぜ一〇年もの年月が「失われ」なければならなかったのか？　従来ケインズ経済学が想定してきたような状況と、どこがどう違っていたのか？

I 九〇年代を通じ不良債権処理は「先送り」され続けた。こうした「先送り」は、どのようなメカニズムを通じどのような影響を経済に与えたのか？

J 旧ソ連諸国において起こった「経済のディスオーガニゼーション（組織破壊）」とは、どのような現象か？　バブル崩壊後の日本との共通性は何か？

K バブル崩壊後、日本経済の成長トレンドは一気に低下した。これは、日本経済の潜在成長率が、バブル期を境に恒常的に下がってしまったことを示しているのだろうか？　あるいは、ケインズ経済学が想定するように、単に需給ギャップが長期的に開いてしまったためなのか？　最新の経済成長論の立場からは、こうしたトレンドに対し、どのような理論的・実証的解釈が導けるのか？

L 不良債権問題の「先送り」によって生じるその他の弊害を挙げよ。

第1章で見たように、九〇年代初めの日本でバブルが崩壊したことは、資本の自由化が進んだ現代において、決して特異な現象ではない。八〇年代以降、規模の大小こそあれ、バブルはいたるところで破裂した――アメリカや北欧諸国などの先進工業国をはじめ、ロシア東欧諸国などの移行経済国、アジア諸国や中南米諸国などの新興工業国、など。

九〇年代の日本経済を際立たせるのは、したがって、バブルが崩壊したことではなく、バブル崩壊後の回復の遅さだ。

十年が「失われた」。しかし、まだ出口ははっきりとは見えない。いったい日本経済に何が起こった(ている)のだろうか？　いったい何が、日本経済の回復をこれだけ遅らせているのだろうか？

前章では、バブル崩壊後に日本経済が需要収縮に陥ったメカニズムを概観した。だが、そういったメカニズムを説明する最新の理論は、「信用制約」や「不良債権のペナルティ」による需要収縮を、景気変動の一例として捉える。要するに、ケインズ的な対症療法を施していれば、いずれは景気は回復するという見方だ。しかし、九〇年代を通じて行われてきたケインズ政策にもかかわらず、日本経済はいまだに持続的な回復基調を見せていない。そこには、従来の理論が想定していなかった「何か」が働いているのではないか？

前章の終わりで触れたように、われわれは、「不良債権処理」の「先送り」こそが、その「何か」の根本要因だと考える。つまり、「不良債権処理」あるいは「バランスシート調整（資本ストックの減価）」の「先送り」が、総需要を収縮させ、GDPギャップを拡げていると考えるのだ。

「不良債権処理（バランスシート調整）」の「先送り」は、プリンシパル・エージェント問題などを重視する最近のマクロ経済学でも、これまで想定されてこなかった現象である。だがそうした「先送り」は、九〇年代の日本において半ば日常的に行われてきた。そして、「先送り」が存在する限り、第2章で見たような、日本経済均衡のための「必要条件」が満たされることはない。また、第3章で見たような

「不良債権のペナルティ」や「信用制約」とは別のメカニズムで、需要収縮が起きる可能性を生じさせる。

本章では、「不良債権処理」の「先送り」が、「不良債権のペナルティ」や「信用制約」とは別種の外部不経済効果を引き起こし、総需要を収縮させるメカニズムを見ていく。そして、そのような「先送り」の外部不経済効果こそが、日本経済の持続的回復を妨げていることを、理論的・実証的に示していく。つまり、「不良債権処理（バランスシート調整）」の「先送り」が日本経済を「悪い均衡（停滞均衡）」に引き込んでいるからこそ、通常の景気変動と異なり、日本経済はなかなか低迷を脱することができないというわけだ。本章の題名に掲げた「バランスシートの罠」とは、まさにこのような「悪い均衡（停滞均衡）」のことを指している。

（なお、本章の議論の多くは、小林が発表した論文に拠っている（Kobayashi［2000］）。論文の主要部分は本書の末尾に附録として記載したので、議論の理論的詳細について興味・疑問を感じられた方は、そちらををご参照いただきたい）

1節　複数均衡のジレンマ（問H解題）

H

バブル崩壊後、日本経済は、従来の景気循環論では説明ができないほど長期的な低迷に陥った。なぜ一〇年もの年月が「失われ」なければならなかったのか？　従来ケインズ経済学が想定してきたような状況と、どこがどう違っていたのか？

複数均衡の罠？

第1章で見たように、九〇年代を通して日本経済には、①ショックに弱い脆弱な体質と、②低い経済成長率、という二つの特徴が定着した。また、第3章でも見たように、この時期、本来は収益性に見合った量に圧縮されるべき銀行貸出残高も減っておらず、一過性のコストとして処理されるはずだった不良債権も処理が進んでいない。

こうした傾向をどう解釈すべきだろうか？

すでに何回か触れたように、これをケインズ経済学的に、景気循環の一局面として捉えることには無理がある。相次ぐケインズ的な需要喚起策の発動にもかかわらず、日本経済は一向に持続的回復の基調を見せていない。また、第3章で見たような「不良債権のペナルティ」による需要収縮が根本原因だとすれば、不良債権処理はもっと迅速に進んでいたはずである。

経済で、ある状態が一定期間以上持続するとき、その状況がある種の「均衡」にあることが推測される。つまり、各経済主体がそれぞれの目的関数を最大化しようとするときに到達する状態だ。そして、そうやって各経済主体が目的関数を最大化しているからこそ、その「均衡」は持続するというわけだ。

古典派の経済学者は、この「均衡」こそが、経済にとって最も望ましい状態——経済厚生を最大化する状態——を達成すると論じていた。しかしその後の研究によって、そういう「均衡状態」は多くの場合複数存在し（複数均衡）、各「均衡」は必ずしも経済にとって最も望ましい点ではないことが明らかにされている（この点については後ほど詳述する）。

こう見てくると、九〇年代の日本経済も、ある種の「均衡」に陥っていると言えるのではないか。もちろん、この場合の「均衡」は、経済にとって望ましくはない「悪い均衡（停滞均衡）」である。しかし、その状態が「悪い」なりに「均衡」していたからこそ、相次ぐ経済対策の発動にもかかわらず、日本経済はそこから抜け出すことができなかったのではないか。あるいは、一時的に抜け出せても、再び「悪い均衡」に落ち込んでいったのではないか。

より時系列的に見てみよう。九〇年代以前の日本経済は、世界史上類のないような発展を遂げた。しかし、九〇年代に入ると、OECD加盟国中最低レベルの成長しか実現することができなくなった。ここで推察されるのが、「複数均衡」の存在なのである。つまり、九〇年代の初めに日本経済は、何らかの原因によって、それまでの「良い均衡（成長均衡）」から低迷する「悪い均衡（停滞均衡）」に移行し、そこからいまだに抜け出せなくなった——というのが考えられるロジックである。九〇年代初めから、地価が趨勢的に下落し続けていることも、そのような経済の構造変化を象徴的に示しているのかもしれない。

複数均衡――ゲーム理論による説明

それでは、日本経済が直面している「複数均衡」の経済学的な意味について、簡単なゲーム理論のモデルを用いて、より詳しく見てみよう。

読者は、ゲーム理論でよく出てくる「囚人のジレンマ」と呼ばれる状況について、耳にされたことがあるかもしれない。共同犯罪行為を働いた二人の囚人が、警察に司法取引を持ちかけられる結果、二人とも自白に追い込まれるという事案だ。典型的な「囚人のジレンマ」は単一の均衡点（「囚人双方による自白」）が存在するゲームだが、以下ではその形式に若干の変更を加えた「複数均衡」を持つ囚人間のゲームを見ていく。これは、ゲーム理論の教科書で「タカ派対ハト派」とか「チキン・ゲーム」と呼ばれるゲームに近い形態のものだ。

〈事案〉

窃盗を働いた二人組が、盗品を隠した後、逃走中に車のスピード違反で捕まった。二人は空き巣の常習犯だったので、捕まえた警察は、二人を窃盗事件の犯人ではないかと疑っている。なお、窃盗に対する刑罰は一〇〇万円の罰金、スピード違反に対する刑罰は一万円の罰金だとする。

二人の囚人は別々の部屋で警官に尋問されることになった。もちろん、両者にはお互いに連絡を取る術はない。ここで警察が窃盗を自白させるため、以下のような司法取引を二人に持ちかけたとする。「二人とも自白すれば、法に定められているとおり、それぞれ一〇〇万円の罰金を科す。しかし、一方が黙秘しているときに他方が自白した場合、自白した方の罰金は五〇万円に軽減し、黙秘した方の罰金は一

表4-1　囚人間のゲーム——複数均衡の存在

	A黙秘	A自白
B黙秘	良い均衡 （△1、△1）	（△50、△150）
B自白	（△150、△50）	悪い均衡 （△100、△100）

五〇万円にする」

　この場合、囚人の支払う罰金の額は、相棒の行動によって影響を受けることになる。つまり、相手の行動（についての予想）が自分の行動に影響するのだ。これがゲームの均衡を複雑にする。

〈ゲーム理論的分析〉

　それでは、以上のような事案を、簡単にゲーム理論的に分析してみよう。

　二人の囚人をそれぞれ囚人Aと囚人Bとする。AとBの罰金の額は、「自白する」か「黙秘する」かに応じて表4―1のようになる（表の中で横軸はAの選択を示し、縦軸はBの選択を示す）。また、各選択の組み合わせに応じた罰金額は、（Aの罰金額、Bの罰金額）の形で、コラム中に表記される。したがって、Aが自白してBが黙秘した場合、表中では（△50、△150）と表記される。つまり、左がAの罰金額（五〇万円）で、右がBの罰金額（一五〇万円）というわけだ。

この「自白・黙秘」ゲームでは、「両方が黙秘する場合」、A・B両人とも一万円の罰金しか科されないので、二人にとっての損害は最小限になる。すなわち、この事案におけるAとBにとっての最適な選択は「A黙秘・B黙秘」ということだ。

しかし、AとBはそれぞれ別の部屋で「黙秘か、自白か」という選択を迫られる。両者がコミュニケーションを取る術はない。この場合、たとえAとBにとっての最適な選択が「A黙秘、B黙秘」だとしても、AとB双方が黙秘を選ぶとは限らない。囚人にとって、「相棒がどちらを選ぶか」という予想次第で、自分にとって有利な選択が変わってしまうからだ。

例えば、Aにとっては、もしBが確実に黙秘すると予想するなら、黙秘する方が得である。なぜなら、Bが黙秘したとき、Aは、黙秘すればスピード違反の一万円の罰金で済むのに対し、自白すれば五〇万円の罰金を科せられてしまうからだ。一方、もしBが自白すると予想するなら、Aも自白する方が得である。なぜなら、Bが自白したとき、Aは黙秘すれば一五〇万円の重い罰金を科せられるが、自白すれば罰金は一〇〇万円で済むからだ。

したがって、Bが黙秘するならAにとっては黙秘することが有利になり、Bが自白するならAにとって自白することが有利になる。逆にBにとって有利な行動も、Aの行動次第で変わることになる。

以上からすでに明らかなように、このゲームには、次の二つの「均衡」が存在する。まず、A・B二人が「相棒は黙秘する」と予想していると、二人とも黙秘を選択する。結果的に、二人とも一万円ずつ払って釈放され、自分たちの予想が正しかったと安心することになる。これが一方の「均衡」だ。ここでは、二人の罰金は最小だから、二人にとって最適の状態が実現されたことになる。

しかし、逆に二人が、「相棒は自白する」と予想していると、A・B二人とも自白を選択する。そして、結果的に二人とも一〇〇万円の罰金刑を受けて、結局は自分たちの予想が正しかったと確認することになる。これがもう一つの「均衡」だ。この場合、二人とも重い罰金を払うので、これは二人にとって「悪い均衡」だ。

このように「均衡」は「複数」存在するが、実際の結果は、いずれかの均衡に落ち着くことになる。そして、いずれになるかを決定するのは、各囚人が相棒の行動をどう予測するかにかかっている。

（なお、他の二点――「A自白、B黙秘」と「A黙秘、B自白」――は均衡点とならない。なぜなら、Aが合理的に相棒の行動を予想する均衡では、Aは相手が自白すると思えば必ず自分も自白し、相手が黙秘すると思えば必ず黙秘するからである。Bも同様である。したがって、「A自白、B黙秘」あるいは「A黙秘、B自白」といったねじれた状況は、この事例においては均衡点とはなりえないのだ）

複数均衡ゲームの三つの特徴

このゲームにおいて特に重要な点は以下の三点である。まず一点目は、相手の状況が自分の利得に影響を与えるような状況下においては、必ずしも均衡点において最適状態が達成されるとは限らない、ということだ。このゲームの例では、「A黙秘、B黙秘」という均衡点がA・Bにとって最適な点であるが、「A自白、B自白」というA・Bにとって最適ではない点においても、ゲームは均衡する。つまり、均衡には「良い均衡」だけでなく「悪い均衡」もあるということだ。このことは一見自明に思えるかもしれない。しかし、経済学においては長らく、レッセフェール（自由放任）をすれば、「神の見えざる手」によって、経済は自働的に社会全体にとって最適な点で均衡する――というのが共通理解になっていた。このゲームにおける「A自白、B自白」のように、「悪い均衡」が存在するということは、こうした古典派経済学の基本認識を根本から揺るがすものである。

また二点目は、「複数」ある「均衡」のうちどの均衡に実際落ち着くかは、それぞれのプレーヤー（囚人）が、どのように相手の行動を予想しているかによる、ということである。つまり、現実の結果が「良い均衡」に落ち着くか「悪い均衡」に落ち着くかは、それぞれのプレーヤーがどの程度相手のことを信頼しているかによって変わってくるのだ。

さらに三点目は、実際の結果が「複数」の「均衡」のうちのいずれかの点に落ち着くと、それが「良い均衡」であっても「悪い均衡」であっても、そこからなかなか抜け出せない、ということだ。つまり、均衡状態は持続性を有する。例えば、「A黙秘、B黙秘」という点で均衡している場合、A・Bいずれも、自白するインセンティブを有さない。そういう状態で自白すれば、自分が損するだけだからである。また逆に、「A自白、B自白」という点で均衡している場合も、A・Bいずれも黙秘しようとは思わないはずである。このようにして、均衡状態は持続する。

なお、第2章で見たように、ケインズ経済学は、需給ギャップが生じている状態を均衡から一時的に経済が逸脱した「不均衡（脱均衡）」の状態と捉える。だからこそ、ケインズ経済学は、対症療法的な需要喚起策を行っていれば、いずれ経済は均衡に回帰し、需給ギャップは解消すると考える。しかし、もし需給ギャップが生じている状態が「悪い均衡」点だとすれば、その状態は持続性を有することになり、ケインズ経済学の想定は大きく崩れることになる。これが、われわれが以下で述べる中心的な論点だ。

複数均衡ゲーム（囚人ゲーム）の現実への敷衍

右で見た二人の囚人によるゲームを、より多数の構成員が関与するゲーム、つまりマクロ経済システムに敷衍してみよう。

現実の経済においては、家計や企業、銀行などの経済的な利得は、取引相手の行動に依存する。つまり、右記のゲームの囚人間における様な相互依存関係が、マクロ経済においても、多数の構成者間で存在するということである。その場合、相手が自分の期待を裏切ること（例えば取引相手が事業に失敗して倒産すること）によって、自分が損害を被る可能性が出てくる。すると、経済動向について（あるいは、取引相手について）悲観的な予想をすると、右の囚人ゲームと同様のメカニズムで、経済全体が「悪い均衡」に陥ってしまう可能性が出てくる。

さらにシステム全体がいったん「悪い均衡」に陥ってしまうと、当事者が合理的に行動しても（あるいは、合理的に行動すればするほど）、そこから抜け出すことができなくなってしまう。なぜなら、「自分が『やってほしくない』と思っていることを相手がやるのではないか」という悲観的な予想を自分が持った場合、「自分にとって合理的な行動」は、まさに相手が「やってほしくない」と思っていた行動になるからだ。その結果、「悪い均衡」においては、「悲観的な予想が正しかった」ことが、事後的に（悲観的な予測に基づいた）相手や自分の行動によって立証されてしまう。より図式的に示せば、「悪い均衡」においては、

各当事者による悲観的な予想の共有→各当事者による、相手にとって「やってほしくない」行動の選択→悲観的予想の事後的な立証→各当事者による悲観的な予想のさらなる共有→……

という悪循環が成立するのだ。

こうした悪循環が成立している状況で、合理的なプレーヤーは、「楽観的な予想」をしたり、相手が「やってほしい」と思っている行動を選択することはない。囚人間ゲームの例と同様、そのようなことをす

れば、みすみす損をするだけだからだ。したがって、「悪い均衡」は持続性を有することになる。

外部不経済効果による複数均衡

現在の日本経済の低成長と脆弱性の原因は、日本経済がまさにこうした「悪い均衡」に陥ってしまっていることにあるのではないか、というのが、以下で述べるわれわれの仮説である。つまり、企業と企業、あるいは、企業と銀行などの関係が「複数均衡」を持つゲームを構成し、日本経済全体がその「複数均衡」のうちの「悪い均衡」に陥ってしまった、という考え方だ。そして、「複数均衡」が生じる原因――経済主体間の相互依存関係――となるのが、「外部不経済効果」（＝他の経済主体の行動が自分の利得に影響を与える効果）である。

不良債権問題、または企業などの経済主体のバランスシート毀損が実体経済活動にもたらす「外部不経済効果」にはいくつかの類型がある。前章では、プリンシパル・エージェント問題が、ミクロ経済学が想定するコスト（「不良債権のペナルティ」と「信用制約」）に加え、経済全体にも「信用収縮の外部不経済効果」を波及させることを見た。

次節では、企業が実質的な債務超過状態に陥りながら、「追い貸し」などを受けることによって事業活動を継続する場合を考察する。こうした「不良債権問題」の「先送り」は、通常の経済学が想定していない現象だ。そして、この「先送り」こそが、経済全体に深刻な「外部不経済効果」を発生させる可能性がある。

まとめ――問H解題

H

バブル崩壊後、日本経済は、従来の景気循環論では説明ができないほど長期的な低迷に陥った。なぜ一〇年もの年月が「失われ」なければならなかったのか？ 従来ケインズ経済学が想定してきたような状況と、どこがどう違っていたのか？

●ケインズ経済学と複数均衡

ケインズ経済学は、需給ギャップが存在している状況（不況期）を、「脱均衡状態」として捉える。したがって、財政金融政策を通じ総需要を喚起していれば、いずれ経済は均衡状態（需給ギャップが存在しない状態）に戻ると考える。

だが、九〇年代の日本経済においては、相次ぐケインズ経済学的な総需要喚起策の発動にもかかわらず、景気は一向に回復しなかった。こうしたことから、この間、日本経済はある種の「均衡状態」にあったと推察される。つまり、日本経済を取り巻く環境が「複数均衡」を持つゲームを構成し、そのうちの「悪い均衡（停滞均衡）」に日本経済は陥っていたと考えられるのだ。

●複数均衡の罠

複数の経済主体が相互依存関係にあるとき、それらの経済主体の行動に「複数」の「均衡」が存在しうることが、経済学におけるゲーム理論の研究によって明らかにされている。現実の経済においても、各種経済活動が「外部効果」（第3章コラム3―②参照）を持つならば、他の経済主体との相互依存関係が発生し、「複数均衡」を持つゲームが構成される。

こうした「複数均衡」には、各経済主体の経済厚生を最大化するような「良い均衡（成長均衡）」もあれば、そうではない「悪い均衡（停滞均衡）」もある。このようなゲーム理論的な考え方は、経済を自由放任状態にしておけば「神の見えざる手」が最適均衡へと自動的に誘導すると考える、古典派経済学の考えを根本から揺るがせるものだ。

「複数」ある「均衡」のうちいずれに実際の均衡が落ち着くかは、各経済主体が、お互いに相手の行動をどう予想するかにかかってくる。本節で取り上げた例においては、各経済主体がお互いに相手を信頼し、楽観的な予想を共有した場合、「良い均衡」が自己実現した。これに対し、悲観的な予想が共有されたとき、全員が損をする「悪い均衡」が自己実現した。

ゲームがいったん「悪い均衡」に陥ってしまうと、各経済主体はなかなかそこから抜け出せなくなる。これが「複数均衡の罠」だ。つまり「均衡」は、「良い」ものであれ「悪い」ものであれ持続性を有するのである。こうした「複数均衡の罠」に陥っていたからこそ、九〇年代の日本経済は一向に低迷から脱することができなかった、というのが、われわれの議論の骨子である。

次節以降では、バランスシートが毀損した企業が活動を続けることによって「外部不経済効果」が発生し、そのために日本経済が「複数均衡」を持つ構造に変化し、「複数均衡の罠」に陥ったことを見ていく。

2節　「先送り」の発生（問I解題その①）

I　九〇年代を通じ不良債権処理は「先送り」され続けた。こうした「先送り」は、どのようなメカニズムを通じどのような影響を経済に与えたのか？

長期低迷の謎

すでに見たように、バブル崩壊直後や九七年～九八年の金融危機時の経済の落ち込みは、「信用収縮の外部不経済効果」のメカニズム（特に、資産価格下落によるデット・デフレーション）で概ね説明することができる。「土地神話」が根強く残っていた九〇年代前半までの日本経済において、第3章で説明したような、資産価格の低下と実体経済の落ち込みとがスパイラル的に相互に増幅し合うメカニズムが働いた可能性は高い。

だが、そこでも述べたように、もともとファイナンシャル・アクセレレーター（「信用収縮の外部不経済効果」）の理論は景気循環を説明するものである。つまり、この立場を採る論者は、需給ギャップが生じている状態を「不均衡」と捉え、ケインズ的な需要喚起策を講じていれば、やがて経済は需給ギャップのない「均衡」に復活する、と考える。

しかし、九〇年代後半を通じ、日本経済においては、景気の脆弱性と低成長のトレンドが続いた。こうした、長期にわたる景気の低迷は、「ファイナンシャル・アクセレレーター（金融増幅効果）による需要収縮論」も含めた従来の景気循環論では説明のつかない現象である。

例えば、クルーグマンの通貨危機モデルにおいても、通貨価値の下落（あるいはそれを敷衍して、「資産価格」の下落）によって需要収縮が短期間で一気に進むことは説明できるが、それが長引くことは説明できない。なぜなら、一度大きく経済が落ち込んでも、多くの企業が整理・倒産されてしまえば、経済は自然に回復するはずだからだ。こうした観点から吉冨勝も、九四年までを循環的なストック調整期と考え、九四年にはストック調整は終わったと考えている（吉冨［1998］）。

つまり、従来型の景気循環モデルでは、九四年までの日本経済の落ち込みは説明することができるかもしれない。しかし問題となるのは、なぜその後の低迷が、通常の景気循環論では説明できないレベルで長期化しているのか、という点である。つまり、この「長期低迷の謎」を解明するためには、従来の景気循環論とは異なった理論が必要となるのだ。

「不良債権のペナルティ」の先送り

ここで、第3章の議論を簡単に復習しよう。まず、投資家や銀行と債務者企業の間には情報の非対称性が存在する。つまり、投資家や銀行は債務者企業の行動を逐一把握できない。そこから債務者企業に生じるモラルハザードのインセンティブを抑えるため、投資家や企業は二つの規律を設ける。一つは、資金供給時（つまり事前）の「信用制約」であり、もう一つは、資金返済時（つまり事後）の「不良債権のペナルティ」である。そして、これらの制約条件が守られることによって総需要が収縮し、他の企業の投資活動にも悪影響を与える可能性がある。こうした外部不経済こそが、前章で見た「信用収縮の外部不経済効果」の弊害だ。だがこうした弊害は、モラルハザードを防ぐための不可避的なコストと考えられる。

しかし、右の二つの制約条件は、果たして守られているのだろうか。

二つの制約条件のうち「信用制約」は、単に企業への投資資金供給を事前に抑えることなので、基本的には守られるものと考えられる。しかし、「不良債権のペナルティ」を課す——すなわち「既存債権を劣後化しない」——という制約条件は、すでに資金を供与している債務者企業に対する投資家・銀行の事後的な判断である。このため、以下で見るような様々な思惑が利害関係者の間に生じる結果として、この二つ目の制約条件は守られない可能性がある。ここに大きな落とし穴が隠されている。

この点を、より詳しく見ていこう。既存の債権者が既存債権の劣後化に応じないことによって、債務不履行を起こした企業は大きなペナルティを受ける。すなわち、債務者企業は、債務不履行になった際には「新規の資金供給を受けられない」という「不良債権のペナルティ」を課せられ、最終的には倒産に追い込まれるはずだ。そして、こうした「不良債権のペナルティ」を通じ、総需要は収縮する。これが、前章で見た「信用収縮の外部不経済効果」だ。つまり、「不良債権のペナルティ」が実際に課せられれば、債務者企業は倒産するはずなのである。

しかし、九〇年代の日本経済で見られたことは、「倒産して当然の多数の企業が(実質的な追い貸しによって)生き延びている」という事態だ。これは、「不良債権のペナルティ」を課すことを「先送り」するという、従来の理論では想定外の事態が生じていることを示している。そして、このような「不良債権のペナルティ」の「先送り」は、実質的には「条件付きで既存債務を劣後化すること」と同等な経済的意味を持つ。つまり、九〇年代の日本経済において、モラルハザード防止メカニズムは、「不良債権のペナルティ」の「先送り」が常態化したために、正常に稼働していなかったのだ。

なぜ「先送り」が生じるか?――五つの要因

それではなぜ、モラルハザードに関する従来の理論が想定してこなかった事態が発生しているのだろうか。そこには五つの要因があると考えられる。

まず一つ目は、バブル崩壊後の債務超過の原因が、「資産価格の下落という外的で一時的なショック」と考えられていたことだ。

少なくともバブル崩壊後の数年間は、多くの金融機関や企業が、「いずれは地価は回復する」と予想していた。当時のマスメディアの論調も、むしろ地価再高騰を懸念するようなものが主流だった。すなわち、九〇年代初めには、地価下落という一時的なショックがなくなれば債務者企業のバランスシートは回復する――という共通認識が金融機関や企業などの間で共有されていたのである。その結果、実質的な債務超過に陥った企業をすぐに倒産させなくても良い、という判断が金融機関側に生まれた。

これは、モラルハザード防止の観点から見ても合理性を持つ判断である。すでに見たように、債権者(銀行)が、モラルハザード防止のために債務者企業に「不良債権のペナルティ」を課す理由は、債権者と債務者の間に「情報の非対称性」が存在するためである。つまり債権者(銀行)は、債務超過に陥った原因が債務者の怠業によるものなのか不可抗力によるものなのかを判断できないため、理由を問わず「不良債権のペナルティ」を課すことで、債務者企業のモラルハザードを防ごうとするのである。とすれば、「地価の下落」のように、債務超過の原因が不可抗力の環境変化だということが明らかな場合は、モラルハザード防止の観点からは、債務者に「不良債権のペナルティ」を課す必要はなくなる。

二つ目は、債権者側のモラルハザードの問題である。第3章1節で見たように、企業が既存債務を返済できなくなったとき、既存の債権者がもし現時点の利益だけを考えているのなら、企業を倒産させるよりも、(既存債務の劣後化を認めて「追い貸し」を行うことで)経営を続けさせ、一部でも債務を返済させる方が得な場合も多い。しかし、将来別の企業との取引を行うことを考えると、軽々しく既存債務の劣後化を認めるわけにはいかない。これが、モラルハザードを防止するメカニズムだった。

ところが、債権者(銀行)の経営者が何らかの理由で「近視眼的」になってしまった場合、そういった経営者は、目先の利益を追求するために、債務超過になった企業を存続させようとする。つまり、銀行自体が規律を失う(モラルハザードを起こす)ことによって、自ら「債務者のモラルハザードを防止するメカニズム」を壊してしまう可能性があるのだ。

こうした、銀行がモラルハザードを起こして「先送り」を選択する理由には、経済学の枠に収まりきらない種々の要因もあるだろう。例えばマスメディアの報道によれば、銀行のサラリーマン頭取は、(自分を頭取に引き上げてくれた)前任者の認めた融資案件を切れない、という心理的制約を感じるという。これは、終身雇用制が採られ、株主でなく経営陣が、実質的に自らの後任を選任する日本企業において特に顕著な現象だろう。

三つ目の要因は、システムの空白と経済的な要因が絡み合ったものである。銀行は、「土地神話」が崩壊した後、すぐに「担保主義」に代わる新たなリスク評価システムを構築できなかった。知識や人材の制約があったからである。そうなると、既存債務者を切り捨てても新規融資のリスクを評価するシステムがない。一方では、低金利政策もあり、低金利の資金はどんどん流入してくる。

こういう状況の下で、既存債務者と新規融資希望者から同等価値の担保を差し出された場合、銀行には、以下のような理由で、既存債務者に「追い貸し」しようとするインセンティブが生じる。まず、担保主義的なリスク管理の観点からは、二つの案件は同等のリスクを持つことになる。他方、新規融資案件は、その融資に基づいて実施されたプロジェクトが大成功を収めても、銀行は、元本プラス利子分の支払いしか受けることができない。それに対し、「追い貸し」した案件が大成功を収め、既存債務者の業績が回復すれば、銀行は、「追い貸し」の元本プラス利子に加え、過去に貸し付けた資金を一部回収することもできる。例えばそごうの水島元会長は、負債が一〇〇〇億円を超えてから、「つぶすと大変だ」ということで、銀行から融資を得るのが容易になったと述べたという（日本経済新聞社編［2000］）。このエピソードは、以上述べたようなインセンティブが銀行に働いていたことを示している。

もちろん、こうした「追い貸し」を認めることは、債務者企業によるモラルハザードのインセンティブを高める。しかし前述のように、「バブル崩壊」という外生的な原因で負債を抱えた企業に「追い貸し」することは、モラルハザードを助長しないと判断されていたようだ。

こうして、新規融資を実施することもできず、既存の不良債務者を倒産させるリスクも取れず、銀行はずるずると現状を維持して問題を「先送り」することになる。

さらに四つ目の要因は、九〇年代を通じて実施された政府の財政金融政策、さらには租税政策である。政府による財政投入は、公共投資を中心に行われたため、不良債権の堆積が特に深刻だった建設業や不動産業などの産業を延命させる効果を有した。そして相次ぐ経済対策の発動は、それらの産業の政治力の強さと相まって、「追い貸し」を通じて債務者企業を延命させておけば、いずれそれらの企業は政府の経済対策によって救済されるのではないか」という「期待」を銀行など債権者に生じさせた。

この時期、「Too big to fail（大きすぎて倒産させられない）」という言い回しが、破綻金融機関救済の是非などを巡ってよく使われた。しかし、「政府が大企業、あるいは政治力の大きな企業の救済に最後は乗り出してくるだろう」と市場があらかじめ「期待」すると、そういった企業に対し、経済的に見合わない追い貸しなどが行われることになるのだ。これは、政治が市場を規律するのがいかに困難かを示すほんの一例である。

そして最後――五つ目の要因は、そもそも「先送り」を実行可能な選択肢として金融機関が考慮できた「制度的・構造的環境」の存在である。つまり、「先送り」を可能にした「制度的・構造的環境」が存在しなければ、銀行など金融機関にとって、「先送り」は選択肢にもならなかったはずなのである。ここには様々な問題が含まれるが、代表的なものとしては、金融行政の姿勢や、企業会計、監査の問題が挙げられよう。

例えば企業会計についていえば、九〇年代の企業破綻の例が示しているように、企業や金融機関は、バブル崩壊後の損失を先送りする会計操作を大規模に行ってきた。つまり、日本の企業会計の運用、さらにそれを監視する立場にある行政当局・監査法人の姿勢には、企業・金融機関側の「先送り」を追認してきた面があるのだ（例えば九〇年代初頭における金融行政の基本方針等では「段階的、計画的に不良債権処理を進める」という記述が繰り返されている。これは、「金融システムの安定を確保する」という公共の利益のために、銀行の損失処理の先送りを実質的に認めたとも解釈できるものだ）。反面、もしも金融行政が厳格に執行され、企業会計や企業監査が厳しく運用されていれば、不良債権処理の先送りは、金融機関にとってそもそも実行可能な選択肢にはならなかったはずなのである。

先送りの弊害

このような原因が複合的に作用して、九〇年代の日本経済では、多数の実質的債務超過企業が処理を「先送り」され、存続し続けた。

その異常さの一端は、九八年の法人企業統計などで、不動産業の財務状況を見てみれば分かる。大蔵省が集計する法人企業統計では、それぞれの産業について、その産業の資産総額から負債総額を差し引いた「自己資本額」が記載されている。それによれば、九七年に不動産業の自己資本はマイナスの値に陥っている。つまり、日本の不動産業は、産業全体として「債務超過」に陥っているのである。

すでに見たように、「ペナルティの先送り」は、バブル崩壊という大きな外的ショックの前では、モラルハザード防止の観点を考慮しても、ある程度は合理的だったかもしれない。しかし、以下で見るように、その「先送り」が継続することは、従来の経済理論が想定していなかった、予想外の外部不経済を引き起こす可能性がある。つまり「ペナルティの先送り」は、単に「債務者の怠業が将来増えるかもしれない」というモラルハザードの問題に止まらない深刻な影響を、経済全体にもたらす可能性があるのだ。

次節以降では、そのような「ペナルティの先送り」の外部不経済効果を見ていく。具体的には、債務超過企業に対する「ペナルティの先送り」が、企業間の供給連鎖（サプライ・チェーン）や生産ネットワークの萎縮をもたらすことを説明する。

3節　「先送り」による「信頼の喪失」（問Ⅰ解題その②）

債務不履行に対する「ペナルティの先送り」は、具体的にどのようなメカニズムを通じ、どのような外部不経済効果をもたらすのだろうか？

銀行によって債務者企業に課せられるはずだった「不良債権のペナルティ」が一時的に猶予されるとする。これは本来、債務者企業にとって歓迎すべきことなのであるが、一方で債務者企業は、「猶予されているペナルティが、銀行の事情が変われば、いつ執行されるか分からない」という、疑心暗鬼に陥ることにもなる。こうして、「ペナルティの先送り」は、企業や銀行の相互の信頼を浸食していく。

こうした各経済主体間の相互関係・信頼関係を吟味するに当たっては、前節で見たゲーム理論的な分析を用いることが有効である。

まず、次のような実例を見てみよう。

横並び体質？——囚人間ゲーム的な構造の成立

九〇年代に入って、金融機関関係者からは、「貸せる企業が存在しない」というコメントがしばしば聞かれた。これは、銀行が予想する企業の期待収益率が全般的に低下していること、さらに、銀行が想定する「企業のリスク」が全般的に上昇していることを示唆している。しかし、同じ金融機関関係者に対して、「それでは、他のすべての金融機関が貸出を拡大しても貸せる企業はないのか」と質問すると、「それなら自行も貸出を行えるようになるだろう」と回答が変化した（複数の大手銀行の若手職員へのインタビューによる）。

こうした金融機関の融資姿勢について、規制産業の「横並び体質」と批判する論調もよく見られる。しかし、本当にそうなのであろうか？　彼らが「横並び」的な融資姿勢を採ることに、何らかの合理的理由はないのだろうか？

われわれは、1節で解説した囚人間ゲーム的な状況が、不良債権処理を巡って発生しているのではないかと考える。つまり、囚人間ゲームでは、一人の囚人は、他の囚人がどう行動するか予想し、その予想に応じて行動を変える。これと似た状況が日本経済に起こっていることを、この銀行員の証言は示唆しているのではないか。

より詳しく見てみよう。銀行員の証言は、日本の銀行が、他の銀行の貸出姿勢の予想に応じて自らの貸出姿勢を変える、ということを示している。より経済的に解釈すれば、これは、他の銀行の貸出姿勢によって、自行の債務者企業の収益性やリスクが変化するということを示唆している。そうやって、自行の債務者企業の収益性やリスクが変化するからこそ、（他行の融資姿勢についての予想によって）自行の貸出判断も変化してしまうのである。このような相互依存的な構造は、1節で見た囚人間ゲームの構造に極めて似ている。

それではなぜ、こうした相互依存的な「ゲームの構造」が成立したのだろうか？

われわれは、「ペナルティの先送り（＝銀行が不良化した債権を保持し続けること）」が広範に行われたことこそが、このような「ゲームの構造」が成立した原因だと考える。以下では、この点――「先送り」によって、企業間の取引ネットワークの萎縮現象、すなわち、産業組織の「ディスオーガニゼーション（組織破壊）」が引き起こされること――を見ていく。ただし、詳細なメカニズムは次節で扱うので、ここでは概要のみを記す。

取引相手に特化した関係の構築――利点とリスク

一般に、企業間の複雑な取引ネットワークでは、「高度に相手に特化した企業間関係（highly specific relations）」が形成される。ここで「特化した企業間関係を形成する」とは、特定の相手と取引関係があれば意味があるが、その相手と取引関係がなくなると意味が失われるような能力開発や投資を行うことを指す。

例えば、トヨタの自動車でしか使うことのできない部品を製造する部品メーカーは、トヨタと「特化した企業間関係を形成」しているといえる。なぜなら、その部品メーカーが行った投資は、その部品メーカーとトヨタとの取引関係が消えれば意味がなくなるからである。

この例に限らず、どのような企業間関係でも、「取引相手に特化」した面が必ず存在する。相手の注文に応じるために特別な製造設備を設置したり、特定の取引相手だけに通用する人脈の形成など、企業が行う「取引先に特化」した投資は無数に存在する。

現代のように技術が高度化し、産業構造が複雑化した経済社会においては、経済の生産性を上げるためには、高度な供給連鎖（サプライ・チェーン）や複雑な企業間分業のネットワークを形成することが必要だ。逆に言えば、単一の企業が、あらゆる供給連鎖を内部化することは不可能に近い。だが、そうやってある企業が「取引先に特化」した関係を構築することは、その企業にとってのリスクをも伴う。なぜなら、「特化」するために先行投資をした後に、相手から取引関係を打ち切られたような場合、そのような先行投資は、相手に特化していた分だけ無駄になってしまうからだ。先ほどの例で言えば、トヨタ車専用の部品のための製造ラインを構築した会社が、トヨタから突如として取引を打ち切られれば、その製造ライン構築に費やした投資は無駄になる。

以上から明らかなように、供給連鎖や分業のネットワークを形成するためには、各企業が、他の企業との「特化」した関係を維持することを「コミット（約束）」することが必要となる。なぜなら、こうした「コミット」があってはじめて、企業は取引先に特化した先行投資を安心して行えるようになるからだ。

コミットメントの信頼性

ここで取引関係にある複数の会社が、相手企業との特化した関係に相互に「コミット」していたとしよう。その場合、相手企業が財務的に健全な経営をしていれば、このコミットメントが破られる心配は少ない。なぜなら、取引関係を解消すれば、相手方の「取引相手に特化」した先行投資のみならず、自分の先行投資も無駄になるからである。また、たとえ一方の先行投資額が少ない場合でも、一度コミットメントを破った企業に対しては、市場の信頼性が揺らぐため、その企業が「取引相手と特化」した関係を再度構築するのが難しくなるからだ。

しかし、ある企業が債務過剰になって、銀行の「追い貸し」で何とか存続しているよう状況を想定してみよう。そのような場合、いくらその（債務過剰）企業が他の企業との取引にコミットしても、他の企業はそのコミットメントを信用しなくなる。なぜなら、その企業の生殺与奪の権利は、第三者である銀行に握られているからだ。そして、その企業が、いつなんどき銀行の都合で倒産させられるか分からないからだ。

こうして、不良債権処理の「先送り」が行われると、「先送り」によって存続させられた債務過剰の企業は、他の企業との取引に「コミットする能力」を失ってしまう。

先送りによる組織破壊のメカニズム

このような債務過剰企業が増えると、多くの企業は、「他の企業と特化した取引関係を形成するのは、非常に大きなリスクを伴う」と感じるようになるだろう。もし相手企業が倒産すれば、自分がせっかく行った先行投資が無駄になってしまうからだ。

こうした状況が経済全体に広がると、企業は新規の取引先と密接な取引関係を結ぶことを手控えるようになる。なぜなら、「取引相手に特化」した関係を結ぶことのリスクが非常に大きくなるからだ。——その結果、企業は仲間内だけで実行できる小規模な事業のみを手堅く行うようになる。そしてマクロ的には、経済全体の供給連鎖や企業間の分業のネットワークが萎縮し、経済は慢性的な停滞に陥ってしまう。

これが、「先送り」による組織破壊すなわちディスオーガニゼーションのメカニズムの概要である。以下では、もう少し詳しくこのゲームの構造を解説する。

4節　ディスオーガニゼーションのメカニズム（問I解題その③）

ペナルティの先送り――経営権の真の所有者

債務を契約通りに返済できなかった企業が事業を継続する場合に、何が起きるのか。

本来は債務不履行を起こした債務者は新規投資ができず、倒産するはずである。前章で見たような「不良債権のペナルティ」が、債権者によって債務者企業に課せられるからである。

しかしここで、2節で述べたような理由により、債権者（銀行）が「追い貸し」に同意し、「ペナルティの先送り」を選択したとする。その場合、銀行はその企業を倒産させる権利を留保したことになり、暗黙に「その企業をいつでも好きなときに倒産させる権利」を得ることになる。そして銀行は、債務者企業を最終的に処分する権利を背景に、その企業の経営権を実質的に支配することになる。つまり、過剰な債務を抱えた企業は、形式上は独立した経営を続けているように見えても、実質は銀行の管理下に置かれることになるのだ。その結果、債務者企業は、銀行の意思でいつ倒産させられるか分からない、というリスクにさらされるのである。

企業活動のネットワーク

右で見た「ペナルティの先送り」が「ディスオーガニゼーション（組織破壊）」を起こすメカニズムを分析する前に、まず、企業活動のネットワークがどう構築されているのか見てみよう。

一般に、実体経済活動においては、一つの企業が原材料から最終製品までのすべての生産工程を単独で実施することはほとんどない。その代わり、通常では、原材料、部品、最終商品の生産は多数の企業間で分業され、全体として、大きな「供給連鎖（サプライ・チェーン）」を形成している。さらに、生産活動を支える様々なサービスや支援産業をも考慮に入れれば、一つの企業の活動は、非常に大きな企業間の分業または協業のネットワークによって支えられていることが分かる。

後ほど言及するアダム・スミスのピン工場の例を引くまでもなく、こうした「分業」と「専門化」は企業の生産性を飛躍的に大きくする。言い換えれば、企業が高い生産性を維持して事業活動を行うためには、他の企業と取引関係を持たないわけにはいかないのだ。逆に、単独で事業を進めるような会社は、低い生産性を甘受しなければならない。

一方、現代のように経済環境がめまぐるしく変化する時代においては、企業は、その時々の状況に応じて新規の取引相手を見つけ、新しい分業または協業の関係を構築していかなければならない。つまり、ある企業を中心とする分業あるいは協業のネットワークには、日々新規の企業が加わっていくのだ。

こうした企業活動のネットワークは、どの国においても存在するものである。ただ、かつてスタンフォード大学のダニエル・オキモトが日本を「ネットワーク的な国家」と呼び、「広くゆきわたっている構造的な相互依存性は、日本の政治経済体制のもっとも著しい特色の一つである」と述べたように、日本においては、市場を介さない企業間・官民間の非公式なネットワークが特に顕著に発達してきた（Okimoto

[1989])。そして、こうしたネットワークが日本において特に顕著に発達したのは、戦後期の市場の未発達、法的な制約、資本の欠如などを補うためだと言われる。つまり、戦後期の日本においては、このようなネットワークは他国以上の重要性と合理性とを持ってきたのである。

企業間のサプライ・チェーン形成——ゲーム論的モデル

以下では、これまで説明した状況を単純化して、企業間のサプライ・チェーンの形成を、ゲーム理論的にモデル化してみよう。議論を単純化するためサプライ・チェーンの形成は「二つの企業の分業」によって行われると考える。現実には、企業はより多くの取引相手とサプライ・チェーンを形成するが、「他の企業と取引関係を結ぶ・結ばない」という企業の意思決定を理論的に分析するためには、単純化した二社間のゲームを考えれば十分である。

ある製品を生産し販売する企業Aがあったとする。企業Aは、単独で生産をするか、これまで取引関係のない他の企業Bと二社間で分業して生産するか、という二つの可能性から事業を選択できるとする。そして、分業をするためには、A・Bそれぞれ五〇万円の「取引相手に特化」した先行投資をしなければならないとする。一方、分業することにより生産性が向上するので、単独で生産すると企業は一〇〇万円の利益を上げることができ、二社間で分業すると、分業のための五〇万円の投資を差し引いても、A・Bそれぞれ二〇〇万円の利益を上げることができるとする。

この場合、A・Bそれぞれの利得は、次ページの表4―2のようになる。括弧の中の左がAの利得、右がBの利得である。

分業は、A・B双方が分業にコミットし、そのための先行投資を行わない限り成立しない。よって、

表4-2　企業間ゲーム――サプライ・チェーンの形成

	A分業	A単独
B分業	良い均衡（200、200）	（100、50）
B単独	（50、100）	悪い均衡（100、100）

表4―2においては、（A分業、B分業）の場合のみ分業が成立し、A・Bそれぞれ二〇〇万円づつ（200、200）の利得を得ることになる。これに対し、A・Bいずれか一方でも、単独で事業を進める選択を採った場合、分業は成立せず、事業から得る利得はそれぞれ一〇〇万円になる。ただ、一方が分業を選び一方が単独事業を選んだ場合、分業を選んだ企業も単独事業を行うことを余儀なくされる。さらにこのとき、分業を選んだ方の企業は「取引相手に特化」した先行投資五〇万円を行っているので、その企業の利得の総計は、単独事業によって得られる一〇〇万円から先行投資額五〇万円を差し引いた五〇万円となる。要するに、この場合の先行投資は、相手先に特化したものであるため（つまり、他の目的に流用できない）、分業が成立しなければ無駄になってしまうのである。

こうしたA・B二者間の相互依存関係は、1節で見た囚人間ゲームの構造とほぼ同じである。A・B双方とも、相手方が分業のための投資を行うと信じれば、自分も分業のための投資を行い、分業が成立する。これが、「良い均衡」である。対して、相手方が分業のための投資を行わないと思えば、自分もみすみす先行投資を無駄にしたくないので、単独事業の途を選ぶことになる。こうした場合、A・B双方とも単独事業の途を選び、「悪い均衡」が成立する。

しかし、囚人間ゲームとこの企業間ゲームとの間に大きな違いが一つある。それは、前者においては囚人間の連絡が遮断されていたのに対し、後者においては、企業間で連絡を取るのがむしろ当然なことである。

そもそも非協力ゲームを説明する際、囚人とか監獄といった非日常的セッティングが多用されるのは、ゲームを構成する各プレーヤー間に連絡の道が閉ざされていることを明確化するためである。しかし、お互いに競争関係にある企業ならともかく、このケースのような場合は、両者の間で分業を開始するための入念なすり合わせが行われるのが通常だ。そして、「良い均衡」を成立させるために、約束違反を行った企業に罰則を科す契約をあらかじめ結ぶことさえできる。

要するに、企業Aと企業Bは、お互いに連絡を取り合って信頼関係を醸成することを通じ、あるいは契約的手法を通じ、「分業する」という選択肢に有効なコミットをすることができるのである。このような状況において、「悪い均衡」が成立する可能性は低い。また不均衡状態が一時的にであれ現出することは稀だ。

こうして、「良い均衡」が成立する。これが、経済がうまくいっているときの「持続的な成長軌道」である。

こうやって「良い均衡」が成立することは、企業の債権者にとっても望ましい状態のはずだ。債権の回収がより確実になるからである。ところが、多くの企業が過剰債務を抱え、倒産を銀行に猶予してもらっている状態では、この最適均衡が達成されない可能性がある。以下では、なぜそのような「悪いゲーム」が成立するのかを見ていこう。

相互の不信――「悪いゲーム」

ここで、右記の企業A・B双方とも、多額の負債を抱えていたとしよう。つまり、銀行によって「ペナルティの先送り」が行われているような企業だ。こうした場合、銀行は、債務過剰企業を「いつでも好きなときに倒産させる権利」を留保している。

そうやって生殺与奪の権利を第三者である銀行に握られている債務者企業が分業を進めようとする場合、先述の企業間取引ゲームは、実は債権者である銀行間のゲームへと変質している。

つまり、もし企業Aの債権者である銀行をPとし、企業Bの債権者である銀行をQとすれば、「ペナルティの先送り」が行われている場合、企業Aと企業Bが、分業のための先行投資を行うか否かを決めるのは、企業A・企業B自身ではなく、銀行Pと銀行Qなのである。

この場合、債務過剰企業AとBが収益をあげると、不良債務の返済を通じ、それは銀行Pと銀行Qの利得となるから、銀行Pと銀行Qの利得は、表4―2と同様に表4―3のようになる。括弧の中の左が銀行P（企業Aの債権者）の利得、右が銀行Q（企業Bの債権者）の利得である。

表4―3中のマトリックスをより詳しく説明しよう。「P：A分業」とは、「企業Aに対して企業Bとの分業のための先行投資をさせる」という銀行Pの決定を表す。「P：A単独」とは、「企業Aに対して（分業のための先行投資をさせず）単独で生産を行わせる」という銀行Pの決定を表す。同様に、「Q：B分業」・「Q：B単独」についても銀行Qの決定を表すものとする。

表4-3　銀行間ゲーム――相互不信の可能性

	P：A分業	P：A単独
Q：B分業	良い均衡 （200、200）	（100、50）
Q：B単独	（50、100）	悪い均衡 （100、100）

この銀行間ゲームの構造は、意思決定権者がそれぞれ企業Aから銀行P、企業Bから銀行Qに移ったこと以外は、基本的には先ほどの企業間ゲームと同じである。双方が分業にコミットし、分業に成功すれば、銀行Pと銀行Qはそれぞれ二〇〇万円の利得を得る＝（200, 200）。分業が失敗し、単独事業となった場合は、利得は一〇〇万円となる＝（100, 100）。ただ、一方のみが分業のための先行投資を行った場合は、その分が無駄になるので、先行投資を行った側の利得は五〇万円となる＝（50, 100）あるいは（100, 50）。

こうしたゲームの構造下では、銀行がお互いに相手について「楽観的な予想」をすれば企業A・B間において「分業」が成立し、「悲観的な予想」をすれば「単独」事業が実施される。つまり、この銀行間ゲームにおいても、双方が二〇〇万円ずつの利得を得る「良い均衡」（「P：A分業、Q：B分業」）と、双方が一〇〇万円ずつの利得しか得られない「悪い均衡」（「P：A単独、Q：B単独」）という二つの均衡が存在することになる。

囚人間ゲームとの類似性

このように、表4―3の銀行間ゲームは、形式的には表4―2の企業間ゲームと変わらない。しかし、ゲームの情報構造に着目すれば、銀行間ゲームが企業間ゲームに比べ、はるかに前節の囚人間ゲームに類似していることが分かる。

今回のゲームのプレーヤーは、債権者である銀行Pと銀行Qである。とすれば、企業Aと企業Bがプレーヤーだった前のゲームに比べ、プレーヤー間の連絡や交流ははるかに強く遮断されているはずだ。例えば、銀行Pと銀行Qはライバル関係にあるかもしれない。そうであれば、両者が頻繁に連絡・交流することは想定しえない。つまり、企業Aと企業Bとは相互に補完し合う関係であるのに対し、銀行Pと銀行Qは一般に競争関係にある可能性が高いのだ。

こうしてプレーヤー間の交流が遮断されている状況は、「囚人間ゲーム」の構造に類似している。なぜなら、銀行Pと銀行Qは、お互いに意志疎通が不十分なまま、相手の行動を自分で予測し、その予測に基づいて行動しなければならなくなるからだ。

また、銀行Pと銀行Qにとって、企業AやBに対する融資は、業務のほんの一部に過ぎないだろう。このため、たとえ企業A・B間では合理性をもつ分業関係が築けたとしても、銀行P・Qの本体に起こった事情によって企業A・Bは突如経営方針を変更させられてしまうかもしれない。

例えば、企業A・Bの経営者間で、「お互いに分業するため、先行投資を行おう」という合意ができたとしよう。企業A・Bの経営者は二人とも信義に厚く、約束したことは破らない信用のおける人物だとする。ここでもし、企業A・Bが債務過剰企業でなければ、経営者同士の信頼のおかげで、両方の企業はスムーズに先行投資を行い、「A分業、B分業」という「良い均衡」が達成されるはずだ。しかし、両方の企業が債務過剰企業である場合には、銀行が企業経営者の解任権を実質的に握るため、銀行の判断によって企業の経営陣が交代させられる可能性が出てくる。すると、企業A・Bの経営者がいくら相互に信頼関係を築き、お互いに「先行投資を行う」と約束しても、彼らが銀行によって解雇されてしまえば、約束を守ることはできない。そのため、銀行本体の事情変化や判断が、企業A・Bの合意を反故にしてしまう可能性が高くなるのである。

（注）ここで、「企業A・Bが債務過剰でない健全企業であっても、企業経営者が株主の判断で解雇される可能性もあるではないか」と思われる読者もおられるだろう。もしそうなら、企業が債務過剰になっていなくても、企業はお互いに分業にコミットできず、「悪い均衡」に陥ってしまう可能性が出てくる。しかし、本書の附録に記載した小林のモデルでは、資本と負債のバランスのとれた健全な財務体質の企業では、株主は企業A・Bの経営者同士の合意を覆すインセンティブを持たないことが示される。詳細は附録をご参照いただきたい。

このように、この銀行間ゲーム（表4－3）は、前節の企業間ゲーム（表4－2）に比べ、囚人間ゲーム（表4－1）の構造によく似ている。繰り返しになるが、このゲームのプレーヤーである銀行Pと銀行Qは、お互いに競争相手であるため、相互に連絡を取り合うことができない。つまり両者は、有効な形で分業にコミットすることができない。また、たとえ何らかの形で銀行が「分業」にコミットしたとしても、銀行本体の事情で、そのコミットメントが覆されてしまう可能性もある。

こういう状況では、「囚人間ゲーム」のところで見たように、必ずしも「良い均衡」（「A分業、B分業」）

が達成されるとは限らない。もちろん、銀行が他の銀行について「分業のコミットメントを守るだろう」と「楽観的な予想」を持てば、企業間の分業が実施され高い生産性が実現する。そして結果的に、楽観的予想は実現する。ところが、銀行が他の銀行について、「分業のコミットメントを破って途中で単独生産を選ぶだろう」と「悲観的な予想」を持つと、実際に（銀行の判断によって）企業は双方とも分業の途中で単独生産に方針転換してしまうことになる。結局、悲観的予想は現実のものになってしまうのだ。

要するに、「楽観的予想」が支配的な経済社会においては、このゲームは「良い均衡」を達成し、銀行はそれぞれ二〇〇万円の利得を得る可能性が高い。これに対し、「悲観的な予想」が支配的な場合は、「悪い均衡」が成立し、銀行は一〇〇万円の利得しか得ることができなくなる。

ここで、先述の銀行関係者の発言（一八五ページ）を想起されたい。そこでは、「貸付先として有望な企業が存在しない」と指摘する反面、もし他の銀行が融資の回収を行わないなら「自行も貸付を安心して行える」とも述べている。この発言は、ここで説明した「複数均衡のジレンマ」が、現実に日本経済で発生していることを示唆している。

行政の後退——調整役の欠如

「囚人間ゲーム」的な状況で、「悪い均衡」から脱し「良い均衡」に落ち着くためには、お互いに連絡を取り合うことに加え、第三者が仲介をすることが考えられる。例えば先述の「囚人間ゲーム」の例では、二人の囚人に接見を許された弁護士が、二人の囚人間の情報の仲介をすることが可能である。つまり、「お前の相棒は絶対に窃盗について口を割らないからお前も口を割るな」というような情報を仲介することで、第三者である弁護士が、「良い均衡」へと誘導することができるのだ。

こうした「複数均衡」的な状況で、「良い均衡」に誘導するための仲介役の役割を果たしていた可能性があるのが、政府による「行政指導」である。

古くから政治学者は、なぜ日本の企業が、何ら法的拘束力を持たない「行政指導」に従うことが多いのか、という疑問に答えようとしてきた。学説としては、「日本の官庁が、企業に比べ予見性、情報収集力で勝るため」といったものから、「行政指導に従わないと、その行政指導を発した官庁が、自らが法的権限を有する他の分野において意地悪をするから」といったものまで存在する。

最近になって有力になってきたのが、「企業は、自らが『悪い均衡』に陥らないように、行政指導の力を借りているのではないか」という説である（Kato［2000］等）。ミクロ経済学的手法を採り入れたこうした分析では、政府は、先述の例における弁護士役に擬せられる。つまり政府は、連絡を遮断されたプレーヤーの間の仲介役として働き、プレーヤーが「悪い均衡」あるいは「囚人のジレンマ」的状況に陥らないよう「行政指導」するというのだ。そしてプレーヤーの方も、「悪い均衡」に陥れば自らが損をすることが分かっているため、政府の「行政指導」に従うというわけである。

一部の新古典派経済学者が想定するような完全競争市場は、現実経済においては存在しない。代わりに存在するのが、各種制度や各経済主体間の利害関係が複雑に絡まった状況で、そういう状況では、「複数均衡」や「囚人のジレンマ」的な構造が無数に存在する。そうしたゲーム論的構造の下では、各プレーヤーは、自己の利益を最大化しようと合理的に行動しても、みすみす「悪い均衡」や「囚人のジレンマ」などにはまり込んでしまう可能性がある。そういった「悪い均衡」から抜け出す手段として、政府という第三者による「行政指導」が用いられている、というわけだ。

先ほどの「分業」か「単独」か、という複数均衡ゲームにおいても、こうした情報仲介人的な政府の

「行政指導」は想定しうる。例えば、政府が銀行Qに対して、「銀行Pは企業Aの合意を覆させるようなことはしないだろうから、銀行Qも企業Bの合意を覆させない方が得だ」といった情報仲介的な「行政指導」を行う、というものだ。そして、銀行Pと銀行Qがその「行政指導」に従えば、「良い均衡」が達成される。九〇年代半ばまで続けられてきた金融機関の「護送船団方式」や、各産業における業界団体を通じた政府との交流も、各産業によって程度の差こそあれ、こうした「行政指導」の集合体として理解することも可能である。

MITのリチャード・サミュエルズは、このような点を捉え、日本の政府が企業に対する「保証人(guarantor)」的役割を果たしてきたことを実証的に示した(Samuels［1987］)。

しかし、九〇年代以降、こうした「行政指導」には様々な弊害があることが露呈されてきた。たしかに「行政指導」は、「悪い均衡」や「囚人のジレンマ」から抜け出させる手段として有効かもしれない。だが、それはもう一方で、往々にして競争抑制的な効果をもたらし、別の意味で経済厚生を害する。また、この時期発生した数々の不祥事によって明らかになったように、「行政指導」を通じ官民が癒着する危険も存在する。

そして何より根元的なのは、企業や銀行の政府に対する信用が落ちている、ということだ。このため、企業や銀行は、もし政府が「行政指導」を行ったとしても、もう一方の企業や銀行がそれに従わないのではないか、という疑念を抱くようになる。また、政府の提供する情報も信用できないと思うかもしれない。そういう状況では、たとえ「企業Aと企業Bは倒産させない」と政府自身が保証したとしても、そういった保証は市場に信用されるとは限らない。こうなると、「悪い均衡」から抜け出させる――という意味での「行政指導」の存在意義はなくなってしまう。

こうして、九〇年代半ばには、政府という仲介人を通じて「悪い均衡」から「良い均衡」へと誘導する行政指導的な手法も、極端に弱体化した。しかし、それまでの日本経済は、オキモトが指摘したような無数の非公式ネットワークや、それを補完する行政指導的手法に強く依存していたため、「複数均衡」的状態に対処するような制度や慣行の発達が特に遅れていたと考えられる。

ディスオーガニゼーションへの途――企業間ネットワークの萎縮

九〇年代の日本経済のように悲観的な予想が蔓延していると、企業間の分業は「取引相手が途中で倒産するなどして、分業のコミットメントを破るかもしれないからリスクが高い」と判断されることになる。つまり、先述のゲームで、「悪い均衡」（「単独、単独」）が成立する可能性が高くなる。

こうなると、企業間の分業や協働によって本来は高い収益性が得られる投資案件があっても、取引相手企業の倒産リスクなどを加味すると、その期待収益は非常に低いと判断されることになる。その結果、企業（またはその債権者）は、あまり手を広げず、なるべく馴染みの取引相手との間で取引を済まして、細々とした経営を続ける方が確実だ、と考えるようになる。

前述のゲームの例では、分業することによって本来は二〇〇万円の収益が見込める事業でも（「良い均衡」）、取引相手の倒産リスクなどを考えると、最悪の場合は五〇万円しか儲からないことになる（自分が先行投資五〇万円を行って、相手が先行投資をしなかった場合）。そのため、悲観論が蔓延しているような状況下では、分業せずに単独で生産すれば一〇〇万円の利益があるため、銀行や企業は「単独」生産を選択することになる。つまり、分業すれば二〇〇万円の利益を実現する潜在力を有する企業や銀行が、「銀行間ゲーム（悪いゲーム）」の相互不信的なスパイラルに巻き込まれることで、一〇〇万円の利益しか生み出さない単独生産の「悪い均衡」に落ち着いてしまうのだ。

こうして、企業間の分業や協業のネットワークは萎縮する。つまり、経済の「ディスオーガニゼーション（組織破壊）」が生じる。

こうした状況が経済全体で起これば、マクロでは経済の産出量（GDP）も縮小し、需給ギャップが拡大することになる。すなわち、分業や協業が十分に機能する場合のマクロの供給可能量に比べて、単独生産の割合が増える「悪い均衡」では生産高が小さくなるため、本来の供給能力よりも需要が不足する「需給ギャップ」が観測されるわけだ。

「悪い均衡」の持続性——倒産処理を進めない「合理的判断」

このような「悪い均衡」は、銀行が実質的な債務超過企業を倒産させず、「ペナルティの先送り」をすることによって発生した外部不経済効果だ。

それならば、債務者企業の倒産処理が進み、「いつ倒産させられるか分からない企業」が消えれば、企業間の分業ネットワークは回復するのであろうか？　ここで問題となるのが、「悪い均衡」の持続性である。すなわち、いったんこのような「悪い均衡」が発生してしまうと、債権者側の銀行には、過剰債務を抱えた企業を倒産整理するインセンティブがなくなってしまうのである。

この点を詳しく見てみよう。経済システムに存在する他の企業が過剰債務を抱えている状況下では、銀行にとって、自行の債務者を倒産整理して新しい融資先を探すことに、ほとんどメリットがない。なぜなら、自行の新しい融資先として過剰債務を持っていない健全企業Cを見つけても、企業Cの取引相手となるべき企業が過剰債務を抱えたままでは、企業Cは分業ネットワークを広げられないからだ。つまり、先般のゲーム（表4―3）からも明らかなように、相手方企業の倒産リスクが高い状況では、いくら新規融資先企業Cが過剰債務を持っていなくても、企業Cは分業を行うインセンティブは生じない。その結果、新しい融資先Cから銀行が得られる収益は（既存の過剰債務者AまたはBから得られる収益に比べて）大きくならない。

そういう状況では、銀行にとって、既存の債務者に貸し付けた過剰貸出を処理して新しい融資先を探す手間とコストが無駄になってしまう。また、経済が奇跡的に回復したような場合は、銀行が「ペナルティの先送り」をする理由のところで触れたように、既存債務者から得られる利得の方が、企業Cから得られる利得よりも大きくなる可能性がある。したがって、銀行は「他の銀行が過剰債務企業を生かし続けている限り、自行も追い貸しを続ける方が得だ」と判断することになる。

こうして、いったん「ペナルティの先送り」が選択されると、「悪い均衡」の負の連鎖が完結する。過剰債務を抱えた企業は、倒産させられずにいつまでも生き残り、銀行はお互いの出方をみるだけで、積極的な不良債権処理を行おうとしない――こうした状況が続くことになる。

この場合、企業間の分業構造が壊されるためにGDPが縮小し、資産の収益性も低下する。その結果、土地や株式の資産価格の下落も続き、企業のバランスシート毀損がますます悪化することになる。

「悪い均衡」からの脱出――政策対応の可能性

企業取引のネットワークが萎縮するこのような悪い均衡から抜け出すためにどのような政策対応が考えられるだろうか。この点については次章で詳述するので、ここでは簡単に触れておく。

もっとも直接的な手段は、金融機関が「ペナルティの先送り」を一斉にやめること、すなわち、不良債権の処理を一斉に進めることである。過剰債務を抱えた企業の多くが同時に倒産整理されてしまえば、企業は新規の取引について「取引相手の倒産リスク」を感じないですむ。そのような環境が整えば、企業間の取引は拡大し、分業構造が回復するだろう（「良い均衡」への回帰）。

しかし、前述の通り、いったん悪い均衡に陥ると、金融機関自身による自発的な不良債権処理はなかなか進まない。他の銀行が不良債権処理を行わないときに、一つの銀行が自発的に不良債権処理を行っても損をするだけだからだ。

そこで考えられるのが、公的セクターによる介入である。公的セクターに求められるのは、銀行同士がお互いの出方をみるだけで動かない状況を打破するために、すべての銀行に「同時に」あるいは「一斉に」不良債権処理を進めさせる、いわば、「オーケストラの指揮者」あるいは「情報の仲介者」の役割を果たすことである。しかし、そのような政策には「当局による強権的な介入」という色合いが強くならざるを得ない。

例えば、九〇年代初頭に米国のシティ・コープが巨額の不良債権問題を抱えたときに、金融監督当局は、その裁量によって、強力に不良債権処理を促した。――当時、米国政府が民間銀行に不良債権処理を明示的に命令することは、財産権の侵害につながる可能性があったのでできなかった。しかし、米当局は様々な監督権限を盾に「いやがらせ」を行い、事実上、徹底的な指導をしたと言われている。

だが、行政機関に対する国民の信用が失墜している現状で、こうした裁量的手法を用いるためには、様々な制度的配慮が必要となるであろう。また、そもそも「オーケストラの指揮者」として認められるだけの信認（クレディビリティ）を得ているのか、という問題もある。

もう一つの、より介入色のない政策は、不良債権の流通市場を整備し、企業の債務の流動性を高めることだ。企業に対する債権が十分に効率的に取引されていれば、このような停滞均衡はかなりの程度緩和される可能性がある。

例えば、先ほどの企業Ａと企業Ｂ（あるいは銀行Ｐと銀行Ｑ）の例では、企業Ａと企業Ｂが取引関係を結ぶと同時に、企業Ａと企業Ｂに対する債権が自由に取引されれば「悪い均衡」が防止できる。

なぜなら、以下のようなことが可能になるからだ。――もし企業Ａと企業Ｂに対する債権が自由に取引されていれば、企業Ａの債権者である銀行Ｐは、企業Ｂに対する銀行Ｑの債権を買い取ることができる。その結果、企業Ａ・Ｂ双方を倒産させるかどうかの決定は、銀行Ｐが単独で判断できることになる。このため、企業Ａにとって「企業Ｂがプロジェクトと関係のない事情のために倒産し、プロジェクトがとん挫するリスク」がなくなるので、企業Ａは安心して企業Ｂと取引できるようになる。銀行Ｐも安心して、企業Ａを分業させ存続させるために必要な資金の融資を行うことができるようになる。その結果、分業の進展という最適な均衡が実現する――というわけだ。

しかし、「悪い均衡」から脱出するためには、別に取引相手の保有する不良債権を全て買い取る必要もない。企業Ａと企業Ｂの分業プロジェクトについて、銀行同士が同じような将来収益を見込むようになれば、片方の銀行が途中でプロジェクトを投げ出す判断をする危険は減少するだろう。つまり、「将来予想」を何らかの手段で共有（シンクロナイズ）することができれば、信頼醸成にとって十分なのである。

多数の銀行や企業の「予想」を共有させる作用を持つものが、「債権市場における価格付け」である。一般に、企業に対する債権を取引する市場が存在しない場合、過剰債務を抱えた企業が生産性の高いプロジェクトを企画しても、異なる利害関心を有する複数の債権者が全員同意しない限りプロジェクトを実行できない。しかし、複数の既存債権者がそのプロジェクトについてたまたま同じ将来予想を持つことは困難で、そのため、プロジェクトが実行されない危険が大きくなってしまう。

だがここで、債権の流通市場が十分に機能すれば、調整のコストは劇的に減少する。――まず、債権に売買市場があれば、債権に市場価格がつくことになる。そして、債務者企業のプロジェクトの将来性に「悲観的な予想」を抱く債権者は、「債権の市場価格は将来の収益性から見て割高だから、債権を保有し続けて低い将来収益を得るよりも今売った方が得だ」と考えて、債権を市場で売り払う。逆に、債務者企業のプロジェクトの将来性が高い、と判断する投資家は、「債権の市場価格は将来の収益性から見て割安だから、今その債権を買って、高い将来収益を得る方が得だ」と判断して債権を買い取る。こうした市場での売買を通じて、プロジェクトの収益性について「楽観的な予想」を同じように持つ投資家（銀行等）がその企業に対する債権の保有者となる。つまり、債権者の予想が市場価格と市場取引によって自動的に共有されるようになるのである。そうなると、プロジェクトの計画について、債権者は容易に合意することができ、迅速に事業が実施されることになる。

こうして、企業の事業計画について当事者の意思決定が迅速化し、経済全体でみると「塩漬け」になっていた企業投資が活性化することになるのだ。そして、経済は「悪い均衡」から「良い均衡」へと移動する。

この議論は決して経済学上の理論的可能性に止まらない。米国の証券会社に在籍し、長年にわたって中南米や米国内で不良債権処理ビジネスに携わったある専門家は次のように語っている。「相対（あいたい）の交渉では不良債権処理に関する調整はなかなか進捗しないが、それを解決するポイントは、その債権に市場での流通性を持たせるように商品設計することだ」。

つまり、当初の当事者だけで問題を処理するのは困難だが、問題債権の流通可能性が高まると、「債権の市場価値」がはっきりしてくる。そうすれば、市場の売買を通じて債権者の「入れ換え」が生じ、結果としてその企業の債権者は、企業の将来性について、同じような認識を持った者ばかりになる。そのことが交渉のコストを大幅に引き下げる、というわけだ。

I　まとめ——問I解題

九〇年代を通じ不良債権処理は「先送り」され続けた。こうした「先送り」は、どのようなメカニズムを通じ、どのような影響を経済に与えたのか？

●不良債権処理の先送り

九〇年代の日本経済において、第3章で見たような「不良債権のペナルティ」が実際に課せられていれば、不良債権は清算され、債務者企業は次々に倒産していたはずである。しかし実際には、銀行など金融機関による「不良債権処理の先送り」あるいは「ペナルティの先送り」が行われた。その結果、実質的に債務超過の企業が多数存続する状態が生じた。

こうした「先送り」が実施された理由としては、経済的なもの、制度的なもの、政治経済的なもの、さらには組織論的なものなど、いくつか挙げられている。重要な点は、それらの理由の多くが、日本経済・企業に特有の制度・慣行等に根差したものだということだ。

こうして、従来のミクロ経済学やマクロ経済学が想定していなかった「先送り」が九〇年代の日本では横行した。そして「先送り」は、日本経済全体に予期されていなかった影響を及ぼすことになる。これが、「先送り」による外部不経済効果だ。

●企業間ネットワークを巡る複数均衡

現代のように技術が高度化し、産業構造が複雑化した社会においては、企業は生産性を上げるためには、他の企業と高度な供給連鎖や企業間分業ネットワークを構築する必要がある。こうして企業レベルでネットワークが構築されることで、経済全体の生産性も向上する。

こうした企業間ネットワークは、そのネットワークに含まれる企業がお互いを信頼することによって初めて成立する。なぜなら、分業する際には、企業はお互いに「取引相手に特化」した先行投資を行うが、途中で一方が裏切って（あるいは倒産して）分業が破綻すれば、「取引相手に特化」した先行投資は無駄になってしまうからである。

企業間ネットワークあるいは供給連鎖構築を巡る、企業間の相互依存関係は、「複数均衡」を持つゲームとして構成することができる。つまり、企業双方がお互いに相手を信頼すれば、企業間ネットワークが有効に構築され、企業は高い生産性を享受することができる。これが「良い均衡」だ。これに対し、企業双方がお互いに相手に対し不信感を抱けば、各企業は「取引相手に特化」した先行投資が無駄になるのを恐れ、単独で事業を進めようとする。その結果、企業は分業による利益を享受することができない。これが「悪い均衡」である。

この複数の均衡のうちどちらに実際の均衡が落ち着くかは、各企業がお互いに相手の行動をどう予想するかにかかってくる。すなわち、相手方の行動について楽観的な予想が共有されれば「良い均衡」が実現し、悲観的な予想が共有されれば「悪い均衡」が実現する。

●「先送り」の外部不経済効果──ディスオーガニゼーション（組織破壊）

不良債権処理の「先送り」は、こうした企業間ネットワーク構築に必要な企業間の信頼を損なわせ、結果としてネットワークを分断する外部不経済効果を生じさせる。つまり、「ペナルティの先送り」は「悪い均衡」を成立させる可能性を高めるのだ。これが本書でいう「先送りによるディスオーガニゼーション（組織破壊）」である。

そのメカニズムをより詳しく見てみよう。――債権者（銀行）が、「不良債権のペナルティ」を債務者企業に課すことを「先送り」すると、債権者が債務者企業の生殺与奪権を掌握することになる。こうした状況では、企業はお互いに相手を信頼して企業間ネットワークを構築することができなくなる。なぜなら、いくら取引相手の企業を信頼し、「相手方に特化」した先行投資を行っても、その企業がいつ債権者である銀行の都合で倒産させられるか分からないからだ。また、債権者である銀行同士が市場外で調整を行うことも難しい。この結果、取引関係にある企業（とその債権者）はお互いに疑心暗鬼となり、企業間ネットワークは分断される（ディスオーガニゼーション）。こうして、「悪い均衡」が成立する。そして、経済全体も萎縮する。「先送り」を通じ経済全体がいったん「悪い均衡」に陥ると、そこから経済はなかなか抜け出ることができなくなる。「悪い均衡」の中で、すべての銀行が「先送り」をしている状況では、一つの銀行が自発的に不良債権を処理しても損をするだけなので、銀行は不良債権処理を進めるインセンティブを失い、「悪い均衡」が持続するからだ。従前こうした「悪い均衡」から抜け出す手段として活用されてきた「行政指導」も、九〇年代後半以降無力化している。

この状況から抜け出すためには、不良債権処理を政策的に強力に進めるか、不良債権の流通市場を整備して処理をしやすくすることが必要になる。

5節　実在した「ディスオーガニゼーション」（問J解題その①）

J 旧ソ連諸国において起こった「経済のディスオーガニゼーション（組織破壊）」とは、どのような現象か？　バブル崩壊後の日本との共通性は何か？

これまで論じてきたディスオーガニゼーションのメカニズムを初めて提唱したのは、MITのブランシャードとクレマーである（Blanchard and Kremer［1997］）。彼らは旧ソ連諸国の経済を分析し、それらの多くの共和国で、九〇年代にGDPが大幅に縮小した原因が、前節で見たような「ディスオーガニゼーション」のメカニズムによるものだと論じた。

本節では、本章で展開する理論の基盤となった、ブランシャードとクレマーの「ディスオーガニゼーション」理論とその実証結果を概観する。その上で、次節においては、日本経済においてもディスオーガニゼーションが発生していることを実証的に確認する。

旧ソ連諸国における経済崩壊

ソビエト連邦崩壊後、旧ソ連諸国では、いわゆる「ビッグバン」方式（あるいは「ショック療法」）によって、政府の計画経済システムを一気に廃棄し、市場経済システムに瞬時に移行しようという試みが実施された。ところが、そうした「ビッグバン」方式による移行は、それらの国々の経済に対し壊滅的な結果をもたらした。一五の旧ソ連諸国のうち一〇の国々で、冷戦が終結した八九年に比べ、九六年のGDPは半分にまで激減したのである。

これらの諸国でGDPが激減した一因として挙げられるのが、公式統計で把握できないマフィアなどの「闇経済」に多くの経済活動がシフトした、ということである。しかし、ブランシャードとクレマーは、それだけでは、これほど激しいGDPの減少はとうてい説明しきれないと論じている。彼らが旧ソ連諸国での経済収縮の主要因だと指摘するのが、企業間の相互不信による「ディスオーガニゼーション」現象である。

前節で見たように、経済が順調に流れているときには、複雑な供給連鎖を構成する企業間の分業や協業によって、個々の企業が単独では達成できない高い生産性が実現する。そして、経済の供給連鎖がうまく機能することを保証しているのは、「おたがいの分業や協業に対するコミットメントを信頼できる」という環境だ。ソ連時代の計画経済では、強制力のある政府の経済計画が、企業の分業と協業を保証していた（なお、バブル期までの日本では、企業のバランスシートが健全だったことや、債権者である銀行の安定経営が「護送船団方式」によって守られていたことが、安定した分業と協業を保証していたものと思われる）。

社会主義体制が崩壊し、計画経済制度が放棄されると、企業間のコミットメントを保証していたもの――すなわち、政府の強制力に裏打ちされた「計画」――がなくなり、企業間に相互不信が発生する。その結果、高度に組織化されていた供給連鎖が至るところで分断され、萎縮し、最終的には供給連鎖そのものが崩壊するという現象が発生する。これをブランシャードとクレマーは「経済のディスオーガニゼーション（組織破壊）」と呼んだ。

前節では、説明を単純化するため、二つの企業が協働するゲームを取り上げた。そこでは、企業間で疑心暗鬼が広がると、企業が協力（分業）をやめて単独で生産を行うようになるメカニズムが説明された。以下では、ブランシャードとクレマーの議論に従って、より複雑な企業のネットワークに関する「ディスオーガニゼーション」のメカニズムを概観する。

複雑な供給連鎖ほど壊れやすい――ホールドアップ問題の発生

複雑な技術を要する製品を作る供給連鎖では、一つの最終製品を作るために多くの企業が連鎖して途中の加工を受け持つ。自動車や電気製品などがその典型例である。

こうした供給連鎖においては、途中の企業が一つでも部品を供給しなかったり、所定の加工に失敗したりすると最終製品は完成しない。つまり、一つの企業が失敗すると、他の全ての企業が正しく作業をしても、その作業は全て無駄になってしまうのだ。

これは、「取引相手に特化した企業間関係（specificity）」の一例だ。前節のモデルで、二つの企業が協力を始めた場合、一方が途中で抜けると他方も損失を被る、という仮定を置いた。これはその一般化である。つまり、前節のモデルは、本来は多段階かつ多数の企業が関与する供給連鎖を、一段階かつ二社間に単純化したケースなのだ。

しかし、単純化した前節のモデルに比べ、より多くの企業が関与する現実の供給連鎖の方が、わずかなきっかけでディスオーガニゼーションが生じやすくなる。なぜなら、供給連鎖を構成する多数の企業のうち、他の企業が一社でも裏切って所定の作業をしなければ、それ以外の全ての企業の利益もゼロになってしまうからだ。このため、一つの企業が裏切る確率が少しでもあれば、供給連鎖に含まれる企業の数が多い場合は、最終製品が出来上がらない確率は大きくなる。

簡単な数式を用いてこのことを見てみよう。例えば、一つの企業が裏切る確率をpとする。そして、その企業が含まれている供給連鎖を構成する会社の数をnとする。この場合、その供給連鎖が最後までつながり、製品を産出できる確率は、n社全てが真面目に所定の作業をする確率――すなわち$(1-p)^n$と同等になる。ここで、一つの企業が裏切る確率がわずか五％だとしても、供給連鎖が二〇社で構成されているときは、製品が滞りなく生産される確率（成功確率）は、$(1-0.05)^{20}$＝約三六％になってしまう。四〇社の場合は、成功確率はさらに下がって約一三％となり、六〇社の場合では、成功確率は五％にも満たなくなる。

つまり、供給連鎖を構成する企業数が多いほど、供給連鎖が滞りなく機能する確率は低くなるのだ。これはすなわち、供給連鎖を構成する企業数が多いほど、供給連鎖が最後までつながる可能性が低くなるため、ある企業が真面目に作業をした場合に得られる期待収益が小さくなることも意味する。

こうした複雑な供給連鎖において、企業に、加工途中の製品を横流しする機会があったとしよう。もちろん、横流しすることによって得られる利益は、供給連鎖が最後までつながったときに得られる利益よりもずっと小さい。しかし、供給連鎖を構成する企業間でわずかでも相互不信が生じると、供給連鎖が複雑なだけ、供給連鎖が最後までつながる可能性が低くなる。そうなると、各企業にとって真面目に作業することで得られる期待収益も小さくなる。そして、供給連鎖に忠実にコミットすることによって得られる期待利益が、横流しの利益を下回るようになると、企業の裏切り（横流し）が生じる。こうして、供給連鎖の分断、すなわちディスオーガニゼーションが実現してしまうのである。

ブランシャードとクレマーは、以上のようなロジックを通じ、旧ソ連諸国における複雑な供給連鎖が、わずかな不信によって破壊されるメカニズムを示した。彼らの示したメカニズムを図式的に示すと以下のようになる。

政府の強制力を背景にした計画経済の放棄→「供給連鎖への各企業のコミットメント」に対する政府保証の消滅→企業間における（わずかな）疑心暗鬼・相互不信の発生→供給連鎖にコミットすることにより得られる期待収益の低下→裏切り（横流し）→供給連鎖の分断（ディスオーガニゼーション）……

彼らが示したこのような現象は、経済学上では「ホールドアップ」問題と呼ばれるものの派生形である。そして、この「横流し」を通じた「ホールドアップ」問題は、供給連鎖が複雑になればなるほど、発生の確率が高まるのだ。

ディスオーガニゼーションの実証——旧ソ連諸国のデータ分析

ブランシャードとクレマーは、旧ソ連の九ヶ国のデータを使い、自らの理論について産業レベルの実証分析をも行っている。

彼らの理論が正しければ、「供給連鎖を構成する企業の数が多いほど、ディスオーガニゼーションが起こりやすく、その程度も激しい」ことになるはずである。その点を検証するために、ブランシャードとクレマーは、ある産業における「供給連鎖の複雑性（関連企業の多さ）」を近似的に表す指数として、産業連関表の投入行列から「複雑性指数（Complexity Index）」を作成した。そして、その複雑性指数を用いた回帰分析を行った結果、データを採った旧ソ連九カ国においては、「複雑性指数が大きい産業ほど、産出が大きく落ち込んでいる」ということが実証された。

このように、旧ソ連諸国においては、ＧＤＰが大きく落ち込んだ一つの原因として、企業間の相互不信による供給連鎖のディスオーガニゼーションがあったことが、実証的にも証明されているのである。

6節　日本経済におけるディスオーガニゼーション（問J解題その②）

旧ソ連諸国との類似性

前節で紹介したブランシャードとクレマーの旧ソ連諸国についての研究結果は、どの程度、日本経済に敷衍しうるものなのだろうか？

すでに見たように、九〇年代以降の日本経済において、「先送りによるディスオーガニゼーション」が起こっていた可能性がある。――この時期、実質的な債務超過に陥った多数の企業が、銀行からの「追い貸し」などによって存続され続けている状態にあった。一方、債権者である銀行の「不倒神話」は崩れ、護送船団方式は徐々に解消されていった。そうした状況では、債権者の意向や何らかの情勢変化により、債務超過企業はいつ倒産させられるか分からない。そうなると、債務者企業の「取引相手に特化」した関係に対するコミットメントは信頼されず、債務者企業は高度な供給連鎖や複雑な企業間ネットワークの構成分子になれない。これは、企業のコミットメントを担保していた政府の強制力が失われた旧ソ連で、企業のコミットメントが信頼されなくなった事情と類似している。

こういう状況において、企業間にわずかの疑心暗鬼でも生じれば、旧ソ連諸国と同様、企業間ネットワークが分断されて経済は収縮する。すなわち、日本においても、旧ソ連諸国とは程度の差こそあれ、いわば「先送りによるディスオーガニゼーション」とでも呼ぶべき現象が発生している可能性が高いのだ。

それでは、このようなディスオーガニゼーションが、九〇年代の日本において実際に起こっていたことを示す実証的な根拠はあるのだろうか？　もちろん、この点を完璧に検証するには、データが不足している。よって以下では、九〇年代以降の日本経済に関する限られたデータが示唆する範囲において、その可能性について見ていくことにする。

先送りによるディスオーガニゼーション——実証的根拠

まずは不動産に関するデータから見てみよう。

4節で示したモデルでは、債権者間の調整の失敗のために分業生産ができなくなる、という特殊なケースを説明した。このモデルが描き出すのは、「債権者間の調整失敗によって、有効活用すれば利益を生み出すはずの資源（生産設備、土地、人的資源など）が、未利用のまま放置されて無駄になってしまう」という現象である。

こうした債権者間の調整失敗による損失は、日本においては、不動産という資源について顕著に見られる。よって、不動産に関する債権者間の調整失敗の度合いが、日本経済全体における債権者間の調整失敗の頻度を示唆する一つの指標になる。

九〇年代以降、地上げの失敗等により、効率的な利用ができないまま放置された土地が、都心の一等地を含め至るところで見られるようになった。こうした資源の無駄遣いが起きたのは、不動産に担保権が何重にも設定され、土地の処分の方法について、担保権者（つまり、土地の所有者に対する債権者）

の合意が取れないためだと言われている。

そうした状況下においては、土地利用の効率性を示すマクロ・データ（図4—1、4—2参照）は、不動産を巡る債権者間の調整失敗の度合いを示すものと言えよう。さらに、それらのデータは、日本経済全体における債権者間の調整の困難性を示唆するものでもある。

図4—1でみると、事務所の空室率は九〇年代前半に上昇し、その後、高止まっている。また、図4—2をみると、新規賃料も九〇年代を通じて下落しており、不動産利用の効率性が年々悪化してきていることが分かる。つまりこれらのデータは、九〇年代の日本において、債権者間の調整は以前に比べ困難になっており、その状態は改善するどころか悪化しているかもしれない、ということを示唆している。

次に、企業間の取引関係が果たして萎縮したのか、という点について、関連するデータを概観しよう。

企業間の調整の失敗によって企業間の分業構造が萎縮したり、積極的な経営が行われなくなれば、企業間の取引関係の解消が進み、企業間の決済が減少することになる。こうした企業間ネットワークの萎縮の度合いは、具体的には手形交換高と全銀システム取扱高の推移を見ることによって推測することが可能だ（図4—3参照）。

この図から見る限り、九〇年を ピークに、企業間の決済（手形交換高と全銀システム取扱高の合計）は減少の一途を辿っている。そして、こうした傾向は九五年、九六年の回復期も例外なく続いている。なお、九四年に比べて九五年の手形交換高が大きく減少しているのは手形交換決済制度が変更されたことの影響と言われる。[注]しかしその点を割り引いても、経済回復期の九五年から九六年においてでさえ決済の金額が純減するなど、この図は極めて特徴的な傾向を示している。

図4-1　事務所空室率

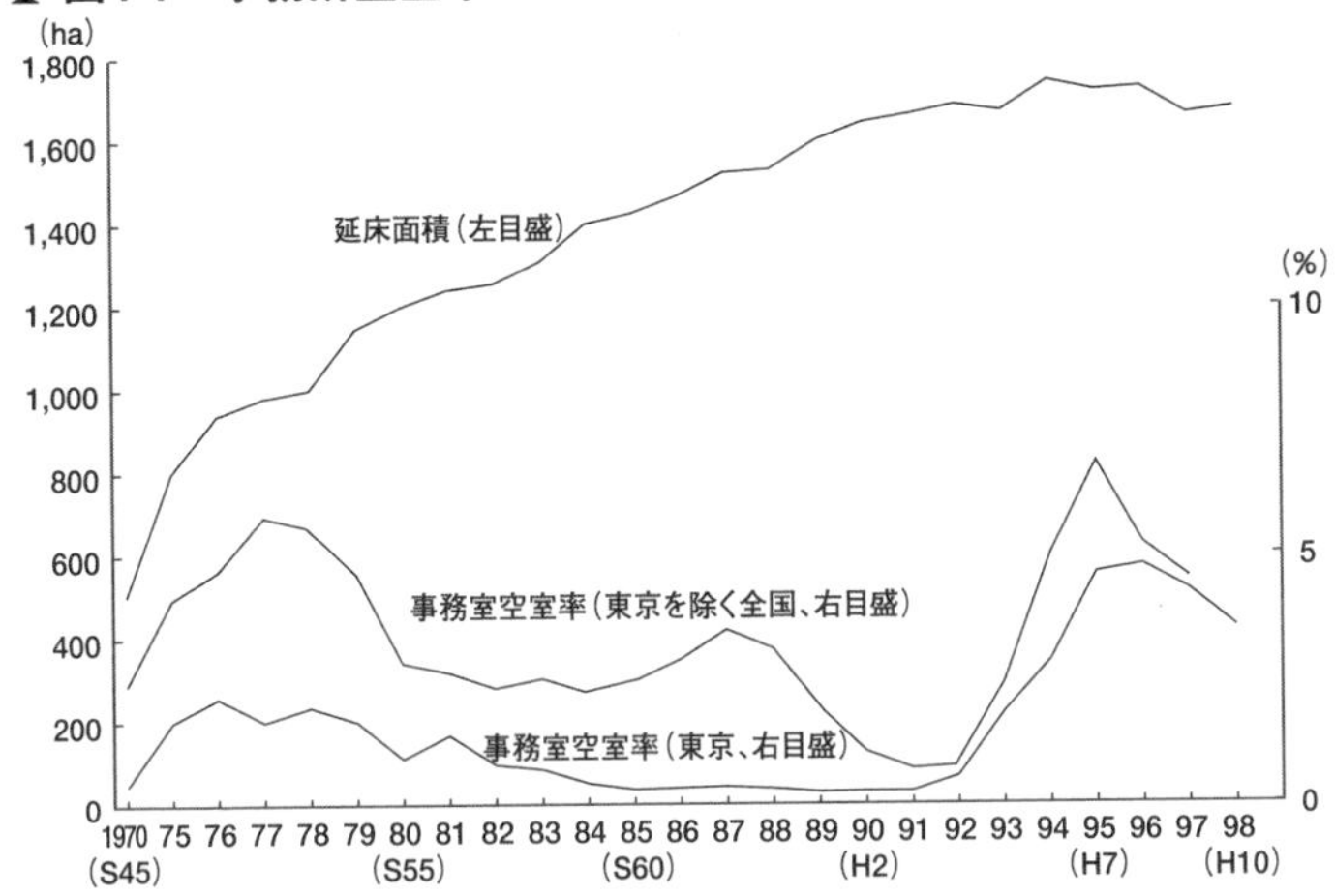

▲（社）東京ビルヂング協会「ビル実態調査結果速報」、（社）日本ビルヂング協会連合会「ビル実態調査のまとめ」より作成。

図4-2　新規賃料の推移

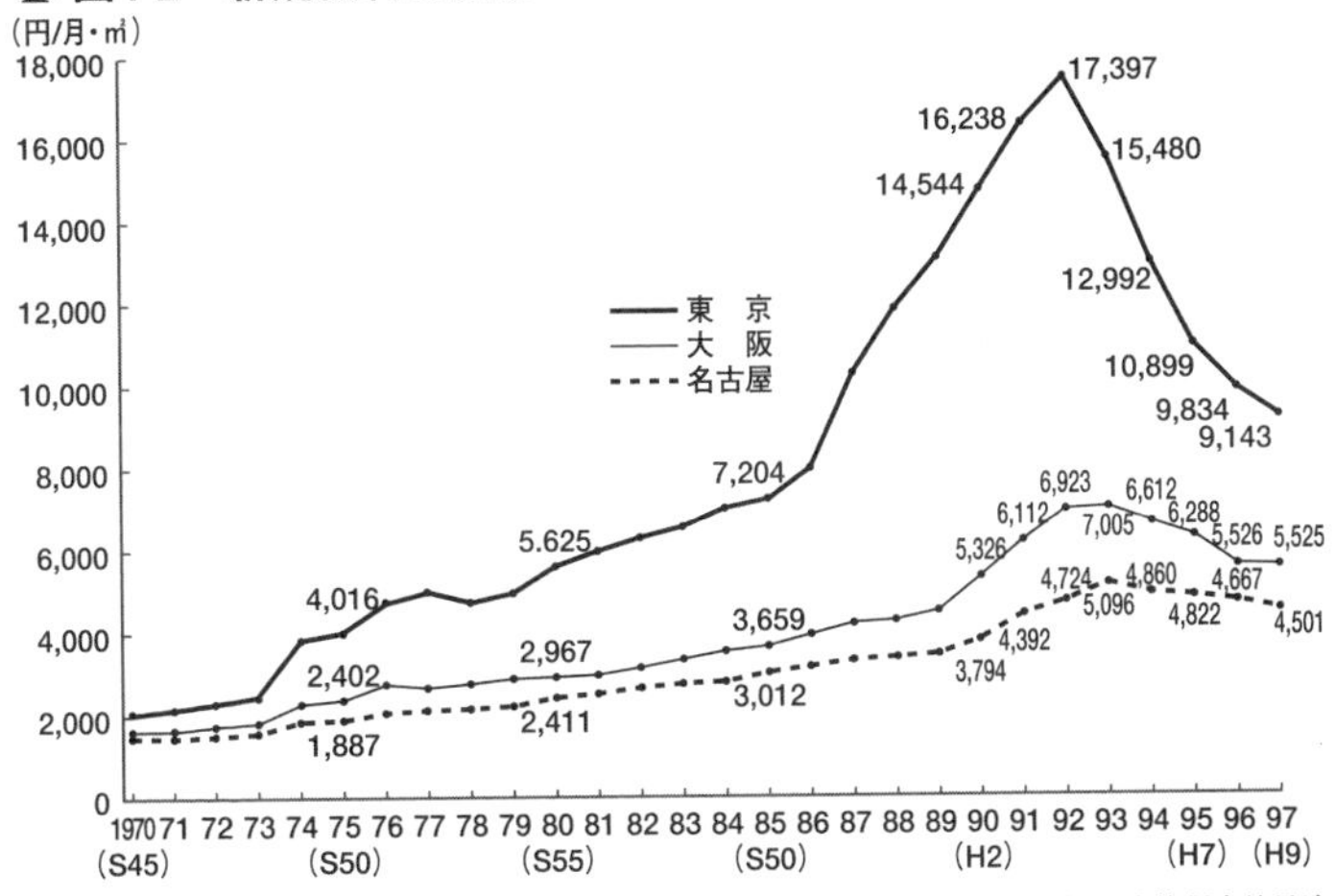

▲（社）日本ビルヂング協会連合会「ビル実態調査のまとめ」、（社）東京ビルヂング協会「ビル実態調査結果速報」より作成。
注：実質賃料＝室料＋{敷金×10%＋保証金×（10%－保証金利息）}÷12

図4-3　決済高（月平均）の推移

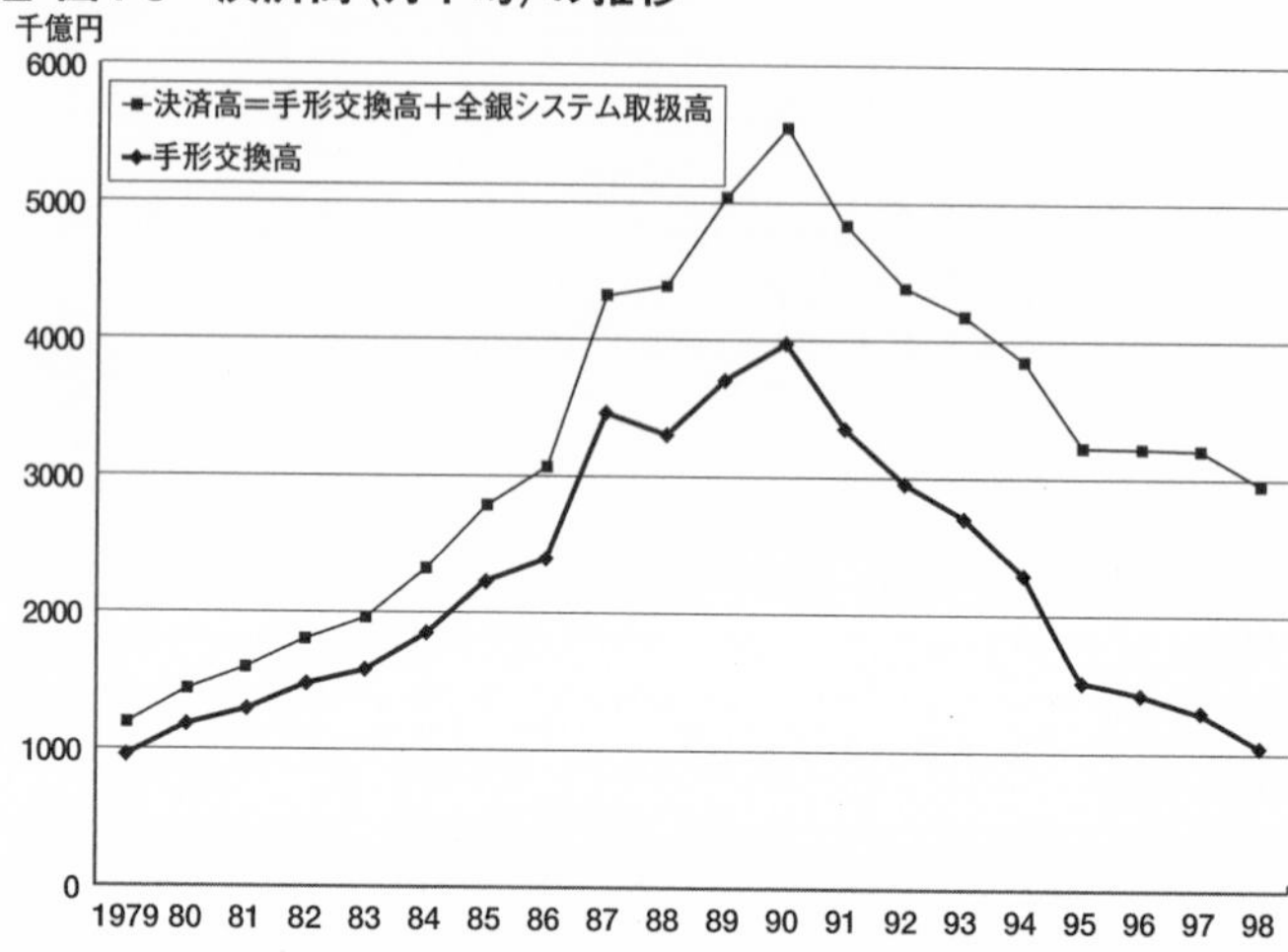

（注）外国為替取引に関係する円決済は、一部が手形交換所で行われていたが、九四年一一月以降、すべて外国為替円決済制度で行われることになった。このため、東京以外の地域の手形交換所で多かった外国為替円決済が「手形交換高」に含まれなくなったと考えられる。これが九五年の手形交換高減少の原因と考えられている。

すなわち、この図が示唆するのは、九〇年代を通じて、日本経済において企業間の信頼が低下し、企業の安全志向が高まっていったということである。

また、日本経済研究センターの研究結果も、同様の結論を導いている（富士・目瀬・山田［1999］）。彼らの分析によれば、企業の資金調達に占める「企業間信用」の割合は、九〇年代に入って、大企業・中小企業、製造業・非製造業の別を問わず、すべてのセクターで低下している（富士・目瀬・山田［1999］の付表3―1から付表3―14を参照）。つまりこの研究においても、九〇年代を通じて企業間の信用取引が萎縮し続けてきたことが示唆されているのだ。

表4-4　複雑性指数が産出に与える影響

産出高の成長率 ＝ 定数項 ＋ β × Complexity ＋ その他の要因

Complexity ＝ 1 － ［他の産業からの投入の集中度（Herfindahl指数）］
Complexityは、その産業への投入が他産業に分散している度合いを表す指数。

	β	t値
1975年 - 1980年	-0.1021	(-0.736)
1980　- 1985	0.2171	(-1.574)
1985　- 1990	-0.01846	(-1.1979)
1990　- 1995	-0.1948	(-2.78778)

注：t値の絶対値が2.0以上のときに係数は統計的に有意とみなす。t値の絶対値が2.0より小さいときは、「βは0である」という可能性が否定できない。

最後に、小林が最近行った実証分析の結果を紹介しておこう。

先述したブランシャードとクレマーの実証研究は、供給連鎖の複雑さを示す指標（複雑性指数）を使って、「複雑な供給連鎖によって生産される財ほど生産の落ち込みが激しい」という結果を旧ソ連経済について示した。そこで小林が、ブランシャードらと同じ複雑性指数を使って日本の産業連関表を分析した結果、九〇年から九五年にかけて、複雑性指数が高い産業ほど、生産が落ち込んでいることが分かった（小林・稲葉［2000］）。さらに、それ以前の時期――七五年から九〇年にかけての一五年間――においては、複雑性指数と生産には、何ら負の関係が生じていなかったことも判明した。

表4―4は、産業連関表の各産業の実質産出高の成長率を、複雑性指数（表中のComplexity）や資本投入、労働投入、原材料投入などで回帰した結果である。表4―4によると、

（90年から95年の実質産出成長率）＝（定数項）－0.19（複雑性指数）＋（その他の要因）

という関係があることが分かる。つまり、複雑性指数が大きい産業ほど、九〇年代の産出量の成長は落ちているのだ（具体的には、複雑性指数が一増加すると、実質産出成長率が〇・一九減少する、ということを右の等式は示している）。

これは要するに、バブル崩壊前は複雑な供給連鎖も支障なく機能していたが、企業のバランスシートが毀損したバブル崩壊後においては、複雑な供給連鎖ほど機能しにくくなっている、ということだ。さらにこの結果が示唆するのは、バブル崩壊以前には、供給連鎖を構成する企業間に信頼が維持されていたのに対し、バブル崩壊以降は、供給連鎖への企業のコミットメントが信頼されない状況が広がっている可能性だ。

この研究結果は、ブランシャードとクレマーが旧ソ連で実証した「ディスオーガニゼーション」と類似の現象が、九〇年代の日本で発生していた可能性を強く示唆している。

まとめ――問J解題

J

旧ソ連諸国において起こった「経済のディスオーガニゼーション（組織破壊）」とは、どのような現象か？　バブル崩壊後の日本との共通性は何か？

●旧ソ連諸国における「経済のディスオーガニゼーション（組織破壊）」

計画経済システム終焉後、旧ソ連諸国において、供給連鎖を構成する企業間に疑心暗鬼・相互不信が広がった。供給連鎖をそれまで管理していた政府の強制力が失われたからである。このため、供給連鎖を構成する各企業に中間部品・原材料の「横流し」をするインセンティブが生じた。この結果、供給連鎖が萎縮、分断することによって機能不全に陥るという「ディスオーガニゼーション」が発生し、経済の産出量（GDP）は著しく減少した。

こうした「ディスオーガニゼーション」は、（多数の企業を含む等）供給連鎖が複雑なほど深刻になることが実証されている。

●日本における「ディスオーガニゼーション」

日本においても、旧ソ連諸国と同様のメカニズムで、前述の「先送りによるディスオーガニゼーション」が発生していたことが、各種データから推測される。また、日本の産業連関表を用いた回帰分析によると、九〇年代以降においては、旧ソ連諸国と同様に、複雑な供給連鎖ほど機能しにくくなっていることが示された。

7節 自己組織化プロセスとしての経済成長（問K解題）

K

バブル崩壊後、日本経済の成長トレンドは一気に低下した。これは、日本経済の潜在成長率が、バブル期を境に恒常的に下がってしまったことを示しているのだろうか？ あるいは、ケインズ経済学が想定するように、単に需給ギャップが長期的に開いてしまったためなのか？ 最新の経済成長論の立場からは、こうしたトレンドに対し、どのような理論的・実証的解釈が導けるのか？

これまで見てきた、企業間の相互不信によって分業構造が分断されるという現象は、日本経済にとって一時的な問題なのだろうか。それとも、持続的な影響を持つものなのだろうか。別の言葉を使えば、「不良債権問題の先送りによるディスオーガニゼーション」は、短期的な需給ギャップを生じさせるに過ぎない現象なのだろうか、それとも、長期的な潜在成長率をも低下させる現象なのだろうか？

以下では、ディスオーガニゼーションが、日本経済の長期的な潜在成長率を低下させている可能性について見ていく。

なお、「長期的な経済成長のトレンドは何によって決まっているのか」という問題については、経済学者により多くの仮説や理論が提出されている。そこで、本節ではまず、これまでの経済成長理論を、最新のものも含めてごく簡単に概観する。そして、過去の経済成長理論の成果を踏まえ、ディスオーガニゼーションが九〇年代以降の日本経済の「低成長トレンド」を引き起こしている可能性について論じる。

経済外からの技術進歩が成長の原動力――新古典派経済成長モデル

八六年に「内生的経済成長理論」が発表されるまで、新古典派経済学のモデルでは、経済成長の主要な動因となるのは、科学的な発見や発明など経済外の要因によって生じる技術進歩だと考えられていた。そのため、当時の新古典派経済学者の間では、「世界各国の経済は、最終的には同一の生活水準になるように収束（converge）する」というコンバージェンス・セオリーが共通理解となっていた。なぜなら、①科学者や技術者の発見や発明は、国の経済活動とは無関係に生じる事柄として想定され、また、②科学的な発明・発見は国境を越えて世界中に広まると考えられていたからだ。

コンバージェンス・セオリーでは、先進国経済は、新しい発明や発見がなされる率（技術進歩率）で安定した経済成長を続ける。一方、技術水準と生活水準が低い発展途上国は、先進国の技術を受け入れ、急速にキャッチ・アップするため、先進諸国に比べ速いスピードで経済成長をする。その結果、最終的には先進国も発展途上国も、同じ生活レベル・技術レベルに収束することになる。

この説は、第二次大戦後の日本経済や西ドイツ経済の発展プロセスを非常に良く説明することができる。このため、新古典派経済学者は、多くの途上国が日本や西ドイツと同様のプロセスを経て、やがて先進国に追いつくだろうと予想した。

ところが、八〇年代までに明らかになったのは、一部の国を除き、先進国と途上国の経済格差は、縮まるどころか拡大している、という傾向である。そして、こうしたコンバージェンス・セオリーが予想していなかった成長格差の問題（「経済水準の高い国が高い経済成長率になり、経済水準の低い国が低い経済成長率になる」）を分析するために、八〇年代後半以降に発展したのが「内生的経済成長理論」だ。

経済活動が技術進歩を決める——内生的経済成長理論

内生的経済成長理論とは、単純化して言えば、「経済の活動レベルが上がると、その結果として技術進歩が刺激され、成長率が高まる」という考え方だ。

つまり、新古典派モデルでは、技術進歩は経済活動と独立に決まると想定していたのに対し、この新しいモデルでは、技術進歩は経済活動の結果として決まると考えるのだ。より経済学的に言えば、前者は技術進歩を経済活動の外生的要素（exogenous factor）として捉えるのに対し、後者はそれを内生的要素（endogenous factor）として捉えるのである。

この内生的経済成長理論において、「技術進歩」の内容は、従来の古典派モデルが想定していた発明発見だけではなく、工場での生産プロセスの進歩（プロセス・イノベーション）や労働者の教育水準の上昇による労働効率の向上なども含む、非常に広い概念になっている。また、「経済活動」の範囲も、企業のR&D（研究開発）活動や労働者のジョブ・トレーニング（教育訓練）も含めた概念に広げられている。

内生的経済成長理論は、「経済活動」の外部経済効果こそが、そうした「技術進歩」を刺激し発展すると考える。すなわち、各経済主体による経済活動が、第2章で見たような「（この場合、正の）外部経済効果」を通じ、社会全体の「技術進歩」を促すというのだ。その結果、経済活動が盛んな国（通常は先進国）ほど、経済活動からより大きな外部経済効果が生じ、「技術進歩」が盛んになる。つまり、「経済活動が活発な先進国の技術が進歩して、先進国の経済成長率が上がる一方、経済活動が低調な途上国の技術進歩は停滞して、途上国の経済成長率が下がる」という現象が生じる。これが、内生的経済成長理論による経済成長の説明である。

この理論から得られる政策的インプリケーションとしては、経済成長を達成するためには戦略産業における研究開発に重点的な資源配分を行うべき、ということや、高等教育の普及によって国民の教育水準を高める政策が有効だ、というものがある。

以上が、経済学の分野における経済成長論の主要な流れである。それでは、現実の発展途上国経済では、どういう成長の過程が見られたのだろうか？

以下では、戦後多くの途上国によって採られた二つの成長戦略——輸出産業育成戦略と輸入代替戦略——を概観し、なぜ多くの国において、前者が成功し後者が失敗したのかを見ていく。

輸出産業育成戦略と輸入代替戦略

戦後、多くの発展途上国において、国家が経済に積極的に介入することにより経済成長を加速化しようという成長戦略が採られた。それらの国々のいずれにも共通していたのは、外貨の深刻な不足という制約である。そうした制約下で用いられた各種の成長戦略は、大きく分けて二つに分類できる。それが、「輸出産業育成戦略」と「輸入代替戦略」である。

「輸出産業育成戦略」とは通常、戦後の日本や韓国、台湾等の東アジア諸国で採られた成長戦略のことを指す。これは、国内市場だけでなく国外市場にも製品を供給することで外貨を獲得し、その外貨を輸出産業に重点的に配分し輸出を拡大することでさらに外貨を獲得し、輸出産業を中心に経済の競争力を高めようとする成長戦略である。

これに対し、「輸入代替戦略」とは、アフリカやラテン・アメリカ諸国で六〇年代前後に採られた成長戦略である。これは、外国からの輸入を止め、国内市場の需要を国内産業の供給で賄うことによって、外貨の不足を補うと同時に経済の競争力を高めようとする成長戦略だ。

こうした二つの成長戦略の明暗は、八〇年代が終わる頃には明らかになった。すなわち、「輸出産業育成戦略」を採用した日本を始めとする東アジア諸国の多くが、西欧諸国をはるかに上回るペースの成長を成し遂げたのに対し、「輸入代替戦略」を採用した国の多くは、深刻なインフレや財政危機に襲われ、成長は停滞した。

「輸出産業育成戦略」が成功し「輸入代替戦略」が失敗した理由としては、政治経済的なものがよく挙げられる。前者は、国内政治のコントロールが及ばない海外市場に「戦略産業」である輸出産業の関心を向けさせるため、「戦略産業」の生産性向上努力が衰えにくい。これに対し、後者は国内政治のコントロール下にある国内市場で「戦略産業」を育成しようとするため、「戦略産業」は政府のコントロール権を巡る政治ゲームに資力・労力を費やすようになる。政府もまた、「戦略産業」と癒着して政権基盤を強化しようとする。その結果、「輸入代替戦略」を採る国は、恒常的な財政危機とインフレ圧力にさらされる。

しかし、こうした政治的要因を抜きにし、純粋に経済的な観点から見ても、両者の成否の理由は説明できる。つまり、これらの結果は、国内市場の「小さな需要」に対応するよりも世界市場の「大きな需要」に供給する方が経済の生産性が高まる、という経済学上の古典的な論理が成立したことを示唆しているのだ。

アダム・スミスの命題

「需要が大きい方が供給サイドの生産性が高まる」という命題は、すでに一八世紀に、アダム・スミスによって指摘されている（スミス［1776］）。

アダム・スミスは大都市のピン工場と、小さな村のピン製造者とを比較した。大都市のピン工場では、ピンの製造工程が十人の工員で分業され、それぞれの工員が自分の受け持つ作業に専門的に習熟しているため、一日当たり四万八〇〇〇本ものピン（一人当たりでは四八〇〇本）を製造することができる。これに対し、小さな村のピン製造者は一日に一人当たりせいぜい数百本のピンしか製造できない。つまり、一人当たりの生産性は、大都市のピン工場の方が、小さな村のピン製造者より数十倍も高いのだ。

このエピソードが示しているのは、以下のような論理だ。すなわち、需要が大きい大都市では、大量に製品を作ってもすべて市場で売りさばけるため、供給サイドも分業や専門化を進めるため生産性が上がる。需要が小さい村では、大量に製品を作る必要がないため、分業や専門化が進まず、結果的に生産性が上がらない。

この「需要の大きさによって分業の度合いが決定され、その結果、経済の生産性が決まる」というアダム・スミスの考え方は、スミスからマルサスへ、そしてマルサスからケインズへと引き継がれるうち変形していった。そのいわば一つの完結形が、「供給能力よりも需要の大きさが経済活動を決める」というケインズの「有効需要の原理」だ。そして、ケインズ経済学の強い影響を受けたサミュエルソンによる新古典派総合のパラダイムの中では、「有効需要の原理」はもっぱら経済の短期的な変動を説明するものと考えられた。反面、アダム・スミスが当初指摘したような、分業による生産性の向上――あるいは長期的な経済成長――という側面は長らく忘れ去られることになった。

分業と専門分化による経済成長の理論

しかし、最近になって再び、経済成長の要因として分業や専門分化に着目する理論が発表されるようになってきている（Yang and Borland［1990］、Romer［1987］、Kobayashi［1998］など）。

例えばローマーは、九〇年に発表したモデルにおいて、企業の専門分化が進んだ結果生じる外部経済効果によって、他の企業のさらなる専門分化が促され、それがさらなる経済成長を生む、というメカニズムを示した。

さらに小林は、アダム・スミスが指摘した事象から得られる直観を基に、一般均衡モデルを構築した。そこで示されたメカニズムは、①需要の大きさが増えて経済の専門分化が進むと、生産性が上がり人々の所得水準が上がる。②所得水準が上がると消費が増えるので経済全体の需要も大きくなる。③そうした需要の拡大がさらなる分業構造の深化を促す――というものだ。

つまり、このモデルによれば、需要拡大と専門分化による生産性向上が相互に働き合うことで、経済は自律的に成長するのである。

アダム・スミスが説明しようとしたのは、世界貿易によって発展を続けていた産業革命前期のイギリス経済の成長である。しかし、アダム・スミスの指摘と、それを一般化した小林のモデルは、輸出産業育成戦略の成功と輸入代替戦略の失敗という二〇世紀後半の経験とも整合的な結果を導き出すことができるのだ。

ここで、先ほど概観した経済成長論と、小林などのモデルを比較してみよう。前者は、それが内生的であれ外生的であれ、技術進歩こそが、生産性向上と長期的な経済発展の源であると考える。後者ももちろん、前者の考えを排除しようとするものではない。ただ後者は、アダム・スミスが強調したように、企業の専門分化が進むことこそが、技術進歩に劣らず、現実の経済成長にとって重要であることを示したものだ。そして、企業の専門分化が進むことは、とりもなおさず、企業間に高度な分業関係や複雑な供給連鎖が形成されること（経済の自己組織化）を意味している。

以上見てきたように、企業の専門分化が進むこと、すなわち経済の自己組織化は、長期的な経済成長の大きな動因の一つとなっている可能性が高い。とすれば、ブランシャードやクレマーの言う「ディスオーガニゼーション」は、短期的な需給ギャップのみならず、長期的な経済成長にも深刻な影響を及ぼすことになる。以下では、その点について掘り下げてみよう。

経済成長と「ディスオーガニゼーション」

経済成長の速度は、経済の自己組織化の速度に依存する。それでは、経済の自己組織化の速度を決めているのは、いったい何なのだろうか？

通常、経済の自己組織化の速度に影響を与えるとされるのは、外生的な技術進歩率や、外国貿易や内需の拡大などによる需要拡大の速度だ。これらに加え、企業が供給連鎖や分業のネットワークを構築する際に重要となるのは「企業のコミットメントの信頼性」である。

技術が進歩し、需要が拡大しても、「企業のコミットメントの信頼性」を阻害する要因が存在すれば、経済の自己組織化が進まず、経済が成長する速度は一向に上がらない。まさにこうした状況が、九〇年

✠ 図4-4　ディスオーガニゼーションによる経済成長率の屈折

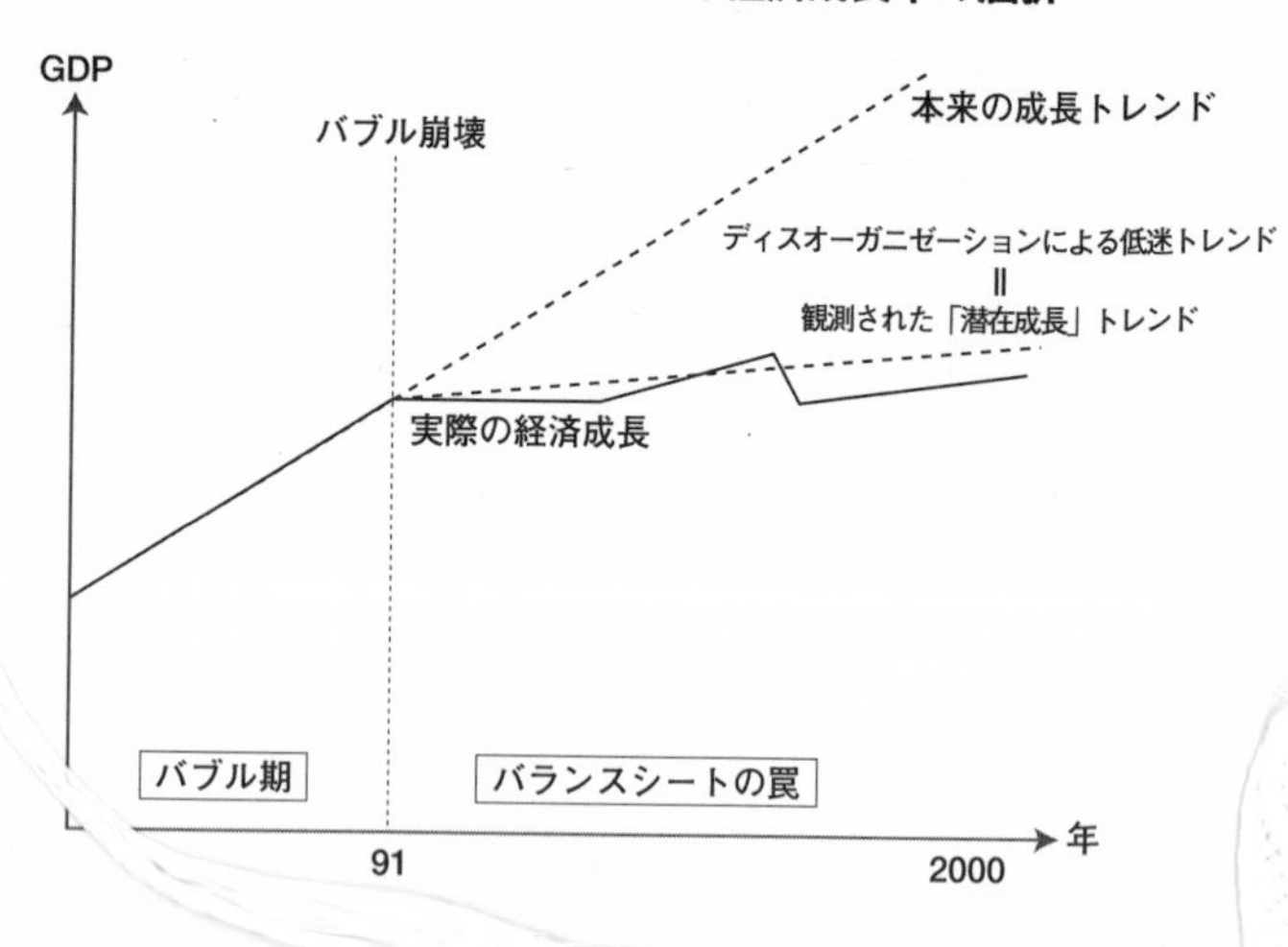

の日本経済におい[illegible]た可能性がある。

前節で見たように、[illegible]代の日本経済のように不良債権が蓄積し、不良債権問題の先送りが行われ続けると、企業間に疑心暗鬼や相互不信が発生する。これはすなわち、「企業のコミットメントの信頼性」が劣化したということだ。こうして「企業間の信頼醸成の仕組み」が劣化すると、4節で見たメカニズムを通じ企業間の分業や協業のネットワークが萎縮し、自己組織化のスピードが下がる。つまり、不良債権処理の先送りによって「企業のコミットメントの信頼性」が劣化すると「ディスオーガニゼーション」が発生し、経済の自己組織化のスピードが（場合によってはマイナスにまで）低下するのだ。

そして、不良債権が残存し続ければ「企業のコミットメントの信頼性」が劣化した状態も続き、企業間の相互不信状態は解消されず、経済の組織構造は継続的にダメージを受けることになる。

そういう状況では、新しい発明・発見による技術革新（例えばＩＴ革命）が起こっても、また、外国

アダム・スミスは、需要が拡大し経済活動の分業や専門分化が進むと、経済全体の生産性が向上することを指摘した。最新の経済成長論では、このメカニズムで経済成長が起きることを理論的に裏付けるモデルが発表されるようになっている。

●「先送りによるディスオーガニゼーション」と潜在成長率の低下

九〇年代以降の日本経済のように、「不良債権処理の先送りによるディスオーガニゼーション」が生じている状況では、企業間の相互不信が高じる結果、企業間ネットワークは分断されてしまう。そうなると、経済活動の分業や専門分化の度合い、あるいは経済の自己組織化の度合いが低くなり、アダム・スミスの命題が逆方向に働き、経済全体の生産性も低下する。さらに、そうやって生産性が低下することにより、経済の潜在成長率も低下する。

●日本経済が陥った「バランスシートの罠」

九〇年代以降の日本経済においては、まさにこうしたメカニズムで、潜在成長率がそれまでの四％前後から一％強まで落ちてしまったものと考えられる。つまり、この時期の日本経済の低迷は、ケインズ経済学が想定する不均衡によって需給ギャップが開いたから生じたわけではない。むしろ、日本経済全体が、企業間の相互不信により「悪い均衡」に陥ってしまったため、生産性が恒常的に低下し、日本経済はいつまでも低迷から抜け出せなくなった、と考えられるのだ。

九〇年代の日本経済は、この「バランスシートの罠」に陥ってしまったからこそ、潜在成長率は一％強にまで急落してしまった。であれば、この「バランスシートの罠」から日本経済を抜け出させることさえできれば、日本経済の潜在成長率は再び従前の四％程度にまで戻るはずである。そのためには、不良債権処理を迅速に進め、企業間の相互不信の源を取り除き、経済の自己組織

一　化の速度を再び速めること（つまり、企業間ネットワークを修復・拡張すること）が必要となる。

8節　「先送り」が生むその他の弊害（問L解題）

L

不良債権問題の「先送り」によって生じるその他の弊害を挙げよ。

これまでは、「先送り」によって生じる「経済のディスオーガニゼーション」について見てきた。本節では、「先送り」が引き起こす、その他の二つの弊害を考える。

一つ目は、「先送り」による企業のバランスシートの毀損と、わが国における「企業金融手法の未整備」とが相まって引き起こす問題である。これら二つの要素が同時に備わると、企業の経営判断を過度にリスク回避的にさせ、経済活動を萎縮させる可能性がある。

そして二つ目は、「先送り」によってバランスシート毀損が進んだ際、毀損の度合いなどについて「情報」が「欠如」した場合に生じる問題である。こうした「情報の欠如」は、人々の行動を萎縮させる効果を有することが知られている（「ナイトの不確実性」）。

過度のリスク回避の蔓延

日本においては、企業倒産に伴い経営者や従業員の被る個人的なコストが非常に大きいことが、以前から繰り返し指摘されてきた。

例えば大企業の経営者や社員にとっては、労働市場が非流動的であるために、その企業が倒産すると良い条件で再就職できなくなり、収入面で大きな不利益を被ることになる。

一方、中小企業にとっては、企業倒産を巡る手続きや慣行が懲罰的に厳しいという問題がある。例えば、金融機関の慣行として、一度倒産した企業に対しては資金供給を二度と行わないのが一般的だ。少なくとも、手形交換所の規則では、企業が手形の不渡りを二回出せば、二年間は手形交換を停止されることが定められている。そのため、倒産手続きを選択すると、企業には敗者復活のチャンスが与えられないことになる。

また、中小企業金融の慣行として、オーナー経営者は自社の債務を個人保証することを要求されることが多い。よって、いったん会社が倒産すると、経営者は個人財産も債権者に差し押さえられてしまうことになる。このため、中小企業経営者にとっては、会社が倒産すれば、個人としても破産してしまうことになるので、倒産の個人的コストは甚大となる。

さらに最近では、倒産した企業の経営者に対する損害賠償請求や、刑事的訴追が行われることも多い。

こうした環境下では、企業経営者は「倒産」という事態を極力避けようとする。

これらの要因の多くはバブル期以前から日本経済に存在してきたが、バブルが崩壊したことにより、以下のような思わぬ副作用を生み出すことになった。

バブル期またはそれ以前の、資産価格が趨勢的に上がっていた時期には、一件の投資プロジェクトが失敗してもそれが企業倒産に直結するようなことはなかった。銀行による融資額が土地などの資産価値によって制約されている状況（信用制約）において、投資が失敗しても、資産価値さえ上がっていれば、企業は資産を売却することで債務不履行を起こさずに済んだからだ。そして、債務不履行を起こさなければ、「不良債権のペナルティ」を課されて倒産することはない。つまりバブル期以前においては、事業失敗のリスクと倒産リスクは同等ではなかった。

ところが、バブル崩壊後の九〇年代に資産価格が下落し、土地などの資産の流動性が下がると、事業が失敗することが企業倒産に結びつく可能性が高まった。つまり九〇年代には、「事業リスク＝倒産リスク」に近い状況が発生したと考えられるのだ。

こうなると、倒産を怖れる企業は、事業リスクの低い案件に集中的に投資するようになる可能性が出てくる。

バブル崩壊前は、事業が失敗しても企業は即倒産には追い込まれなかった。そうであれば、倒産を恐れる企業も、リスクを取って期待収益率の高い案件に投資できる。これに対し、バブル崩壊後は、事業が失敗すれば即倒産に結びつくようになった。そうなると、倒産を恐れる企業は、期待収益率が低くてもリスクの低い事業を選んで投資するようになるのだ。

こうした傾向は、右で述べたように企業倒産に伴う経営者や従業員のコストが極めて高い日本において、特に顕著に現れる傾向である。

しかし、経済全体（マクロ）では、個々の企業が適度な事業リスクを取って積極的に事業を展開する方が、経済全体での産出量（ＧＤＰ）を高め、マクロで最適な均衡状態を実現すると考えられる。多少は失敗する企業が出ても、期待収益の大きい事業が経済社会全体に普及する方が、経済全体のＧＤＰは大きくなるからだ。

そのため、個々の企業が「倒産回避」志向を強め、「ローリスク・ローリターン事業」を好んで選択するようになると、経済全体ではＧＤＰが低迷し、総需要が供給能力（＝企業がリスクを取って積極的な経営を行った場合の産出量）を大きく下回ることになる。

この結果、マクロ的なＧＤＰギャップの拡大が観測されることになる。

企業の意思決定を左右する企業金融手法の未整備

こうした過度の安全志向の蔓延は、バブル崩壊により、一つの事業の失敗が企業倒産に直結するようになる、という環境変化によって生じた。

バブル後にこうした過度の安全志向が生じた要因としては、以下の二点が考えられる。まず一点目は、企業倒産が経営者や従業員にとって極めて大きなコストをもたらしていること。二点目は、企業金融（企業の資金調達）の手法が日本では多様性に欠けていること、だ。

したがって、過度の安全志向の蔓延を除去するために、この二つの要因を取り去ることが必要となる。以下ではそれぞれについて検討していく。

第一の倒産コストについては、制度面の対応は進みつつある。特筆すべきなのは、二〇〇〇年四月に和議法が廃止され、新たに企業再建の促進を目指す「民事再生法」が制定されたことだ。ただ、いくら制度が変わっても商慣行が変わらなければ、依然として倒産リスクは企業の経営者や従業員に重くのしかかる。こうした制度改正を機会に、倒産手続の運用面の改善やそれを取り巻く金融機関などの商慣行（倒産した企業に資金調達の道が断たれていることや中小企業経営者に個人保証を求めることなど）が変化することが期待される。

第二の企業金融手法については、以下のように考えることができる。――もしも多様な企業金融の手法が存在していれば、企業はリスクの高い事業に関しても、そのリスクを多くの融資者や投資者の間で分散させることができる。要するに、企業金融手法が多様化すれば、「事業リスクが倒産リスクに直結する」という状況が防げるため、企業の意思決定が必要以上にリスク回避的になることを防止できるはずだ。

それでは、日本の企業金融の現状はどうなっているのだろうか？

企業金融（企業の資金調達）の手法は、究極的には「株式（持分）の発行」と「債務」に二分される。そして、米国においては、株式と債務の中間的なリスクとリターンの組合せを持つ企業金融手法が豊富に実用化されてきた。これに対し日本では、今日でも企業金融には株式と債務の単純な組合せ以外の手法は、法制度や金融機関等の取引慣行などのためにほとんど存在していない（制度的問題や政策対応については次章を参照）。

米国で開発されてきたような中間的な商品が実用化されれば、例えば通常の債務（シニア・デット＝優先債務）による資金調達なら事業リスクがそのまま倒産リスクに結びつく案件でも、事業失敗時にその企業が必ずしも倒産しない形で資金調達をすることが可能になる。そうなれば、企業は倒産を恐れずに、積極的に事業を展開することが可能になる。

つまり、企業金融の手段が豊富にあれば、右記の「日本においては経営者・社員の倒産コストが大きい」という「構造問題」が解決できなくても、経済を「過剰なリスク回避の蔓延」という事態から脱出させられるかもしれないのだ（コラム4―①を参照）。

こうした意味で、日本において先進的な企業金融手法が実用化されることは経済回復のために非常に重要な課題だと考えられる。例えば慶應大学の池尾和人も、金融技法の革新が必要であることを、同様の観点から指摘している。

「情報欠如」によるマクロ経済的悪影響——ナイトの不確実性

これまでは、「不良債権処理の先送り」や「バランスシート毀損」の「存在」が、企業や金融機関の行動、さらには企業間関係を変化させ、外部不経済効果を生じさせることを見た。

以下では、「バランスシート毀損が存在しているのかどうか」あるいは「バランスシート毀損の度合い」などについての情報が不足している、というディスクロージャー(情報開示)の問題に着目する。そして、企業や銀行のバランスシートがどの程度毀損されているか判らない、という「情報の欠如」それ自体が、マクロ経済に直接大きな悪影響を与える可能性について見ることにする。

例えば「情報欠如」が存在すると、各経済主体が非合理的なまでに慎重な行動を採るように

コラム4－①　金融手法の豊かさと均衡の最適性

金融手法が充実すれば経済が最適均衡を達成できること、あるいは、金融手法が不十分だと経済が非効率な均衡に陥る可能性があることは、経済学ではよく知られている。

この点については、例えば「自動車保険」が存在しなかったら、世の中がどうなるかを考えれば分かりやすい。そのような場合、運転者は人身事故を起こせば、何千万円もの損害賠償を自分の財産から支払わなければならない。したがって自動車保険が存在しなければ、一部の富裕層以外は自動車を買わなくなるだろう。

そうすると、自動車販売台数は非常に小さくなり、自動車が社会に提供する様々な利便性が失われ、マクロとしての経済活動も萎縮すると想像できる。

リスクに対する「保険機能」は、金融商品の本源的な機能である。様々な金融手法が存在すれば、様々な種類のリスクを様々な経済主体の間で分散する手段が提供されるので、経済の資源配分が最適な状態に近づくのだ。

一般均衡理論では、将来のリスクの各々に対応する金融商品(アロー＝デブリュー証券と呼ばれる)が、そうしたリスクの数と同じだけ存在すれば、経済が最適均衡を達成することが知られている。

逆に、アロー＝デブリュー証券が、将来のリスクの数より少ないと、経済は最適均衡を達成できない可能性があるのだ。

なり、経済全体では有効需要が縮小してしまうかもしれない。こうした、「情報の欠如」がマクロ経済に及ぼす影響について説明するモデルはまだ構築されていない。だが、一九二〇年代にアメリカの経済学者フランク・ナイトが提唱した「ナイトの不確実性(Knightian Uncertainty)」を基にすれば、「情報の欠如」が存在する状況下で過度のリスク回避が蔓延する現象を少なくとも部分的には説明できるのものと思われる(コラム4—②を参照)。

ケインズの同時代人であるナイトは、「不確かさ」には二種類のものがあると主張した(Knight[1921])。通常の新古典派経済モデルにおいて不確実な事象を扱う場合、どの事象が生起するかは判らなくても、その発生確率の確率分布は既知のものと仮定される。

コラム4—② ナイトの不確実性と最近のマクロ経済研究

このコラムでは、ナイトの不確実性について最近の研究動向を紹介する。

1989年にギルボアとスマイドラーによって、「ナイトの不確実性が存在すると、合理的な主体は、最悪の事態が生じることを想定して行動する」ということが証明された。この事実を活用して、最近の金融経済学者は、市場参加者がナイトの不確実性に直面しているとき、資産価格がどのように形成されるかを部分均衡モデルで解析した。そしてそのモデルを用いて、現実の証券市場で観察される資産価格の特徴を説明しようと試みた(Epstein and Zinなど)。

一方、一般均衡モデルにおいてギルボアとスマイドラーの結果をそのまま使うと、ナイトの不確実性が存在する場合は単に、経済主体が「(非合理的なまでに)悲観的な期待を持つ」場合と同じ結果を産み出すだけだ。このため、確率分布が明らかになったあとの合理的期待均衡に関心を持つマクロ経済学者は、「ナイトの不確実性」にあまり注目していないようだ。

しかし筆者は、「期待の形成過程」自体に「ナイトの不確実性」を導入すれば、長期的な均衡になっても経済主体の期待が「合理的期待」に収束しない可能性があるのではないか、と予想している。

この「期待の形成過程」に関する研究は、マクロ経済学においてはほとんど未開拓の分野で、現在も多くのマクロ経済学者が挑戦を続けている。

「期待形成」とは、経済主体が自己の経験で得た情報を基に、将来への期待を形成していくメカニズムを指す。マクロ経済学者は、ベイズ学習、神経回路網による学習など、様々な「学習理論」を適用して、期待形成のメカニズムを研究している。

ナイトは、こうした確率分布が既知の状態にある「不確かさ」を「リスク」と呼び、そもそも発生確率の分布すら分からない状態を「不確実性(Uncertainty)」と名付けた。これを受け、現在のマクロ経済学界では、「何が起こるか確定していないだけでなく、その発生確率すら分からない」という状態を「ナイトの不確実性」と呼んでいる。

最近になってギルボアとスマイドラーは、「ナイトの不確実性」の下での経済合理的な行動とは「想定しうる最悪の事態が起きると予想して行動すること」だということを理論的に証明した（Gilboa and Schmeidler [1989]）。つまり、将来に起きる事象について、確率分布も分からない状況では、合理的な家計や企業は最悪の事態に備えて行動する、というわけだ。

バランスシートに関する「ナイトの不確実性」

九〇年代後半の日本経済で依然として持続している「情報欠如」の問題は、多くの企業や金融機関の「バランスシート毀損」の実状が、会計情報として十分に開示されていない、という問題である。

日本の企業会計の運用は従来から、過度に「形式主義」に陥り、企業の実質的な価値を反映しにくいと言われてきた。その一因は、日本の企業会計の運用では、会計規則に列挙された事柄のみを開示すればそれで十分だと解釈されてきたからだ。しかし、計算書類規則や財務諸表等規則の規定には、「規則に列挙されていない事項でも会社の財政および経営の実状を知るために必要な事項があれば会計書類に記載すべき」との記載がある。筑波大学の弥永真生はその点を捉え、従来の運用は会計制度の本来の趣旨に則っていないと批判している（弥永 [2000]）。

また、金融機関の不良債権処理の状況についても、九〇年代に何度も「峠を越えた」と金融機関や金融政策当局によってアナウンスされながら、年々新たな不良債権が発生し続けた。これも、金融機関の会計処理と、それを検査する立場の金融政策当局に対する信頼性を著しく害した。

このように、企業や金融機関の企業会計情報が十分に経営実態を反映していない（あるいはそう疑われる）状況で、九〇年代には多くの企業や金融機関のバランスシートが実質的に毀損していると推定されるようになった。

これは、他の企業や家計などにとっては、慢性的な「ナイトの不確実性」の下に置かれていることに等しい。こうした「ナイトの不確実性」的状況では、個々の家計や企業が合理的に行動するなら、取引先の企業や金融機関の経営が「考えうる限り、最悪の事態になっている」と仮定して行動することになる。

こうなると、企業間の相互不信によるディスオーガニゼーションが増幅されるだけでなく、ナイトの不確実性が直接的に消費や投資をも抑制する。なぜなら、企業や家計は、自分の取引相手や勤務先の大企業や金融機関のバランスシートが最悪の状態になっていると想定し、家計は消費を抑制し、企業は投資を抑制するからだ。これが長期間にわたって続くことにより、いわゆる「不確実性による消費や投資の低迷」と呼ばれた事態が発生する。

つまり、日本では九〇年代後半に消費性向が下がった理由としては、企業のバランスシートの実状を示す情報が欠如していたことに伴う「バランスシートに関するナイトの不確実性」があったことが推測される。そして、バランスシートの実状開示や不良債権処理がいっこうに進まないため、その悪影響は持続性を有するのだ。

「ナイトの不確実性」からの脱出策

こうした「慢性的なナイトの不確実性」は、「企業のバランスシートの毀損は相当深刻なようだ。だから、企業が急に倒産したり、大きな損失が顕在化したりするかもしれないが、その確率は公表された会計情報（バランスシート）からは的確に想定できない」という懸念によって発生している。

そして、その懸念の源にあるのが不良債権問題である。企業のバランスシートに堆積した不良債権の全体像と、その損失を誰が引き受けるかが明らかになっていないからこそ、漠然とした不安が社会全体に広がり、経済活動は萎縮するのである。したがって、この状況から脱出するための根本的な解決策は、「不良債権処理は完了した」という確信を多くの国民が共有できる状況を創り出すことだ。

そのための具体的な方策としては、以下の二つが考えられる。まず第一の方策は、不透明な会計情報を出している過剰債務企業そのものを早急に倒産させることである。会計的には、これはすなわち、不良債権の直接償却（銀行が貸倒引当金を積むのではなく、債務者の整理などによって完全に損切りすること）を進めることだ（コラム4—③を参照）。

第二の方策は、企業会計の信頼性を高めることだ。すでに述べたように、この点については会計制度自体以上に運用のあり方が問題となる。つまり、公認会計士と企業との間の関係に関する社会慣行など、企業会計の運用のあり方を本来の趣旨に沿ったものに適正化していくことが肝要となるのだ。そのためには、裁判所によって下される倒産関連の判例などを通じ、企業会計の関係者に司法上の責任を厳格に求めることや、時価会計の徹底など会計ルール遵守を徹底化することが重要となる。

こうしたことを進めると、実務家の中には、「実態がそのままバランスシートに載ったら、ほとんどの銀行は債務超過になってしまう」と危惧する向きもある。しかし、注意しなければならないのは、そう

コラム4−③　不良債権の増殖メカニズム

なぜ、毎年銀行は不良債権処理を進めているのに、不良債権の額は一向に減らないのだろうか?

この疑問を解くには、まず、不良債権処理には「間接償却」と「直接償却」の2種類があるということを知っておく必要がある。

「間接償却」とは、過去に債務者に行った融資はそのままにして、不良化した額の分だけ貸倒引当金を積む処理の仕方だ。したがって、間接償却では、銀行と債務者との融資関係は切れない。そのため、一度は処理した融資でも、地価が更に下がって担保価値が低くなれば不良債権の額が増える。すると引当金を積み増さなければならなくなる。

一方直接償却は、債権そのものを売却したり、債務者を倒産させたり、担保資産を売却するなどの処理を行って資金を回収し、回収できなかった分を損金として処理する方法だ。これは、原則として債務者との関係を断ち切る形の処理である。

90年代に多くの銀行が行った不良債権処理は「間接償却」だった。そのため、いったん引当金を積んだ融資についても、地価下落が続いて再び引当が必要になった。これが、いつまでも不良債権処理が終わらない大きな原因である。

2000年2月20日の日本経済新聞において、金融監督庁によって発表された不良債権処理の直接償却と間接償却の累計額が掲載されている。それによると、都市銀行など主要17銀行が実施した不良債権処理は、92年度から99年度上期までの累計で直接償却で約42兆円、間接償却は約9兆円と試算されたという。そして、主要17行だけで全国銀行の不良債権額の約3分の2を占めていることから、金融監督庁では、不良債権の直接償却はかなり進んだ、と評価しているようである。

しかし、99年末現在で全国銀行の貸出残高は名目GDPの96%も存在する。とすると、第3章で示したとおり、名目GDP比70%が日本経済にとっての適正な貸出量だとすれば、全国銀行で今後さらに約120兆円の貸出を削減する必要があるということになる。そして、その3分の2が主要行のシェアだとすると、これは、主要17行で今後約80兆円の債務削減が必要ということだ。

貸出残高がバブル以前のGDP70%に戻るべきだという想定が厳しすぎるとしても、不良債権の直接償却はまだまだ道半ばというべきなのではないか。

いった危惧自体が、正確な会計情報が欠如していることから生じる「ナイトの不確実性」によって生み出されたものかもしれない点である。

例えば、九八年に日本長期信用銀行が破綻処理される直前、当局者を含む多くの人々が、「長銀を破綻認定すると、世界経済は大混乱になる」と不安を募らせた。だが、（その際に六〇兆円の公的資金枠が設定されたこともあるが）破綻処理が進んで逆に日本経済は落ち着きを取り戻した。また二〇〇〇年に、銀行と預金保険機構によって、大手デパート「そごう」向け債権放棄が合意された背景には、「そごうが潰れると日本経済が大変なことになる」という不安があった。しかし、債権放棄計画が撤回され、そごうが民事再生法を通じた法的破綻処理に入っても、日本経済に大きな混乱は起きていない。

つまり、そもそも情報開示や問題処理が先送りされてきたことから生じた「ナイトの不確実性」が、逆説的に「情報開示や問題処理を先送りしたい」というインセンティブを生じさせてきたのだ。

たしかに、経営実態に即した会計処理を行えば、倒産する企業は増えるかもしれない。その場合、倒産企業の債権者である銀行のバランスシートは一層悪化するだろう。しかし、金融セクターに対して公的資金を注入する政策システムは、九八年の段階ですでに整えられているのだ。そうであれば、まずは実態に即した企業会計処理を行うことで「ナイトの不確実性」や企業間の相互不信の源を取り払い、その結果として銀行等のバランスシートが著しく毀損するなら、一時的な国有化などの政策スキームで対応すべきなのではないか。

企業会計の運用が企業の経営実態を正確に反映したものに変わるだけで、「ナイトの不確実性」による有効需要の収縮効果は解消できる。すなわち、開示される企業の経営情報が正確になれば、「民需の押し上げ」というマクロの政策効果があるのだ。一方で、問題を先送りをしてきた企業や銀行は破綻するかもしれない。しかし、その悪影響は、後ほど述べるような銀行の一時国有化や公的資本注入で封じ込めることができるはずである。

まとめ——問L解題

L 不良債権問題の「先送り」によって生じるその他の弊害を挙げよ。

●二つの弊害

「先送り」によって生じる、「ディスオーガニゼーション」以外の弊害としては、「過剰な安全志向の蔓延」と「ナイトの不確実性による投資・消費の抑制」が挙げられる。

●企業金融手法の不備と過剰な安全志向の蔓延

九〇年代の日本経済では、企業の倒産処理はいったん「先送り」されたものの、資産価格が下落したことにより、事業の失敗が企業倒産に直結する可能性が高まった。日本企業は従来から倒産回避的な志向が強かったので、こうして事業リスクが倒産リスクに直結した結果、企業が事業リスクを過度に回避する傾向が強まった。また日本においては、そうした事業リスクを分散させることを可能とする企業金融手法の発達も、非常に遅れていた。

このため企業は、「ハイリスク・ハイリターン事業」よりも「ローリスク・ローリターン事業」（＝「現状維持型経営」）を意図的に選択するようになり、これが経済の総需要をさらに減退させた可能性がある。

●ナイトの不確実性

将来に起こる事象の確率分布すら分からないほどの不確実性は「ナイトの不確実性」と呼ばれる。そうした「ナイトの不確実性」が生じている状況下では、経済合理的な企業や家計は、「想定できる最悪の事態」に対応した行動を取ろうとする。したがって、企業や銀行の経営状況が「ナイトの不確実性」に包まれているとき、企業や家計は「最悪の事態＝倒産」を想定して行動するため、経済全体の消費や投資が大きく落ち込む。

バブル崩壊後、日本において公表されている企業会計（バランスシート等）に対する信頼性が欠如していることは、企業の経営状態を判断する際に、投資家や国民に「ナイトの不確実性」をもたらしていると考えられる。これもまた、設備投資や消費が停滞する大きな原因となっていると考えられる。

第5章

日本経済への処方箋

経済政策の「第三の道」

第5章の問

M　金融機関のバランスシートに堆積する不良債権（企業の過剰債務）の処理を加速させるために、これからどのような政策対応が必要なのか？　また、不良債権処理が進むと短期的には景気の悪化が懸念されるが、それを防止するための政策対応は何か？

N　不良債権処理が市場メカニズムによって円滑に進むようにするためには、どのような手当が必要と考えられるか？

O　不良債権処理を遅らせてきた各種の要因（企業金融手法の未発達、不明朗な会計基準、コーポレート・ガバナンスの不備）を除去するための具体的処方箋としてはどのようなものがあるか？

第3章と第4章では、なぜ九〇年代を通じ日本経済の総需要は収縮したまま一向に回復しなかったのか？——という点について原因を分析した。

そこで述べたように、われわれが問題の根幹と考えるのは、金融機関や企業のバランスシートに堆積した不良債権である。そして、第3章と第4章においてそれぞれ分析したのは、その不良債権を通じて惹起される二つの外部不経済効果だ。

まず第3章では、不良債権が存在する際に課せられる「不良債権のペナルティ」と、企業・個人の借入金に対する「信用制約」とがスパイラル的に増幅し合い、総需要の収縮が急速に進むメカニズムを見た（金融増幅効果）。

しかし、この金融増幅効果は、日本経済の総需要が収縮した原因を説明できても、その総需要収縮がここまで長期化した原因を説明できない。

そこで第4章では、総需要収縮が発生した原因に加え、それが持続する原因をも見た。「不良債権処理の先送り」が行われると、企業間の相互不信が高まり、経済の組織破壊――企業間ネットワークの崩壊――が生じる。こうした企業間の相互不信状態は「悪い均衡」を構成しているため、いったん経済はその「悪い均衡」に陥ると、なかなかそこから抜け出すことができない。これが、われわれが名付けるところの「バランスシートの罠」だ。

本章では、日本経済を「バランスシートの罠」あるいは「悪い均衡」から抜け出させるために必要となる具体的処方箋について検討する。ここで焦点となるのは、問題の根幹となっている不良債権処理を迅速かつ的確に処理するために必要となる政策的手当は何か、という点である。

1節　経済政策の「第三の道」

「バランスシートの罠」からの脱出――九〇年代に採られた政策の限界

前章まででは、「バランスシートの罠」が日本経済全体の低迷を引き起こし、かつそれを長期化させている可能性が強いことを見てきた。

それでは、「バランスシートの罠」あるいは「悪い均衡」から日本経済を脱出させるために必要となる処方箋は何だろうか？　本章ではこの点につき吟味していく。

九〇年代を通じ、日本経済低迷打開の処方箋として講じられてきたのは、ケインズ経済学の伝統に則った総需要喚起策である。しかし、第2章で見たように、ケインズ経済学的な総需要喚起策は、日本経済の総需要が収縮した原因を問わない、いわば対症療法だ。つまり、ケインズ経済学は、需給ギャップが生じている状態を「均衡から逸脱した状態（脱均衡状態）」と見なし、財政金融政策を通じ総需要を刺激していれば、いずれ均衡状態（需給ギャップが消えた状態）に経済は自然に戻ると考えるのである。

しかし、前章で見たように日本経済が「バランスシートの罠」あるいは「悪い均衡」に陥っているのならば、いくら財政出動を行っても、その効果が消えれば、日本経済はすぐに再び「悪い均衡」状態に戻ってしまうことになる。こうした「バランスシートの罠」に対するケインズ経済学の限界は、九〇年代を通じて財政金融政策が発動され続けたにもかかわらず、日本経済が持続的な回復を実現できなかったことによって現実に示された。

また、日本経済の低迷打開策としては、規制緩和論や企業リストラ論など供給サイドの構造改革論も、この時期盛んに唱えられた。同時に、政府による各種の「構造改革政策」も講じられた。しかし、こうした供給サイドの構造改革論は、結局、構造改革がどのようなメカニズムで総需要を拡張させるのかを理論的にも実証的にも示すことができなかった。このため、九〇年代に実施された各種の構造改革促進政策は、長期的な影響はともかく、短期的には、日本経済の低迷打開に有効であったとは考えられない（むしろ「合成の誤謬」を通じ、短期的には総需要を収縮させた可能性さえある）。

われわれが以下で提案するのは、したがって、ケインズ経済学的な総需要喚起策でも、供給サイドの構造改革論でもない。その両者の中間に位置する、いわば「第三の道」である。

「バランスシートの罠」からの脱出――「第三の道」

第3章と第4章においては、不良債権問題を起点とし、日本経済の総需要が収縮し、それが持続するメカニズムを分析した。そこで明らかにしたように、日本経済が陥っている「バランスシートの罠」が発生する最大の要因は、日本企業のバランスシートに堆積した不良債権の存在と、その処理の遅れである。さらに、日本における企業金融手法やコーポレート・ガバナンス（企業統治）の未発達が、不良債権処理を遅らせ、「バランスシートの罠」の発生・持続を助長した。

よって、われわれが提案する日本経済への処方箋（「第三の道」）の骨子は、金融機関が不良債権処理を円滑かつ迅速に進めることができるような環境の整備である。

もちろん、不良債権処理が一気に進めば、企業の倒産が相次ぎ、経済が急激に悪化する可能性がある。そうした事態を防ぐためには、一方では、財政資金による需要の下支えを行うことが必要である。しかし、われわれが以下で提案する「需要の下支え」は、九〇年代に実施された総需要喚起策のように、不良債権処理の先送りを助長させるものではない。

このように、われわれの提示する処方箋は、不良債権問題とその先送りを助長してきた「構造問題」を治癒することに主眼が置かれる。その意味では九〇年代に唱えられた供給サイドの構造改革論と共通する要素を持つ。しかし、われわれは不良債権問題という特定の構造問題が、供給サイドの問題に止まらず、総需要を収縮させていることを示した。つまり、われわれが目指すのは、あくまで構造問題の治癒を通じた総需要の拡張だ。その点においては、需要の拡大をもたらすかどうか明確でない従来の供給サイドの構造改革論と、われわれが提案する「第三の道」とは大きく異なる。

また、われわれの提示する処方箋は、総需要を拡張させることによって日本経済の低迷を打開しようと考える点で、ケインズ経済学と共通する要素を持つ。しかしケインズ経済学が、需要収縮（需給ギャップ）の原因を特定しないまま対症療法的に打開策を探るのに対し、われわれは、不良債権問題という経済低迷の構造問題を特定し、それを直接的に治癒しようとする。その意味で、われわれの提案する「第三の道」は、ケインズ経済学的な考え方とも異なる。

「第三の道」の方向性

具体的な政策提言に入る前に、ここではまず、「第三の道」の全体的な方向性について概観し、まとめておこう。

マクロ経済を安定させつつ、不良債権処理を円滑に進めるためには、まず以下のような方策が必要となる。一つは、司法による経営責任の追及や、会計基準を厳格化することで、銀行による不良債権処理の先送り自体を認めないことである。一方、不良債権処理の進展に伴う急速な信用収縮を防ぐためには、財政政策的観点から公的資金を積極的に活用することも必要となる。具体的には、公的資金を金融機関に注入するに当たって、今までのような「金融仲介機能の安定」という観点からだけではなく、「マクロ経済の安定の確保」という財政政策的観点からも行うことができるようにすべきだ。また、貸付債権や不良債権市場を活性化することにより、不良債権処理に伴う「調整コスト」を市場メカニズムを通じて軽減することも、不良債権処理を進める上では有効な手だてである。

他方、第3章と第4章では、不良債権問題と相まって、企業の過度のリスク回避指向、市場に存在する各種の「情報の非対称性」（さらに、その一類型としての「ナイトの不確実性」）が、日本経済の低迷を長期化させていることを見た。したがって、企業のリスク回避指向や「情報の非対称性」を助長させている制度的・慣行的要因を取り除くことも、「バランスシートの罠」から脱出するためには重要となる。より具体的には、企業金融手法の多様化、企業会計の信頼性の向上、行政手続きの透明性・予測可能性の確保、各種法的制度の整備を通じたコーポレート・ガバナンスの強化、などを進めるべきだ。

以下では、右記のような方策について、具体的政策提案を挙げつつ、見ていくことにする。

2節 「財政政策」としての不良債権直接償却(問M解題)

M 金融機関のバランスシートに堆積する不良債権(企業の過剰債務)の処理を加速させるために、これからどのような政策対応が必要なのか? また、不良債権処理が進むと短期的には景気の悪化が懸念されるが、それを防止するための政策対応は何か?

第3章で見た「不良債権のペナルティ」を通じた総需要の収縮は、倒産などを通じて民間債務が削減される過程で発生するものであり、どのような形であれ、債務の量が減少しなければ問題は解消されない。また、第4章で見た「先送り」による債権者間の「調整の失敗」によって経済取引や供給連鎖が萎縮する効果(「バランスシートの罠」)や、「ナイトの不確実性」による消費・投資の萎縮効果などに対しても、過剰債務企業の倒産整理や再建を行うことが対応策として有効である。

したがって、不良債権の最終処理を促進することが、経済停滞を迅速に終わらせる政策としては最も直接的でかつ有効である。

ただし、やみくもに不良債権処理を進めた場合、その過程で急激な信用収縮が発生し、一九三〇年代のアメリカのような経済崩壊を招く恐れもある。そうした事態に陥らないためには、急激な信用収縮を予防する措置を迅速に発動できるように、現在の不良債権処理スキームの政策理念を再度整理し直すことが必要になる。

政策理念の再構築――「金融仲介機能の安定」から「総需要の安定」へ

九八年に施行された金融再生関連法の一義的な政策目的は、「金融仲介機能の安定」――つまり、実質的には金融機関の経営安定と財務健全化であった。そのため、それらの法における政策発動の要件は、基本的には「金融機関からの要請があること」となっている。

これでは、金融機関からの要請がある前に信用収縮が進み、対応が後手に回ってマクロ経済の悪化を防げない可能性がある。なぜなら、すでに見たように、金融機関には、自己の経営状況が悪化したことを隠蔽することで、（何らかの「奇跡」が起こって経済状況が好転するまで）自らの延命を図ろうとするインセンティブが生じるからである。

よって、金融再生関連法には、従来の「金融仲介機能の安定」という政策目的に加え、「マクロ経済の安定の確保」をも明記すべきである。さらに、例えば公的資金を金融機関に対し注入するに当たっての直接的な目的として、「信用収縮の防止による総需要の安定」を規定するべきだ。これによって、金融機関からの求めがなくても、監督当局が独自の判断で迅速機敏に資本注入や厳しい経営改善命令等の行政措置を発動できるようになる。その結果、不良債権処理に伴う急激な信用収縮などを、未然に排除することが可能になる。

経済における「公」と「私」――金融機関の公共性

こうした一見「強権的」な条項は、「私企業」である金融機関に対するものとして適当でない、との批判もあるであろう。

しかし、われわれは、金融機関の活動には必然的に公的な要素が伴うと考える。もちろん、この場合の「公（public）」とは、「国家」・「政府」・「官」などとは異なるものとしての「公」である。

この点は、九〇年代を通じて露呈した日本企業の行動様式におけるモラルの低下と関連するので、より詳しく見る必要があるだろう。

日本では戦後、「公」的な領域が、非常に狭い範囲に閉じ込められてきた。その一因は、「公」が、「国家」や「政府」や「官」などとほぼ同義のものとして捉えられてきたからである。したがって、「国家」や「官」ではない「私」的なものには「私的自治」の原則が働き、その領域においては原則として自由に動き回れるものとされた。

しかし、すでに述べたように、「公」は「国家」や「官」などと同義ではない。むしろ、「国家的領域」と「私的領域」との間に広がるのが、「公共的な領域」なのである。そして、「公共的な領域」に属するものに対しては、当然公共的な制約が課せられるべきだ。

例えば欧米諸国において「公共的な領域」に属するものとして一般に考えられているのが、「町の景観」である。家の内装は「私的領域」のものだから、各人が自由に決めてよい。しかし、家の外装は、「公共的な領域」に属する「町の景観」に影響を与える。つまり、「公」的な性格を持つものだ。したがって、「公」的な制約に服さなければならない——。こうした考え方に基づき、多くの欧米諸国では、日本では考えられないような厳しい公的規制が、家などの外観に課せられている。その結果が、あの均整の取れた街並みなのである。それに比べ、日本においては家の外観も「私的な領域」のものとされているため、色彩や向きがばらばらな建物が、辺り一帯に建ち並ぶことになる。

日本では、銀行など金融機関を含む企業に関しても、「公共的な領域」に属する活動をしている、という意識が薄かったのではないか。例えばアメリカにおいて「public company」とは、日本語で言う「公企業（公団、公社等）」を指すのではなく、「株式市場に自己の株式を公開している会社（公開会社）」のことを指す。そして、株式市場という「公共的な領域」から資本を調達するためには、市場の信頼を損ねないよう、様々な厳しい制約を加えられる。例を挙げれば、「public company」には、役員給与等の情報をはじめ、広範な経営情報の公開が厳格に義務づけられている。つまりアメリカにおいては、市場は「公共的な領域」に属するものと考えられ、そこに参加する企業は、市場の信頼や安定を保つために公共的な責務を負うのである。

これに対し日本においては、市場は「国家」や「政府」などに相対する「私」の領域のものとされてきた。そこでは、上場企業の役員給与さえ公開されない。すでに見たように、企業会計についても、法律が要求する最低限度の基準さえ形式的に満たせばよいと考えられ、各種の隠蔽・不正支出などが少なからぬ上場企業内部で半ば常態的に行われてきた。市場を「私的な領域」のものとして捉える見方は、わが国の会社関係の基本法である商法において端的に見られる。そこでは、公開会社と非公開会社との間で、何ら規定に差異を設けていない。つまり現行商法においては、市場、あるいは市場の信認といったものの公共性は、十分に担保されていない。

こうした、本来「公共性」をより強く求められるべき上場企業の中で、さらに一段高い「公共性」を持つのが金融機関である。金融機関の行動は、信用供与機能などを通じ、様々な経済主体に大きな影響を及ぼす。影響を及ぼす対象は、直接取引関係を有する相手方に限らない――金融機関は通常、市場全体に対し、他の産業の同規模企業より、はるかに大きな影響を与えるからだ。さらに、こうした市場などへの影響を通じた各種の外部経済効果・外部不経済効果により、直接関係のない他の経済主体に対し、予期せぬ影響を及ぼす。また、金融機関の社会基盤としての性質は、郵便事業や通信事業等の公益事業と何ら変わるところはない。むしろ決済機能などを考えれば、それらの事業よりも公共性は大きいかもしれない。

こうした「公共」的性質を持つ金融機関が、「私」的な存在として自由気侭（まま）に行動すれば、市場、社会、他の経済主体などに対し、多大な悪影響を及ぼしかねない。このことは、バブル期前後の一部金融機関の行動と、その経済・社会への影響によってはっきりと示された。

金融再生スキームにおいて、巨額の公的資金を金融機関に投じる制度が制定されたのは、まさにこうした金融機関の「公共性」に鑑みてのことである。公的スキームによる恩恵を受ける反面、「公共的な領域」で活動し、その領域に多大な影響を及ぼす金融機関は、「公共」的な責務をも負う。具体的にはまず、経営情報のディスクロージャーと経営規律の向上は、不可欠の課題だ。これらによって、例えば、公的資金を金融機関に注入することによって生じるモラルハザードの問題を防ぐことができる。さらに、前述したように、マクロ経済的要請に応じ、経済全体の「公共的利益」に必要であれば、金融当局による経営改善命令や資本注入などの措置を、個々の金融機関が受け入れていくような金融システムを構築すべきである。

以上述べたことは、「政府」あるいは「官」による金融機関の統制を意味するものでも、主張するものでもない。そこで強調されているのは、従来わが国で見過ごされがちだった「官」と「私」との間に横たわる「公共的な領域」を再定義し、そこにおいて活動しようとする者に「公共」的な責務を明示的に負わせるべき、という、ごく当たり前の論理である。

予防的資本注入の導入

菊池英博も指摘しているとおり、金融機関による不良債権処理を促進する場合、より早い段階で公的資金による金融機関への資本注入が行える金融監督行政の体制を確立しておく必要がある(菊池〔1999〕)。

現在の金融庁においては、厳格な検査を迅速かつ十分に行う体制が整っているとは考えがたい。よって、ある銀行の自己資本が毀損しても、それが公開されるまでに長い時間がかかる可能性がある。その間に、銀行は、健全な貸出先からも回収を行って自己の経営危機を表面化させないようにしようとするだろう。そうすると、一銀行の処理が遅れることで、むやみに信用収縮を発生させてしまうことになりかねない。

したがって、金融庁が厳格で迅速な金融検査を行い、是正措置のための厳しい行政命令を発動し、さらに、必要な額の資本注入を（銀行からの申請を待たずに）行えるような政策スキームを確立することが必要となる。そうすることにより、金融機関の脆弱性が日本のマクロ経済に悪影響を及ぼすことを未然に遮断し、実体経済の安定をもたらすことが初めて可能になるからだ。

望ましい金融監督スキームの具体的な内容を検討するのは本書の範囲を超えるが、多くの金融経済学者、実務家が、右に述べたような問題意識に沿って、注目すべき提案をしている（例えば菊池［1999］には銀行についての企業会計、監督行政等についての詳細な提案がある）。

それらのうち、特に重要と思われる要素について、以下で紹介する。

検査人員の拡充

米国の金融監督当局は三千人の検査官を擁している。これに対し、日本の金融庁には、地方財務局の人員を含めても八百人程度の検査官しかいない(二〇〇一年度からは一千人に増員)。このため、金融庁の検査官は少人数で、都市銀行、信託銀行から地方銀行、中小の信用金庫、信用組合まで検査しなければならない。さらに、業態の違う証券会社や生命保険会社、損害保険会社まで、同じ検査官が検査を行っている。

本来なら、検査のノウハウに詳しい検査官を大幅に増員して、せめて二千人規模の検査体制を整えるべきだろう。しかし現実には、公務員の増員には各種の制約がある。また、仮に検査官の人数をすぐに増やしたとしても、検査のノウハウは、一朝一夕には身に付かない。

したがって、当面の間は、金融庁の増員を進める一方、公認会計士など外部の専門家に検査業務を委託したり、金融機関からの中途採用者による金融検査の補助を認める形で、暫定的な金融検査体制を整えるべきである。

七〇兆円の財源

九八年に制定された公的資本増強制度は、二〇〇一年三月末までの時限措置である。そのため、用意された七〇兆円の財源(破綻前の資本注入のための二五兆円、特別公的管理等のための一八兆円、破綻後の処理や預金者保護等のための二七兆円)も二〇〇一年三月末を過ぎてしまえば確保されなくなってしまう。

これでは不十分ということで、信金・信組への資本注入分が二〇〇二年三月末まで延長されることが決まった。また、金融危機(システミック・リスク)が発生した際に、金融機関の破綻処理や資本注入に使うための公的資金枠は、二〇〇一年三月末以降も確保されることになった。

ただ、現在（二〇〇一年初め）の経済状況からみると、二〇〇一年三月末（あるいは信金・信組については二〇〇二年三月末）までに日本の金融機関の不良債権処理が完了するとは考えにくい。信金・信組だけでなく、地銀の多くや、一部の大手銀行にすら、問題を抱えている銀行があると言われている。多くの金融関係者は、日本の金融産業が立ち直るまでに少なくともあと五年はかかると考えている。

このため、地銀や一部大手銀行の不良債権処理が進む過程で、自己資本が大きく毀損し公的資金の投入が必要になった場合には、「金融危機対応」枠を使うことになるだろう。しかし、この金融危機対応枠を使うためには、総理大臣が「金融危機が発生する恐れがある」と認定しなければならない。すなわち、日本経済が金融危機になるほどの深刻な状況にならない限り、この公的資金枠は実質的に使えないのである。

これでは、個々の銀行は、自己資本の毀損をもたらす不良債権処理を積極的に進めるインセンティブを失ってしまう。つまり、不良債権処理を進めることによって自らが倒産に追い込まれる可能性が高いと予測すれば、金融機関は、事態が奇跡的に好転するか、あるいは逆に、公的資金が投入されるほどの「金融危機」に発展するまで、問題を先送りするしかないからである。

よって、不良債権処理を強力に進めるには、当局が「（まだ金融危機がはじまらなくても）必要があれば迅速機敏に資本注入できる」ように条文上・財源上（七〇兆円規模）の裏付けを置くことが必要となる。

マクロ政策上の判断による予防的資本注入

金融機関の脆弱性が完治しない限り、日本経済において急速な信用収縮が始まる恐れは、常に存在し続ける。例えば、二〇〇〇年夏現在では日本銀行の超低金利政策のおかげで、国債市場に大量の資金が流れ込み、長期金利が低く抑えられている(つまり国債価格が高く支えられている)。しかし、市場のマインドがいったん変化すれば、巨額の財政赤字を抱えていることなどもあり、長期金利が急上昇する可能性も低くはない。

そうなれば、大量に国債を保有している金融機関は、国債価格の下落で大きな損失を計上し、貸出を縮小する。その結果、信用収縮が急激に始まることが予想される。

このような事態に対処するには、金融機関の自己資本の毀損を当局がいち早く予見し、金融機関の破綻を待たずに、公的資金によって予防的に資本注入を行うしかない。その際には、厳しい経営改善命令を素早く発動することも必要になるだろう。

いずれにしても、金融機関の市場や経済全体への影響力の高さに鑑みれば、個別の金融機関の申告や、金融セクターのみの観点からだけでなく、こうした「マクロ経済情勢」についての判断に基づいても資本注入等ができる仕組みを用意すべきだ。

検査における立証責任の転換

以上のような制度的な点に加え、金融検査に関連して重要となるのは、検査結果に関する「立証責任の転換」である。つまり、検査実務において疑問が生じる点について、「厳しい挙証責任を金融機関側に負わせる」という原則を確立する必要がある。

金融機関の自己査定の信憑性が乏しいことは、従前から多くの関係者が指摘してきた。また、近年起こった金融機関の破綻により事後的に証明もされている。それにもかかわらず、現在の金融庁による検査は、「金融機関の自己査定をネガ・チェックする」という方式で行われているようだ。

この方法では、当局側が特段の反証材料を出せなければ、金融機関側の自己査定結果を覆せない。そうなると、例えば不良債権に対する貸倒引当金の算定方法などは、「それぞれの貸出案件に特有の一時的な要因を控除する」と申告すれば、いくらでも引当金額を小さくできることになる。

しかし、こうやって個別案件の事情や一時的要因を認めていたのでは、金融機関の経営実態の把握は一向に進まない。そこで、「立証責任の転換」が必要となってくるのだ。つまり、「当局が反論の余地のない外形基準によって査定し、債権の分類に応じて機械的に引当金を決める。個別事情については金融機関側が定量的な立証材料を提出しなければならない」という検査実務が確立すれば、より迅速かつ厳格に金融機関の経営実態を解明できるはずである。

不良債権処理の「先送り」抑止

前章で指摘したように、九〇年代の日本において不良債権処理が「先送り」されてきた背景には、「発生した損失を直ちに確定せずに先送りする」ような会計処理を許容する会計制度およびその運用、さらに、企業風土の問題が存在した。特に、金融機関の経営者が「不良債権処理を先送りしてもよい」という考えを持ち、それが認められた最大の原因としては、「いずれ地価は再び上がる」という強い先入観を、金融当局も含めて多くの人々が共有していたことが挙げられるだろう。

戦後四五年間を通じ一貫して地価が上がり続けたことを考えれば、バブル崩壊直後に誰もがこのような先入観を持ったことは無理もない。しかし、もはや「土地神話」の破綻は明白だ。よって、現在の地価を前提とし、「先送り」を抑止する手だてを講じることが必要になる。

現在でも金融機関経営者の口から、「償却原資」という言葉が聞かれる。これは、「まず償却に使える原資を確定させ、それを基に、償却する不良債権の額を恣意的に決定する」という九〇年代前半の悪しき銀行実務の方式に、今でも引きずられていることの証(あかし)であろう。しかし、本来ならば、「損失(不良債権)が発生したら、それがどんなに巨額であっても迅速に償却する」というのが商法上は当然のはずである。こういう当然のことを実行する経営を回復することが、これからは必要となる。

このような問題以外に、二〇〇一年初め現在でも、改善すべき様々な制度・慣行上の問題が残っている。以下では、野村総合研究所、三井安田法律事務所、KPMGピートマーウィックの調査結果を基に、関連するいくつかの問題を指摘しておく。

司法による責任追及

例えば、財務諸表が経営実態を反映していない場合に、経営者や公認会計士の責任が司法の場で厳格に追及されていたならば、「先送り」は抑止できたはずである。しかし実際に、経営者や公認会計士が、財務諸表の不実記載などで訴訟を起こされたことはほぼ皆無である。

もちろん、現行の制度でも、投資家は企業会計の不実記載によって損害を受けた場合、当該企業の経営者に損害賠償を請求できる。だが、損害額や因果関係を立証するのが困難なことが、投資家が訴訟を提起することに対する大きな障害になっている。

企業会計を巡る裁判例の多いアメリカでは、損害額の算定方法や因果関係の立証方法が判例によって確立してきた。しかし、日本ではそもそもこの分野の裁判例が少ないため、損害額の算定や因果関係の立証に統一された方法が確立されていない。このことがますます企業会計関係の訴訟を困難にし、訴訟提起（裁判）の数を少なくしている。

日本においてもいずれ、判例の集積を通じ簡便な算定・立証の手法が確立していくだろうが、それでは時間がかかりすぎる。よって、企業会計関連の訴訟を増やし、経営者・会計士への「抑止効果」を強めるためには、立法措置によって統一的な損害額算定と因果性立証の手法を法定すべきだろう。幸い、法学界では、簡便な算定手法の例がいくつか提案されている。

会計監査の厳格化

司法による抑止効果に加えて、会計基準を厳しくすることが、不良債権処理の「先送り」を防止するためには効果的である。

「貸付債権」についての監査は、九八年以前においては、以下の二点において、非常に歪んだ形で行われていた。

まず第一は、銀行貸付についての償却や貸倒引当金の計上については、銀行やその公認会計士ではなく、実質的には「監督当局が証明する」仕組みになっていたことだ。そのため、金融機関の自己責任で償却や引当が行われる状況にはならなかった。

第二は、そうやって重要な責を負わされた金融監督当局が、地価や株価の再上昇に期待をかけつづけ、不良債権処理の「先送り」を実質的に容認してきたことだ。

九八年以降の金融再生法のスキームによって銀行監督の方法が大幅に変わり、それに伴い、金融機関の会計監査ルールも大きく変更された。まず、金融機関が自己査定した結果を会計士が監査する形になったことで、金融機関の自己責任が明確になった。さらに、金融庁が金融機関を検査する際に用いる検査マニュアルが全面的に更新された。その結果、償却・引当の基準は米国と同等か、それよりも厳しい内容となっている。

こうした改革の結果、ルールそのものは米国などと比較して遜色のないものになったが、運用面では、依然として不十分な部分が多い。そのため、銀行の発表する財務会計の情報は、いまだに全面的に信頼されるようなレベルに達していない。

例えば、金融庁の検査マニュアルでは、「自己査定に関する検査」、「償却引当に関する検査」、「自己資本比率に関する検査」の三つの検査が列記されているが、九九年の一斉検査で行われたのは「自己査定」の部分が主で、「償却引当」の検査はほとんど行われなかった。つまり、九九年の検査では、銀行の資産査定の方法（正常先、要注意先等の債務者区分等の方法）が、金融監督庁の定めた方法と一致しているかどうかをチェックしたに過ぎない。つまり、九九年の検査では、現実の案件に関して銀行が行った償却引当が、実態に照らして適切だったかどうかを査定する検査は（一部の例外を除いて）行われていないのである。

このように、「自己査定に関する検査」によって、銀行の自己査定ルール自体は、それなりに厳格なものが確立されつつある。しかしそのルールが、実態と照らして正当に運用されているかどうかを見る「償却引当に関する検査」はまだあまり行われていない。したがって、今後の金融庁の検査姿勢によっては、運用はいくらでも甘くなる可能性が残されている。

ルールを変更しても、金融機関の会計慣行が変化するには長い時間がかかる。今後、銀行の不良債権処理先送りを防止し、金融機関の会計に対する信頼を保持するためには、金融庁が厳しい検査態度を長期間維持し続けることが必要である。

不良債権処理の「円滑化」

銀行による不良債権処理が進まない理由の一つは、「債務者が倒産手続に入ってしまうと銀行が被る損害が大きくなりすぎる」と銀行が認識していることにある。これには、いったん倒産した企業の再建は困難だという日本の倒産制度の現状が大きく関わっている。

日本では、「倒産」と「清算」はほぼ同義に捉えられ、倒産手続によって企業を再建するという発想はあまりなかった。これまでの銀行の実務では、債務者企業が「倒産」した場合、債権者である銀行は、残余財産を処分した後に「清算価値」を回収することしか想定していなかった。

また、日本の銀行は債務者企業が倒産するまでは経営に介入するが、いったん企業が倒産手続に入ると、裁判所と管財人の弁護士に任せっきりの思考停止状態になり、倒産企業の再建に無関心になるといわれる。

こういう企業の倒産を巡る制度や慣行や思考が改善できれば、銀行の不良債権処理が進むことが期待できる。なぜなら、倒産後の企業再建の可能性が高くなれば、不良債権を処理し、いったん債務者を倒産させても、銀行の損害額は小さくなる可能性が高くなるからだ。

では、倒産手続において、企業再建の可能性を高めるにはどうしたらいいのだろうか？

社会慣行の問題としては、「企業再建が手遅れになった段階で倒産手続を申し立てる企業が多い」ことがある。ただ、慣行を政策的に変えることは難しい。この点は、制度を変革した後、倒産実務が徐々に変わっていくことを期待するしかないだろう。

制度的要因から生じる問題としては、倒産手続に入った企業が、なかなか運転資金を借り入れることができない、という問題があった。例えば、中小企業の倒産でよく使われた「和議法」の規定によると、和議の「開始申立」から裁判所による「開始決定」までの間は、企業は資金借入を行うことができなかった。このため、和議の申立を行うと、企業は供給元との取引関係が途絶え、顧客が離散して、企業再建の見込みが全くなくなってしまうのである。

このような問題については数年前から政府・法曹界で議論があり、倒産企業の再建を促進するために、「和議法」が改正され、「民事再生法」が二〇〇〇年四月から施行された。この民事再生法では、倒産企業は手続の「開始申立」後ただちに裁判所の許可を得て運転資金の借入を行うことが可能になった。また、開始申立後に借り入れた運転資金等は、「共益債権」と分類され、その共益債権者は他の既存債権者より優先的に弁済を受けられることが定められている。

こうして、倒産法制の制度面の改正は一応の成果を収めたが、いくつかの問題は残っている。以下では、今後改善の余地がある点について簡単に触れておく。

DIPファイナンス

米国では、倒産手続によって再建を目指す企業[注]に対する運転資金などの貸付、すなわちDIPファイナンスを一つの事業として行っている金融機関が多数存在する。

(注) 管財人が企業の財産を処分するのではなく、債務者企業が経営権を占有しながら倒産手続を進めることから、こうした企業を占有債務者 Debtor in Possession、略してDIPと呼ぶ。

企業倒産が多発した米国経済の歴史の中で、倒産企業の再建を手がけることから利益を生みだす「倒産ビジネス」とでも呼べる一つの産業分野が発展した。DIPファイナンスもそうした「倒産ビジネス」

の一分野である。最近の実証研究によると、ＤＩＰファイナンスを受けた金額が大きいほど、倒産企業が再建される可能性が高くなることが示された（Carapeto［1999］）。その理由は、ＤＩＰファイナンスを行う金融機関が、倒産企業の経営を厳しく監督・指導するためだと思われる。つまり、ＤＩＰファイナンスは、企業再建を成功させるという意味において少なくとも、社会的に有益な事業と言えよう。

そうなると、日本においてもＤＩＰファイナンスが普及する意義は存在するはずだ。それではなぜ今まで、日本ではＤＩＰファイナンスのような事業は普及してこなかったのだろうか。

理由の一つとしてはもちろん、日本においては（先述した理由などから）倒産の後に企業再建にいたる事例が少なく、米国のような「倒産ビジネス」が発展してこなかったという歴史的経緯が挙げられる。しかし、こうした歴史的要因に加え、日米間の制度的な違いなども、日本におけるＤＩＰファイナンスの普及を妨げている。

そうした制度的な要因の一例としては、日本においては、アメリカのＤＩＰファイナンスにおいて認められるような「スーパー・プライオリティ（Super Priority）」――「共益債権」よりも優先される債権――が認められていないことが挙げられる。

日本の民事再生法では、ＤＩＰファイナンスに対して「共益債権」が認められているが、共益債権には倒産手続に関わる様々な裁判上の費用などが含まれる。そのため、金融機関が倒産企業にＤＩＰファイナンスを実行する際には、「共益債権では不十分だ」と判断する場合がある。それは、他の共益債権が多ければ、各種の管理費用などが嵩み、ＤＩＰファイナンスのリターンが十分に確保できないかもしれないからだ。

その点アメリカでは、ＤＩＰファイナンスには、一定の条件が満たされれば、他の共益債権に優先するスーパー・プライオリティが認められるので、貸し手は比較的確実にリターンを得ることができる。したがって、日本においてＤＩＰファイナンスを本格的に普及させるためには、こうしたスーパー・プライオリティを認める制度改革が必要になるだろう。

制度的要因の二つ目としては、米国や英国では「不動産に限らず、各種の資産に担保権を設定できる」という点が挙げられる。

米国のＤＩＰファイナンスでは、企業の売掛債権や棚卸資産などの流動資産に担保を設定することが多い。これは、短期的なキャッシュフローの価値を重視する考え方が一般的だからだと思われる。また、倒産するような会社の場合、他の優良資産にすでに担保権がついている場合が多いこともその一因だろう。そのためＤＩＰファイナンスにおいては、不動産担保が一般的な日本とは異なり、短期的な換金性の高い流動資産に担保設定が行われる。米国では他にも、「将来、企業に発生するあらゆる債権」に対して金融機関が担保権を設定することが可能だと言われる。このように柔軟に担保権を設定できることで、ＤＩＰファイナンスなどの返済可能性が高まり、金融機関のＤＩＰファイナンスへの意欲が高まるのだ。

日本でも、ＤＩＰファイナンスを普及させるためには、流動資産や売掛債権への担保設定ができるようにすべきである。なぜなら、①倒産企業の不動産や固定資産には、倒産前からの既存債権者が担保権を設定している場合が多く、また、②既存債権に比べ、一般にＤＩＰファイナンスの貸出期間は非常に短いからだ。

しかし、現在の日本の判例や実務では、「担保権の客体の特定性」を重視する考え方が強いため、これまでは、売掛債権や流動資産への担保権の設定は行われてこなかった。これも、ＤＩＰファイナンスが日本で発達する上での阻害要因になっていると考えられる。その日本でも、二〇〇〇年二月に「将来発生する医師の診療報酬に対する担保権の設定」を認める新しい最高裁判例が出た。こうした新しい判例の積み重ねや、何らかの法改正によって、より柔軟な担保権設定を可能にすることがＤＩＰファイナンス普及のためには望ましい。

ＤＩＰファイナンスの普及を妨げている第三の要因としては、裁判所のＤＩＰファイナンスに対する厳しい姿勢が挙げられる。

民事再生法では、倒産企業の旧経営者が経営を続けることが原則とされた。この法の精神に従い、裁判所の運用も、旧経営陣の残留を柔軟に認めるようになった。ところが裁判所は、旧経営陣が運転資金を借り入れようとする際には、依然として非常に厳しいチェックを行っている。これは、九〇年代を通じていわゆる「整理屋」とよばれるような悪質な債権者が幅を利かせたことを背景にしている。こうした過去の経緯に鑑み、裁判所は違法行為を行う悪質な債権者の介入に対して非常に警戒的になっているのだ。

このような裁判所の姿勢は、ＤＩＰファイナンスが一つのビジネスとして成り立つ上で大きな阻害要因となりうる。例えば、裁判所が不法な「整理屋」をチェックするという理由で、自らに裁量の余地を残していること自体が、このビジネスの不確実性を高め、金融機関にＤＩＰファイナンスを躊躇させる面もある。裁判所の厳しい法解釈により、ＤＩＰファイナンスが実質的に認められなくなれば、倒産企業の企業価値が急速に減価するリスクは大きい。

そもそも、従来の和議手続で「整理屋」ビジネスが横行した背景には、裁判所がいったん和議決定を出すと、決定の実施については裁判所による監督ができないという制度の不備があった。しかし、民事再生法では、再生計画決定後も、計画の実施を裁判所が監督できる。よって、「整理屋」が入り込んだとしても、それを事後的に排除することは可能なはずだ。つまり裁判所が、倒産企業の運転資金の借り入れに関し厳格な姿勢を採る合理的理由はなくなったのだ。

こうした新制度の下では、裁判所はむしろ、DIPファイナンスを認める標準的な形式要件を定め、それを公表することによって、多くの金融機関がビジネスとしてのDIPファイナンスに参入することを促進すべきである。

そういった形式的要件としては、例えば、過半数の債権者が同意すれば民事再生手続の開始決定前でもDIPファイナンスを裁判所が認める、といったものが考えられる。こうしたルールがあらかじめ明確に提示されることにより、DIPファイナンスの認可について予測可能性が高まれば、この分野に参入する金融機関が増えるはずだ。

権利調整の迅速化――債権者委員会の創設

DIPファイナンスを進め、倒産企業の再建を迅速に行うためには、既存の債権者などの利害関係者が迅速に権利調整を行えることが望ましい。また、民事再生法の倒産手続では、既存の経営陣がそのまま経営を続ける場合が多いので、債権者保護が不十分になる恐れもある。

米国では、連邦倒産法第一一章（いわゆる「チャプター・イレブン」）の手続で企業再建を行う場合には、債権者が結束して経営陣を監視し、迅速に意思決定するために「債権者委員会」が結成される。債権者委員会は通常、企業再建計画の立案段階から積極的に意見を出し、また、裁判所も債権者委員会の案を聞きながら再建計画を認可する。

日本の倒産制度には、こうした債権者委員会という仕組みは従来存在しなかったが、民事再生法で初めて導入された。従来の企業再建事例では、管財人と裁判所、メインバンクが密室で相談し再建計画を立てるという方法が一般的だった。しかし、メインバンク制度が崩壊した現在、こうした方法で関係者間の利害調整を行うのは難しくなっている。したがって、日本でも債権者委員会を中心として、様々な債権者の利害を調整しつつ、企業再建手続が行われることが期待される。そのためには裁判所、弁護士、金融機関をはじめとする倒産企業の関係者が、債権者委員会を積極的に活用する意識を持つことが重要になる。

これまでの日本の倒産事例においては、いわゆる「整理屋」が他の債権者を欺いて不当な利益を得るケースが多かった。そのため、裁判所をはじめとする倒産手続関係者には、債権者が集団として行動することに懐疑的な者が少なくない。こうした疑念を払拭しつつ、債権者委員会を公正に運営する仕組みを構築することが、今後は必要となっていく。

デット・エクイティ・スワップ

倒産手続を使った不良債権処理を円滑に進めるためには、関係者が「公平だ」と納得できる手続で債権放棄を進める必要がある。つまり、倒産企業の株主にペナルティを与え、かつ債権者が何らかのメリットを得られる手法で債務削減が行われなければならない。そうした手法の一つとして、米国においては、企業が倒産した場合、旧来の株主が保有する株式の価値がゼロになる一方、既存の債権者が企業の新たな所有者（株主）になるという、デット・エクイティ・スワップ（またはデット・エクイティ・コンバージョン）が一般的に実施されている。

日本でも今後、倒産企業が増加するのに伴い、デット・エクイティ・スワップが必要となる事案が増えるはずだ。しかし、倒産処理をさほど重視してこなかった現行の商法体系においては、デット・エクイティ・スワップの迅速な実施を阻害する制度的な要因が存在する。

債権者が株主になる手続は、日本の商法上は、「債権者が、債権（現金以外の財産）を現物出資すること」として法的に構成される。その際、商法上で「現物出資を行う場合には、検査役の調査が必要」と規定されていることが問題になる。

ここで「検査役の調査」とは、現物出資されたモノの価値が正しく申告されているかどうかを確認し、他の株主の権利が侵害されることを防ぐために行われる過程だ。しかし現状では、この「検査役の調査」に膨大な時間が費やされる。平均的なケースでは、検査役の選任までに二〜三ヶ月、検査役の調査自体に数ヶ月から一年もかかると言われている。これでは、ビジネスのスピードにとうてい追いつくことができない。その結果、デット・エクイティ・スワップを行おうとする間に、取引先や顧客が散逸して、企業の再建は不可能になってしまう可能性が高い。

九九年一〇月に施行された産業活力再生特別措置法では、認定事業者は債権者の合意など一定の要件を満たせば検査役調査を要しないと規定された。今後はその規定をより一般化し、例えば商法の一般則または倒産法制として、「（何らかの要件のもとで）デット・エクイティ・スワップを行うときには検査役調査の適用除外にする」とすることも必要になってくるだろう。

さらに、民事再生法の倒産処理手続にも、デット・エクイティ・スワップの実現を困難にしている問題がある。

民事再生手続の中には、新株発行の規定は存在しないので、民事再生手続中の企業の新株発行は商法の手続によらなければならない。すると、新株発行には（旧株主による）株式総会の決議が必要となるので、旧株主の承認なしには、債権者は新株を取得することができないことになる。この点についても、旧株主に対し何らかの強制力を持つような民事再生手続を定めることで、デット・エクイティ・スワップをより円滑に実施できるようにすべきだろう。

他に、銀行法と独占禁止法において、銀行は債務者企業の株式総数の五％以上を所有してはならない（いわゆる「五％ルール」）と規定されている点も、倒産企業がデット・エクイティ・スワップを行う際に障害となりうる。なぜなら、倒産前の旧株主は減資によって株式保有比率がゼロになるのに対し、旧債権者である金融機関が新たな株主となるため、一つの銀行の株式保有比率が全体の五％を超えることが十分に考えられるからだ。倒産企業については、九九年から例外規定が設けられ、一年程度の期間は五％を超える株式保有が銀行に認められるようになった。しかし実際には、企業再建の成果があがるまで、三年から五年程度は五％ルールの適用除外とすることが必要である。そのためには、銀行法の規定などを改正しておく必要があるだろう。

「投げ売り」の防止——整理回収機構の改革

金融機関による不良債権の直接償却を迅速かつ円滑に進めるためには、機動的な資本注入の適用、「先送り」抑止策の導入、倒産処理の円滑化、などを実現するための手当が必要だと述べた。しかし、こうした手当が実行され、直接償却が急速に進むと、不動産などの担保資産の放出によるデフレ・スパイラルが発生する恐れがある。実際、九七年にいったんは下げ止まりかけた地価が、九八年以降再び下落している。こうした状況を見ると、九八年から二〇〇〇年にかけて、不動産の「投げ売り」がすでに発生していたとも考えられる。

今後、不動産市況の更なる悪化が進めば、日本経済は、再び長期の停滞に突入してしまう。よって、金融機関による不良債権処理を促進する一方で、担保資産の「投げ売り」を防止する対応を採らなければ、「バランスシートの罠」を抜け出すための不良債権処理が、デフレ・スパイラルを引き起こしてしまうことになる。

そこで考えられるのが、担保資産が市場で「投げ売り」されないように、銀行と市場との間に一種の「バッファー（緩衝器）」として、何らかの資産管理機関を整備することである。

日本において多額の不良債権を抱える商業銀行は、不良化した債権の回収や、担保権を実行して入手した資産の管理業務に関しては、債権回収専門業者や不動産開発業者など他の業態に対し競争優位を有さない。これは日本に限らず、欧米の商業銀行でも同じである。このことが、直接償却の際に、担保権を即座に実行することで取得した土地を「投げ売り」することにもつながる。そこで、不良債権やその担保資産の管理を、銀行本体から切り離して、専門の債権回収機関または資産管理機関に行わせれば、「投げ売り」を防ぐとともに、資産の合理的な活用が可能になる。

政策デザインとしては、直接償却によって金融機関のバランスシートから切り離された不良債権やその担保資産については、①市場に無秩序に放出されるのを放置せずに何らかの「受け皿機関」に移管し、②その機関が不動産開発などの専門家を結集して管理や回収に当たる、というものが望ましい。現行の整理回収機構は、たしかにそのような受け皿機関としての一定の役割を果たしている。しかし、スウェーデンの事例などと比較すると、「投げ売りによるデフレ・スパイラルを防止する」という目的を達成するにはまだ不十分な部分が多い。

スウェーデンでは、日本とほぼ同時期に、不動産市場の崩壊を伴う「バブル崩壊」を経験した。しかし、日本が大規模な景気対策を行う一方で不良債権処理の先送りを決めた九二年には、スウェーデンでは早くも包括的な「金融再生政策」が策定されていた（注、参照）。

バブル崩壊後、スウェーデン政府は、マッキンゼー（米国系コンサルティング会社）やアーサー・アンダーセン（米国系会計事務所）などをアドバイザーにして国内の大手銀行を一斉に検査した。その結果、当時国内第二位のノルド銀行と第六位のゴータ銀行は買収価格ゼロで国有化され、二つの銀行の株式は単なる紙切れになった。そして、ノルド、ゴータそれぞれの子会社として政府主導で資産管理会社（セキューラムとレトリーバ）が設立され、不良債権やその担保資産の管理は資産管理会社に移管された。

このスウェーデンの資産管理会社と日本の整理回収機構を比べると、大きな違いがある。スウェーデンの資産管理会社は、担保権を実行して入手した土地・建物等の資産や不良債権について「市場で投げ売りせずに、資産価値を高めるための開発や管理を行ってから、合理的な価格で売却すること」を義務づけられていた。この目標を達成するために、セキューラムやレトリーバは、不動産開発業者と連携したり、ホテル開発の専門家を雇用することで、土地・建物を開発し、その価値を高めることに努めた。

このように、スウェーデンにおいて、資産管理会社の業務に不動産開発などが広く認められたことは、不動産の「投げ売り」の連鎖反応を防止する効果があったと思われる。また、資産管理会社は、長期的な視野に立って資産開発と売却を進めることができたので、結果的に高価格で資産を売却することができた。そのため、ノルド銀行とゴータ銀行に資本注入された公的資金の回収率が上がり、金融危機打開の費用となった国民負担を軽減することができた。

日本の整理回収機構は、スウェーデンの資産管理会社と同様、一五年間の長期間で業務を終了するように法律で定められている。しかし例えば、整理回収機構の業務には、不動産開発は含まれていない。

そのため保有資産を適切に管理して価値を最大化するよりも、「市場で一刻も早く売却することによって、迅速に債権を回収すること」を至上命題として業務を遂行しているようだ。つまり、現在の整理回収機構の活動は、短期的な資産売却益のみを念頭に置いているため、不動産市場の「投げ売り」の連鎖を止められないのだ。これでは、整理回収機構がデフレ・スパイラルの防波堤になっているとは言い難い。

また、そうやって短期的に「投げ売り」することは、経済的にも合理性を持たない。一般に、不良債権の担保資産は中途半端な形状で開発もしにくい「虫食い地」が多い。そのため、個々の不良債権に対応する土地を単独で売りに出せば、二束三文の価格しかつかない。しかし、複数の金融機関の持つ担保不動産を集めれば、まとまった地域開発が可能になる。こうして、様々な金融機関の持つ担保不動産を整理回収機構に集約し、一括して地域開発を行えば、合理的価格での売却が可能となるだろう。そうすることで、不良債権処理などに投入された公的資金の回収率も高まることになる。

このように、「投げ売り」によるデフレ・スパイラルを防ぎ、土地などの資産を合理的な価値までに高めるためには、スウェーデンの例を教訓として、整理回収機構に「不動産開発」などを業務として加えることが必要になる。すなわち、入手した不動産などを長期的な視野で適切に開発し、「最も有利な価格で売却すること」を整理回収機構に義務づけるのだ。

そのためには、整理回収機構が、そういった業務において競争優位を有するように、組織構成を改革することも必要となる。

現時点では、整理回収機構の職員は、大部分が法曹関係者か、破綻した金融機関の元職員か、大手の都市銀行、日本銀行等からの出向者だ。彼らは不動産開発事業については素人であり、自分たちで土地・建物の開発を行うという発想もノウハウも持っていない。そこで、不動産開発や地域開発の専門家と連携できるような組織改革が必要になる。

例えば、不動産開発の専門家を職員として雇用し、整理回収機構自体が積極的に不動産開発を行うことも考えられる。あるいは、長谷川徳之輔が提案しているように、国土交通省（旧建設省）所管の特殊法人「住宅都市整備公団（住都公団）」と提携すること、または整理回収機構の一部の業務を住都公団に移管することも一案だ（長谷川〔1998〕）。

住都公団には、不動産開発や都市開発を公的立場で実施している専門家が多数いる。それにもかかわらず、現在、住都公団による不良債権の担保不動産の買い上げ事業は、金額的に微々たるレベルに留まっている。ここで住都公団の専門家集団に、整理回収機構が入手した不動産の管理と開発を業務委託すれば、「公的組織内において、不動産の素人が土地を管理し、一方で不動産の専門家が余っている」という不合理な状態を解消できる。

（注）スウェーデンにおいて国有化されたゴータ銀行は、郵便貯金や農協の貯金制度などが発展して商業銀行となったもので、不動産融資が多かったためにバブル崩壊で破綻した。この銀行の性格は、日本で言えば、国策銀行の流れを汲む日債銀と似ている。不動産融資に傾倒して破綻した点も同様だ。
しかし、破綻機関の性格や破綻の経緯が似ていても、その後の処理において、日本とスウェーデンとの間では大きな違いが見られる。スウェーデンでは破綻後一年以内に収拾策が実施されたのに対して、日本では破綻後七年間も「先送り」が行われた。そして、「先送り」が行われていること自体すらも、金融当局やその周辺の一部関係者にしか知らされなかった。例えば一部の金融関係者の間では、「日債銀は九二年に実質的に破綻し、大蔵省の管理下に置かれた」とかなり早い時期から噂されていたという。しかし、国民が明示的にそのことを知ったのは九八年終盤になってからである。

M まとめ——問M解題

金融機関のバランスシートに堆積する不良債権(企業の過剰債務)の処理を加速させるために、これからどのような政策対応が必要なのか? また、不良債権処理が進むと短期的には景気の悪化が懸念されるが、それを防止するための政策対応は何か?

●新しいマクロ政策理念の構築

日本経済が「バランスシートの罠」から抜け出るためには、金融機関のバランスシートに堆積する不良債権(企業のバランスシートを圧迫する過剰債務)の処理を速やかに実施することが肝要である。しかし、自然治癒に望みをかけた「先送り」のため、九〇年代を通じて不良債権処理は一向に進まなかった。一方、企業や金融機関がやみくもに不良債権処理を進めた場合、三〇年代の米国のような急激な信用収縮が起こる可能性がある。

現行の金融再生関連法の一義的な政策目的は「金融仲介機能の安定」であり、政策発動の要件は、「金融機関からの要請があること」になっている。しかし、第3章や第4章で見たように、金融機関の活動は、他の企業や経済全体に対し大きな「外部効果」を及ぼす。個々の金融機関にとっては問題の先送りが合理的な選択でも、それが外部効果によって経済全体に甚大な損害をもたらす可能性があるのだ。そのため、「金融機関からの要請」を待って政策を発動していては、対応が後手に回り、経済全体で深刻な信用収縮が発生する恐れがある。

金融再生関連法には、したがって、従来の「金融仲介機能の安定」という政策目的に加え、「マクロ経済の安定の確保」をも明記すべきである。さらに、例えば公的資金を金融機関に対し注入する際の直接的な目的として、「信用収縮の防止による総需要の安定」を規定すべきだ。

他方、司法による経営責任の追及や会計基準を強化するとともに、金融監督当局に、より強力な監督権限を与えることで、不良債権処理の先送りを防止することも必要となる。

以上のような措置を施すことで、不良債権処理が迅速に進むようになるであろう。また、公的資金の金融機関に対する注入を機敏に行うことによって、不良債権処理などに伴う急激な信用収縮を未然に排除することも可能になる。

●公共的空間の拡大――市場・金融機関の公共性

このような政策提案は、「私企業」である金融機関に対して、強権的に過ぎるという批判もあろう。だが、金融機関の行動は、信用供与や決済機能などを通じ、自らと直接取引関係のないものも含め、様々な経済主体に大きな影響を及ぼす。また、金融機関の多くは、公開株式市場を通じて資本を調達している。

日本においては、従来から「公」対「私」という二元論が展開され、「公」は「国家」や「官」と同義のものとして捉えられてきた。しかし、本来は「国家」と「私」の間に、公共的空間が拡がっているはずなのである。そして、金融機関のように公共的空間で活動し、かつ、そこで活動する他の者に多大な影響を与える主体は、公的責務を当然負う。また、市場制度は、そうした金融機関が公共的責務を果たすよう構築されなければならない。

九〇年代を通じて露見したのは、しかし、金融機関や企業の公共性の欠如である。国家による規制や指導さえ形式的にクリアすれば何をしてもよい、という二元論的思考が、各種の隠蔽行為やずさんな会計報告などにつながった。

右で述べたような政策提案は、「国家」の領域を拡大しようというものではない。むしろ、「公共的領域」を拡大することにより、「国家」と「私」の領域を狭め、市場をはじめとする公共的空間の安定と発展を促そうとするものである。

●倒産処理の円滑化

日本においては従来より、「倒産」と「清算」がほぼ同義に捉えられてきた。その結果、金融機関や企業は、過度に倒産を回避しようとする傾向があり、これが不良債権処理を遅らせる一因となってきた。よって、不良債権処理を迅速化し無駄なコストを省くためには、米国などのように、倒産後の企業再建の可能性を高めることが有益である。

倒産後の企業再建の可能性を高めるには、二〇〇〇年に制定された民事再生法を十分に活用し、債務超過企業の倒産→再建のプロセスを円滑化する必要がある。倒産法制のさらなる改正も必要だ。また、DIPファイナンスや債権者委員会など、倒産企業の再建を助ける周辺制度・ビジネスが円滑に機能することも非常に重要となる。そのためには、裁判所も従来の姿勢を変化させる必要が出てくるだろう。

●投げ売りの防止――整理回収機構の改革

不良債権処理の実施に際しては、担保不動産の投げ売りによってデフレ・スパイラルが発生することを防止しなくてはならない。そのためには、整理回収機構の業務に不動産開発を追加し、不動産投げ売りのバッファーとして機能させるべきだ。

3節　貸付債権取引市場の整備（問N解題）

N　不良債権処理が市場メカニズムによって円滑に進むようにするためには、どのような手当が必要と考えられるか？

前節において、「バランスシートの罠」を解消するためには、貸付債権が金融機関間または市場で活発に取引されることが有効なことを述べた。貸付債権が市場で取り引きされることによって、債権者などの利害関係者間の「交渉のコスト」が大幅に軽減し、債務者企業の再建や処理が迅速に行われるからだ。いわば、市場を通じた「調整の失敗」の解消である。

現実には、九七年末ごろから、不良債権や担保不動産が売却される動きが活発化し、その多くは外資系金融機関が購入した。また、サービサー法（債権回収業法）が施行され、国内、外資系を合わせ、多くの機関投資家や金融機関が不良債権投資や不良債権の回収業務に参入しつつある。

しかし、売り手サイドの希望価格に比べ買い手サイドのつける値段が低すぎて、なかなか不良債権の売買が成立しにくい状況が続いている。

かつては、欧米でも日本でも、銀行などの「貸付債権」は、貸し付けた金融機関が満期まで保有し続けるのが常識だった。銀行などの実務もこうした常識を前提に形成されてきたので、急に「貸付債権の市場取引」を活発化させようとしても、市場のルールやインフラストラクチャーが存在しないため、取引コストが過大になる。そうした過大な取引コストは、不良債権の売買に上乗せされるため、売り主と買い主の希望が一致しづらくなる。

米国や英国などでは、七〇年代以降に何度も厳しい経済低迷を経験し、その中で一〇年単位の長い時間をかけて「不良債権」や「貸付債権」を取り引きする市場が形成されてきた。コンピュータ技術の高度化による「金融産業の情報化」が進んだことも、貸付債権の証券化を可能にし、市場を発展させた。

日本でも、これから徐々に、債権の取引市場が形成されていくことだろう。しかし、自然発生的な市場の形成を待っていたのでは、日本経済はこれからもかなり長い間、金融の非効率性に苦しむことになる。特に問題となるのは、中小企業金融の世界である。

九九年には、中小企業向け高金利貸金業者による脅迫的な取立てが世間の注目を集めた（いわゆる「商工ローン問題」）。こうした中小企業向け高金利貸金業者が横行する大きな理由としては、中小企業にとって、銀行借入以外の金融手段が極めて未発達であることが挙げられる。次節では主に「間接金融」分野の問題を検討するが、ここでは市場による「直接金融」が中小企業金融で果たす役割を考える。

例えば米国においては、中小企業・中堅企業の資金調達手段として、「ハイ・イールド債」市場が非常に大きな役割を果たしていると言われる（杉原・三平〔1999〕）。ハイ・イールド（高利回り）債とは、投資適格（S&P格付けでBBB以上）を得られない低格付けの中小・中堅企業が発行する社債のことで、一般に低価格・高金利であるためこう呼ばれる。米国では、ハイ・イールド債市場を通じ、中小企業は自社の事業内容に見合った金利で社債を発行し、資金調達をすることができる。このため、銀行貸出の独自性が失われ、中小企業金融は社債型市場への収斂が議論されるまでになっている。

これにひきかえ、日本では中小企業の社債市場はほとんど存在しない。また、銀行は低利の貸出約定金利によって、安全な貸出先のみに選別的に資金供給を行っている。そのため、銀行の審査ではねられた中小・中堅企業は、リスクに見合った適切な金利で資金調達をすることができず、劣悪な条件で高利の「商工ローン」から資金を調達せざるを得ないのである。

こうした状況に対して政策的にはどのような対応が可能だろうか？　以下では考えられる選択肢について概観する。

ファニー・メイとフレディー・マック

市場が未発達なときには、政府や自治体などの公的主体による市場への商品供給が、市場形成を促進する場合が多い。例えば、日本でも欧米でも「債券市場」は国債が大量に供給されて初めて活発化した。米国において住宅ローンを担保とする証券（MBS、Mortgage-Backed Securities）の市場が形成されたときも、政府系機関の連邦抵当金庫（FNMA）や連邦住宅金融抵当公社（FHLMC）が主導的な役割を果たした。これらの連邦政府系金融機関が果たした役割は大きく、今では、FNMAは「ファニー・メイ」、FHLMCは「フレディー・マック」という愛称で米国市民に親しまれるようになっている。

ファニー・メイは日本の住宅金融公庫に類似した機関である。民間銀行が行った住宅ローンを多数買い取り、それらを担保とした証券を自ら市場に売り出すことを主要な業務としている。

個々の住宅ローンは、債務者個人の事情によって返済スケジュールやリスクは異なるが、それらを多数集めると「大数の法則」によって、リスクが低減し、返済スケジュールも予測しやすくなる。住宅ローン担保証券は、ファニー・メイの保有する多数の住宅ローンの集合体（プール）を担保として、ファニー・メイ自身が発行するのである。

フレディー・マックは、銀行ではなく、S&L（貯蓄金融機関）が行った住宅ローンについて、ファニー・メイと同様に住宅ローン担保証券を発行する。これらの証券は連邦政府の信用をバックに持っているため、現在に至るまで流通性の高い証券として市場で活発に取り引きされており、市場全体でも大きなウェイトを占めている。

こうして公的金融機関が発行する証券が市場で流通した結果、住宅ローン担保証券についての技術開発が刺激され、民間金融機関も同様な証券を発行する技術を身につけた。その結果、より便利な証券が次々と開発され、ますます市場が拡大するという好循環が起こった。

ファニー・メイは三八年に設立された。その当時は大恐慌の影響で、金融機関が住宅ローンのような長期の資金供給を行わなくなった時期である。そのため、連邦政府系の公的金融機関によって長期の住宅ローンが提供される一方、その証券化によって、リスクの適切な分散が実現したのだ。つまり、公的金融で市場の失敗が是正されたことになる。さらに住宅ローン担保証券の技術革新によって、一層超長期の住宅ローンの提供が可能になった。公的金融機関の証券発行をきっかけに、住宅ローン市場全体が効率化されていったのである。

公的CLO構想

ファニー・メイやフレディー・マックの証券発行は住宅ローン市場の市場の失敗を是正する効果があった。現在の日本では、企業への貸付において、大恐慌当時の米国住宅ローン市場と同じような市場の失敗が起こっていると考えられる。一方で、「貸付債権」の取引市場も成熟していない。こうした状況を打開するためには、ファニー・メイが行ったように、公的機関が企業のローンの取引市場を活性化させることに大きな意味があるはずだ。

この点で注目すべきなのは、東京都が二〇〇〇年三月から実施しているＣＬＯ（Collateralized Loan Obligation　ローン担保証券）構想である。これは、東京都の支援の下で民間金融機関が行う中小企業ローンの証券化だ。中小企業への新規融資を多数集めて、その貸付プールを担保として、中核となる民間金融機関（富士銀行、メリルリンチ証券など）が一種類または数種類の証券発行を行う。

発行される証券は、担保となっている中小企業の倒産リスクを負うが、多数の貸付を集めたことで「大数の法則」によりリスクが低減される。さらに、東京都による実質的な公的保証がつくので、証券を買った投資家は、発行体（民間金融機関）の倒産を心配しなくてよい。こうした証券の流通を通じて、企業貸付の市場取引が活発になることが期待される。

だが、東京都の計画では、対象が二〇〇〇年春以降の新規融資に限られ、金額も全体で一〇〇〇億円未満である。これでは、金融市場に大きな変革を起こすまでにはなかなか至らないだろう。

日本においてローン取引市場を発展させるためには、ＣＬＯとして証券化する対象債権を既存の融資にまで広げ、さらに全国レベルで貸付債権の取引促進や証券化促進を行うべきだ。例えば、九八年のクレジット・クランチの時期以降、中小企業が民間金融機関から受けている融資について、中小企業信用保証協会を通じて政府が債務保証を行う特別保証が実施されている。政府の債務保証枠は総額三〇兆円であり、すでに一〇兆円を超える債務保証が行われている。これをファニー・メイの事例に倣(なら)って再構成すれば――政府系金融機関が「日本版ファニー・メイ」となって、政府保証つきの中小企業債務を民間金融機関から買い取る代わり、企業ローン担保証券（CLO）を発行する――という政策スキームが考えられるだろう。

前述のとおり、現在の日本では、中小企業金融の機能不全が深刻だ。低金利の銀行貸出と、法外に高利な商工ローンとの間を埋める金融が抜け落ちている。すなわち、日本においては、中小企業の事業リスクに見合った市場金利が存在していない。

公的保証をバックにした企業ローン担保証券の市場が形成されれば、市場取引を通じて、中小企業の事業リスクに見合った市場金利が形成される。そのような市場金利が形成されれば、民間レベルでも、適切な金利水準で中小企業貸出や債券発行が行われるようになるだろう。つまり、公的CLO構想を進めることで、日本におけるハイ・イールド債市場の形成が促進されるのである。

倒産処理迅速化のための公的デット・エクイティ・スワップ

前節では、経済が「バランスシートの罠」から脱却するためには不良債権処理を迅速に進めることが肝要で、そのためには倒産処理が迅速に行われることが必要だと論じた。

倒産処理の迅速化のためには、前節で論じたような倒産制度そのものの変革だけでなく、政府など公的機関が金融面で政策対応することもできる。

金融面の政策対応の方策としては、大きく分けて以下の二つが挙げられよう。

一点目は、不良債権取引市場の形成である。米国では不良債権の活発な取引市場があるのに対して、日本では不良債権取引は始まったばかりである。こうした市場を公的金融によって形成・発展できれば、倒産処理の調整コストを軽減できる（第4章の議論を参照）。

図5-1　個別企業の企業再建（倒産処理）リスク

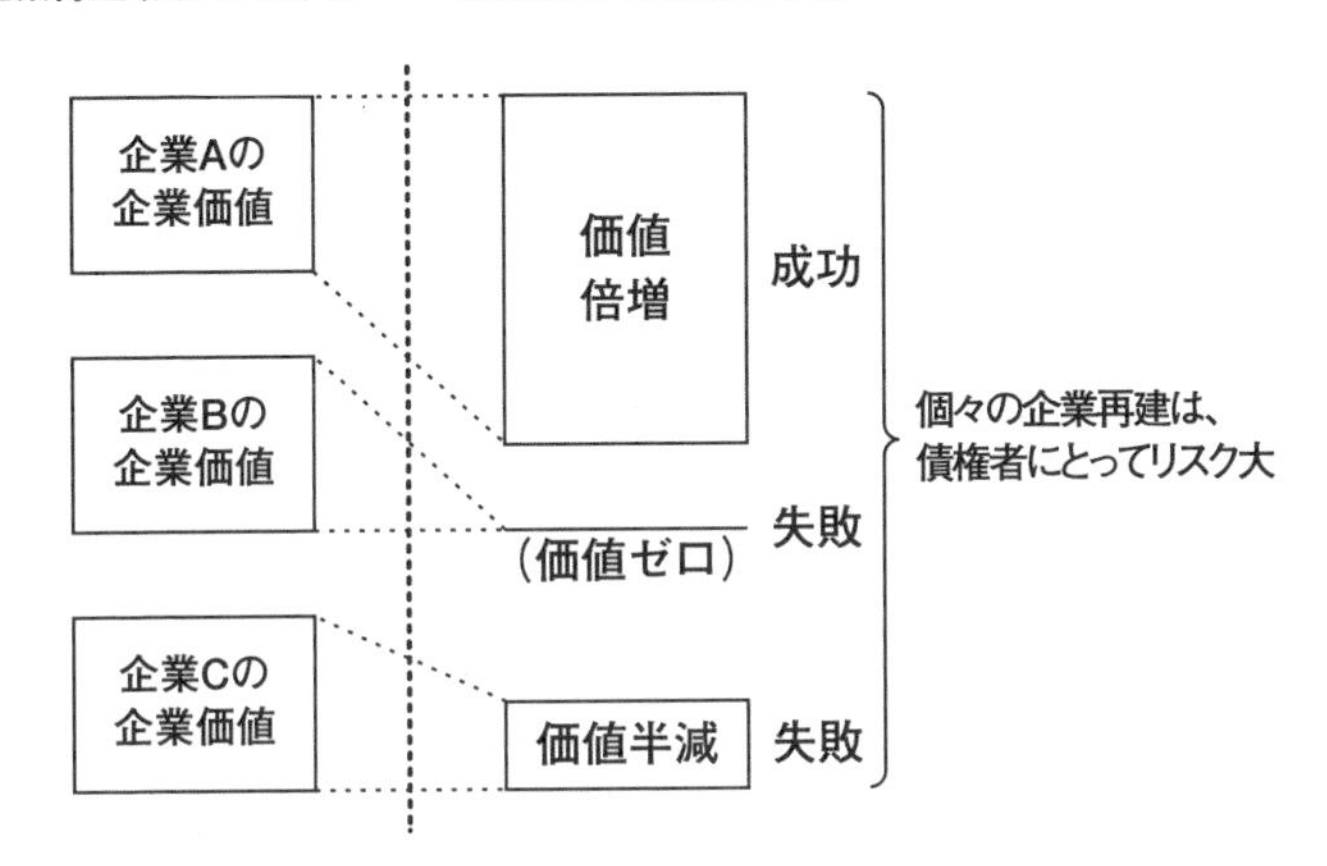

図5-2　企業をひとまとめにした企業再建

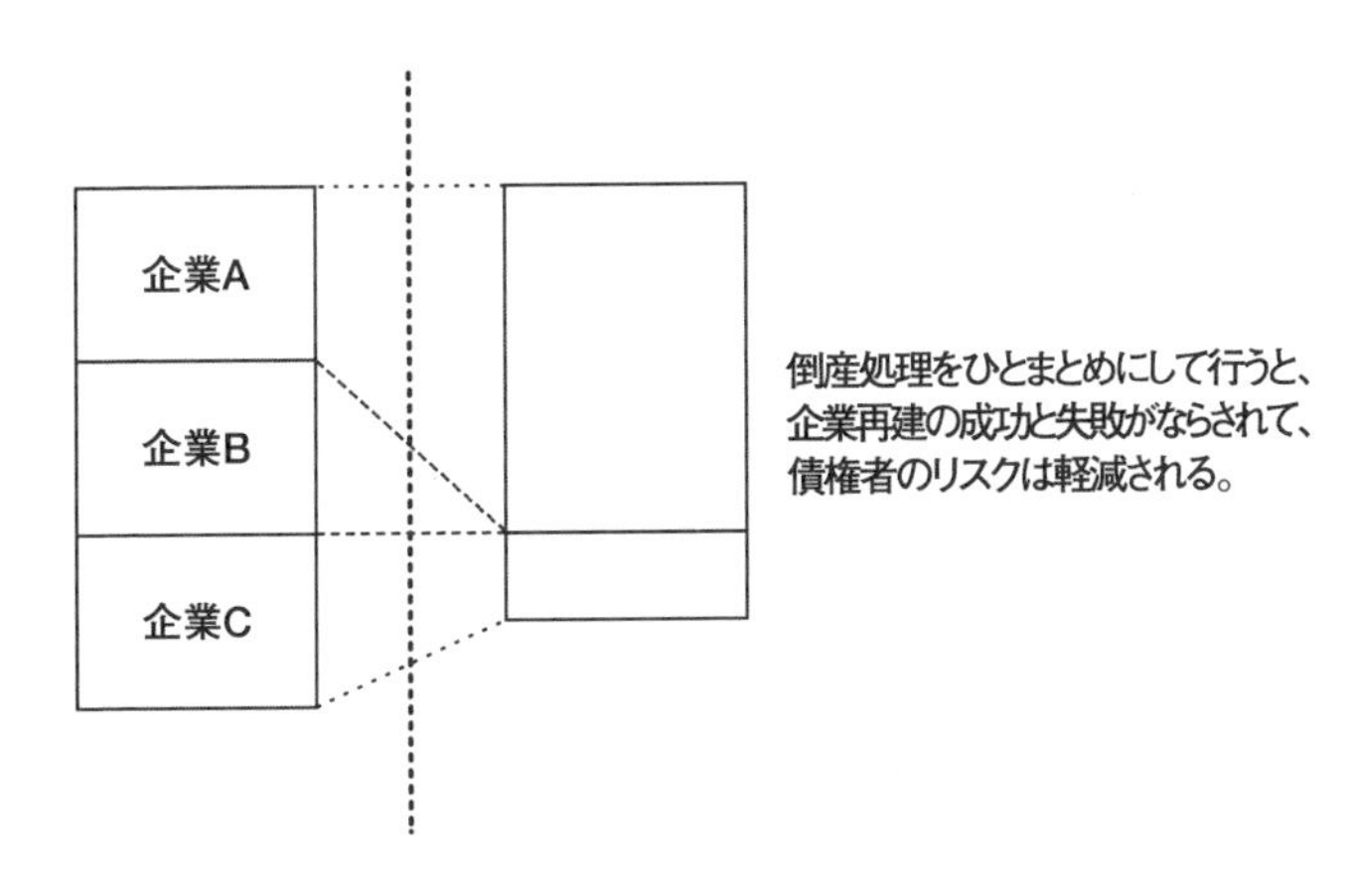

二点目は、倒産処理の集約によるリスクの分散・軽減である。図5―1で示したように、個々の企業の倒産処理を個別に行うと、債権者が被るリスクが大きくなる可能性が高い。しかし、多数の企業の倒産処理をひとまとめにして一括して行えば「大数の法則」でリスクが低下し、債権者にとって倒産処理がやりやすくなる。企業再建型の倒産処理は、債権者にとってはデット・エクイティ・スワップ（債権から株式への転換）を行うことに等しい。個々の倒産企業のエクイティ（株式）はリスクが大きすぎても、多数のエクイティを集めるとリスクは軽減できるのだ(図5―2参照)。ここに、公的機関が政策的に倒産処理を集約する合理性が生まれる。

具体的な政策スキームとしては、公的CLO構想に類似した次のようなものが考えられる。

民間銀行が融資をした企業が会社更正手続や民事再生手続などの再建型の倒産処理に入った場合、債権者の銀行は、保有する債権（デット）を株式または持分（エクイティ）に転換する。

そこで、銀行はそのエクイティを公的金融機関に売却し、公的金融機関はその対価として、自身の発行するエクイティ担保証券（ABS、Asset Backed Securities）を支払うことにする。――つまり、公的金融機関は多数の銀行から倒産企業のエクイティを集め、それらの多数のエクイティの集合体（プール）を担保として、一種類または数種類のエクイティ担保証券を発行する。そして、そのエクイティ担保証券を、銀行から受け取ったエクイティの対価として交付する、というわけだ。

この際、公的金融機関が銀行に交付する証券の価値が、銀行が譲渡する倒産企業のエクイティの実際の価値に比べて大きすぎると公的金融機関が大きな損失を被り、国民の負担が発生することになる。したがって公的金融機関は、民間銀行が倒産企業のエクイティの価値を過大申告しないように、正しく価値評定を行わなければならない。その手法の設計は、ミクロ経済学のRevelation Principleの理論（コラム5―①を参照）などを応用することである程度実現できると思われる。

このような公的なデット・エクイティ・スワップのスキームができると、倒産処理を促進する次のような効果が期待できる。

民間銀行にとっては、個々の企業への債権を政府の保証が付いた低リスクの政府系機関証券に転換できるので、倒産処理を決断しやすくなる。一方、多数の倒産処理を集約して行う公的金融機関があれば、大数の法則によって、個別に倒産処理を進めた場合に比べ、倒産処理のリスクを軽減できる。その結果、公的なエクイティ担保証券のリスク・プレミアム（当該証券のリスクに応じた上乗せ金利）は小さくなる。

つまり、民間銀行はこのスキームを使った方が、単独で債務者の倒産処理を進めるより得なので、公的スキームを通じたデット・エクイティ・スワップが活発になり、不良債権処理のスピードが上がる。その結果、債務者の倒産処理が迅速に行われることになるはずだ。

さらに、公的なエクイティ担保証券が市場で取り引きされ、それに市場金利がつくようになると、その金利を基準として倒産企業の株式や債権の市場金利が決まってくる。こうして、公的なエクイティ担保証券の流通を端緒として、倒産企業や不良債権の取引市場が形成され

コラム5―①　Revelation Principleの理論

情報の非対称性がある場合、売買取引において売り手が商品の価値を過大申告する危険性が高い。ミクロ経済学のゲーム理論では、こうした過大申告を防ぐメカニズムが提案されている。これがRevelation Principleとよばれる定理だ。米国では、政府調達の入札や電波割当のオークションなどにこの理論が応用され、大きな効果を発揮している。

銀行が持っている倒産企業への債権（またはそれをエクイティに転換したもの）を政府系機関のエクイティ担保証券と交換する際にも、Revelation Principleを応用して対価の計算方法を決めれば、銀行が過大申告することを防ぐことができるはずだ。

ていく。

(なお、誤解を招かないよう注記しておくが、この公的スキームは、国民の負担によって銀行の保有する不良債権〔あるいはそれが転換されたエクイティ〕を買い取ろうというものではない。銀行は、国民の負担からではなく、このスキームにおいて創造される価値から便益を受けるのである。つまり、このスキームにおいては、再生中の企業のエクイティを公的金融機関が集約することにより、大数の法則を通じリスクが軽減され、「リスク・プレミアムの減少」という価値が創造される。そして、そうやって創造された価値の一部が、銀行に付与されるというわけだ)

倒産情報のデータベース化

すでに述べた二つの政策スキーム——公的CLO(ローン担保証券)と公的デット・エクイティ・スワップ——はいずれも、公的金融に先導させることで、中小企業貸付の適正金利や不良債権取引の市場金利を形成させようとするものだった。市場金利の形成が重要となるのは、市場金利が、巷に流布している情報を集約し、中小企業貸付や不良債権の「正しい価値」を反映するからだ。そういった「正しい価値」が分からないような場合に市場の失敗が発生するので、市場金利の形成によって「正しい価値」が分かるようにしよう、というのが右記の政策提案の基本的な考え方だ。

政策を通じ、債権などの「正しい価値」を明確化するには、市場金利の形成によらない、より直接的な方策も考えられる。具体的には、経営状況に応じた中小企業の倒産確率が社会の共有知識になれば、債権や証券の取引を通じて形成される市場金利を介在させなくても、投資家や債権者は、中小企業貸付の「正しい価値」がある程度分かるようになる。また、そういった情報の共有は、当然市場金利にも影響し、より「正しい価値」を反映した市場金利の形成にも役立つ。そうなれば、合理的なプレミアム（上乗せ金利）を乗せた形で中小企業金融が行われるようになり、市場の失敗は解消する。

それではどうすれば、経営状況に応じた中小企業の倒産確率などの情報を、社会で共有することができるのであろうか。

現在の日本の金融機関では、企業貸付債権の信用リスク管理が適切になされていないと言われている。それはこれまで、債務者企業の倒産情報が統計的なデータベースとして金融機関に蓄積されていなかったからだ。この問題については銀行業界も危機感を持っていて、都市銀行グループと地方銀行グループがそれぞれ別個に債務者の倒産情報のデータベース化を進めている。こうしたデータベースが金融機関間で共有化されれば信用リスク管理が洗練され、合理的なリスクプレミアムで企業金融が行われることになる。しかし、これら大手銀行主導のデータベースの問題点は、対象企業が大企業が中心となっていて、中小企業や零細企業が抜け落ちていることだ。

これでは、いくら業界主導でデータベース構築がなされても、最も資金調達に苦しんでいる中小・零細企業への金融にはあまり効果がないことになる。そうした点を補うべく、現在、経済産業省中小企業庁の主催で、各地の信用保証協会や地域金融機関などの持っている情報を集積加工し、中小企業や零細企業の倒産確率や信用情報をデータベース化するＣＲＤ計画（Credit Risk Database Project）が進行中だ。

日本の中小企業については、会計書類の信頼性が著しく低いため、信用情報のデータベース化が非常に困難だと言われている。民間金融機関が自発的に中小企業のデータベースを構築できなかった理由の一つはここにある。そこで、信用保証協会のような公的金融機関が関与することで、こうしたデータべースが構築できるならば、合理的なリスクプレミアムで中小企業への資金供給が行われるようになるだろう。さらに、不良債権の取引市場においては、倒産リスクの認識が金融機関の間で共有されるようになる。その結果、売り手と買い手で相場観が一致し、不良債権取引が成立しやすくなるはずだ。

このように、情報の欠如から生じる市場の失敗を克服し、市場取引を活性化させるためには、公的機関も積極的に関与した上で、信用情報データベースの構築とその共有化を図っていくことが重要となる。

まとめ——問N解題

N 不良債権処理が市場メカニズムによって円滑に進むようにするためには、どのような手当が必要と考えられるか?

前節でも述べたように、貸付債権市場や不良債権市場が存在しないことが、債権者間の調整コストを増加させ、不良債権処理を遅らせる大きな要因となってきた。

貸付債権や不良債権の流通市場の形成を促す政策案としては、公的金融機関による債権の証券化(「公的CLO構想」)や、債務の株式化(「公的デット・エクイティ・スワップ」)が考えられる。その際、米国の住宅ローン担保証券の市場形成に当たり、公的金融機関が大きな役割を果たしたことを参考にすべきである。

また、債務者企業の倒産データを統計処理してデータベース化する政策も、市場における情報の非対称性を解消し、合理的な債権市場形成を促進させる。

4節　企業金融の充実（問O解題その①）

不良債権処理を遅らせてきた各種の要因（企業金融手法の未発達、不明朗な会計基準、コーポレート・ガバナンスの不備）を除去するための具体的処方箋としてはどのようなものがあるか？

第4章では、企業金融（コーポレート・ファイナンス）の手法が未成熟であるために、企業が過度にリスク回避的になる可能性を指摘した。企業金融の手法が豊富になれば、企業は適切にリスクを分散させることが可能になるはずだ。しかし、新しい金融手法はなかなか実用化されないのが現状である。

かつては、金融機関は大蔵省の了解を得ないと新商品を発売できなかったが、現在はそのような規制はなくなっている。問題は、商法など会社法制の複雑な制度・慣行にある。以下では野村総合研究所、三井安田法律事務所の調査結果などに基づき、主要な論点を提示しておきたい。

商法の「限定列挙」主義

新しい企業金融の手法が柔軟に使われない大きな原因は、強行法規である商法が、企業の資金調達の手法を「限定列挙」的に規定していることだ。

強行法規とは、契約当事者が合意した契約であっても、もしその契約が（強行）法規が予定している手法に当てはまらなければ、その契約を無効とするような法規のことを指す。つまり、私的自治の原則の例外的ルールを定めた法規だ。

ここで問題となるのは、第一に、商法で認められる手法が限定列挙的に規定されているため、それ以外の資金調達手法は契約として無効になってしまうことである。第二に、商法が制定・改正された当時に想定されていなかった最新の金融手法について、それが商法に合致しているか否かが、法律の条文を読んでも判断できない場合があることだ。商法の規定は、これまで裁判所などにおいて非常に厳格（保守的）に解釈されてきたことから、そうした場合、新しい金融手法は商法の規定を逸脱すると解釈されることが多い。また、企業の側でも、商法違反となるリスクを避けるため、そのような新しい金融手法の採用をあらかじめ自重することが多い。

では、以上のような問題点を具体的に見るために、米国で開発された新しい投資契約の実態を概観し、日本の制度と比較する。

新しい投資手法——米国の実態と日本の制度問題

米国では、経営困難に陥った企業のリストラを支援する投資（米国ではスペシャル・シチュエーションまたはスペシャル・オポチュニティへの投資とよばれる）や、ベンチャー企業への投資は、多くの場合において、投資家と企業との相対（あいたい）取引で行われる。

米国の法制では、企業は、条件や配当率の異なる様々な種類の優先株を発行できるので、経営状況に応じて柔軟に資金調達ができる。一方、投資家保護のために、優先株に投資する投資家が、様々な特権

（取締役会に介入する権利など）を投資契約で確保できる仕組みになっている。

柔軟な優先株の発行

また、日本に比べ米国においては、優先株には非常に柔軟な配当条件を設計することができる。まず、米国においては、固定配当率の優先株に加え、市場金利に連動して配当率が変化する変動配当率の優先株も幅広く普及している。さらに、配当の支払い形式も、現金配当に限る優先株に加え、発行企業が配当を現金で行うか、現物（優先株の追加交付）による配当を行うかを選択できる優先株も頻繁に用いられる。その他にも、発行企業の経営状況に応じて配当率を調整する優先株も普及しているようである。

日本では、固定配当率の優先株がほとんどである。市場金利に配当率が連動するものは存在するが、あまり使われていない。また商法上、優先株の配当は現金に限られるので、現物配当の優先株は発行されていない。さらに、発行企業の経営状況に応じて配当率を調整する仕組みの優先株は日本には存在しない――たとえ存在したとしても、商法上無効とされる公算が大きい。

優先株式の発行に関しても、日本では様々な制約が課せられる。

日本の商法では、優先株式の発行数、株式の内容などは、株主総会を経て会社の基本定款で定めなければならない。これに比べ、米国では、優先株式の発行については取締役会に授権されているので、機動的に優先株が発行できる（取締役会で決められた優先株式の発行数・発行条件などは州の登録事務所に登録され、基本定款と同じ法的効力を有する）。

また日本では、株主総会で合意した優先株式の発行数・発行条件などを法務局に登記しなければならない。ところが、これまでの商法関係の法律実務が非常に保守的だったため、柔軟な仕組みの優先株を発行しようとしても、法務局で登記が拒否される場合が多いという。

こうした問題は、日米間における法体系の差異という根本問題にも関わる。また、法律実務の文化や日本の風土などにも関連することだ。しかし、現在のように経済・金融情勢が目まぐるしく変動する中、商法の規定を「原則禁止で、可能なことは限定列挙」という形式にしておくことは、あまりにもコストが高いと言うべきであろう。よって、企業の資金調達に関する商法の規定を「原則自由で、禁止事項は限定列挙」という形式に抜本改正すべきだ。

優先株投資家の権利

米国では、優先株の配当条件などを、発行企業が柔軟に決めることができる。それと引き換えに、優先株に投資する投資家サイドは、自己の権利を守るために、何らかの特権を要求する。米国の会社法制も、投資家保護の観点から、投資契約の中において優先株主の特権を定めることについて、柔軟に認めるシステムになっている。

優先株式に投資する投資家は、主に投資回収リスクを低め、売却益を拡大するために、例えば、次のような特権を得ることが多い。

○先買権（Preemptive Right）：他の優先株主が株を売却しようとするときに、自分が最初に売却オファーを受ける権利。この権利によって、投資家は株式が第三者に流出するのを阻むことができる。

○共同売却権（Co-Sale Right）：自分が第三者に優先株式を売却するときに、他の優先株主にも追随的に売却を強制する権利。多数株主が株式を売却するときに、少数株主に追随を強制する形式のものと、少数株主が、他の株主の売却取引に自動的に参加できる形式のものとがある。
○売却特約（Drag Along Right）：投資開始から一定期間が経過しても企業が株式公開が実現できなかった場合に、少数株主が他の株主に対して「投資先企業を第三者に完全売却すること」を強制する権利。非公開企業の少数株主権の流動性が低いことから、少数株主の利益を保護するために付与される。

こうした多様な権利設定は、日本の商法上はどのように扱われるだろうか。

右に例示したのは「株主と株主の契約」であって、商法が定める会社組織の意思決定方法を変更するものではない。この場合、商法の趣旨（投下資本回収の機会を不当に奪ってはならない）に反しない限り、こうした権利設定は有効だと解釈する法学者もいる。

しかし、現実の会社でこのような権利設定が企図されたことはなく、どこまでなら「商法の趣旨に反しない」と言えるのか、具体的な判断はいまだなされていない。このように「違法性は全くない」と言い切れない現状で、法務局や企業弁護士が司法リスク回避的な実務を続ければ、日本において今後も、優先株主の多様な権利設定が行われる可能性は低いだろう。

さらに、右の例に加えて、米国では、「株主と会社との契約」によって、会社組織の意思決定を変更する例もある。例えば、ベンチャーキャピタルが企業に投資する際に、「一定期間内に株式公開できなかった場合には、会社がベンチャーキャピタルから株式を買い戻す」という契約を結ぶ場合がある。こうした契約は、会社による自己株取得に該当するため、原則として日本の商法では無効とされる。

また、「会社が経営困難など一定の状態に陥ったら、特定の優先株主に、一定数の取締役を選任する権利を与える」という契約も、優先株主の権利を保護するために、米国でよく行われる。これも、会社組織の意思決定を拘束する契約なので、日本の商法では無効である。

これらの硬直的な制度・運用慣行があるため、日本では優先株が投資家にとって魅力のあるものにはならず、結果的に、企業の資金調達を阻害している面があると考えられる。

メザニン・ファイナンス

破綻に瀕した企業、中小企業、あるいはベンチャービジネスに対してよく使われる投資の手法として、メザニン・ファイナンスとよばれる手法がある。メザニン（mezzanine）とは「中二階」を意味する英語であり、「債券」と「株式」の中間的なリターンを持つファイナンス手法という意味で、メザニン・ファイナンスと呼ばれる。

具体的には、このメザニン・ファイナンスは、高金利の無担保劣後ローンと新株引受権を組み合わせた金融商品を通じて行われる。投資家は、企業に対して高金利で融資するとともに、新株引受権（あらかじめ決まった価格で新株を買う権利）を企業から廉価で受け取るというわけだ。

投資家はまずローンの債権者として金利を得ることができる。さらに、企業の経営状況が良くなれば、あらかじめ定められた価格で新株を引き受けて、キャピタルゲインや配当を得ることもできる（逆に、企業の経営状況が良くならなければ、投資家は新株引受権を行使せずに破棄する）。こうして、投資家はメザニン・ファイナンスを通じ、債券投資と株式投資の中間的なリスクとリターンを得ることができる。

他にも、米国では様々な種類の転換社債（一定の条件が満たされると株式に転換できる社債）が発行されており、それらを総称してメザニン・ファイナンスと呼ぶこともある。

メザニン・ファイナンスは、通常の貸付と株式投資の間を埋める手法であり、米国ではハイ・イールド債による資金調達と類似した機能（リスクとリターン）を果たしている。ただし、ハイ・イールド債が公募、すなわち直接金融市場での資金調達であるのに対し、メザニン・ファイナンスは私募、すなわち相対取引の資金調達である。米国では、ハイ・イールド債の市場が不活発な時期に、中小企業への資金供給を担ったのがメザニン・ファイナンスだったと言われている。つまり、ハイ・イールド債とメザニン・ファイナンスは、どちらも中小企業金融の手法として、米国では補完的な機能を果たしているのだ。

こうしたメザニン・ファイナンスが使えるようになれば、日本で企業再建のために行われる投資は相当多くなると見込まれる。しかし、現行の商法では、新株引受権を単独で発行して劣後ローンと組み合わせる手法は認められていない。

もっとも、商法では「新株引受権附社債（ワラント附社債）」が認められているので、理論的には、ある程度は米国のメザニン・ファイナンスの手法を実施することはできる。しかし、新株引受権の対象となる株式発行に上限があるため、この「新株引受権附社債」を用いても、非常に煩雑かつ限定的な投資手法しか設計できない。ここでも商法の限定列挙主義が大きな障害となっている。

倒産時に保存されない優先劣後関係

倒産法制においても、日本では、企業金融を円滑に遂行するに際して障害となる制度が存在する。

現行の倒産法制では、債権者間、または複数種類の優先株主間に設定された優先劣後関係は、倒産時に保存されない。これにより、投資家の地位は過度に不安定になるが、今までの日本においては、企業倒産が非日常的な現象だったために見過ごされてきた。しかし今後、企業倒産が頻繁に発生するようになると、この制度は、投資家の投資決定には非常に大きな悪影響を及ぼすことになる。

より具体的には、現在の会社更生法や民事再生法などの企業再建型の倒産手続において、担保のない債権者や複数種類の優先株主の間で設定されていた優先劣後の関係は、倒産手続に入る時点で改めて当事者間で合意がなされない限り保存されない。よって、投資家が企業に投資する際、「その企業が倒産した場合に自分が得られる収益がどうなるか分からない」という不確実性に直面することになる。なぜなら、倒産後に優先劣後関係が保全されない結果、倒産手続の交渉の場で、他の利害関係者や裁判所がどのような姿勢を示すかによって、投資家の収益は大きく変わってしまうからだ。

これに対し、米国の企業金融では、優先順位の異なる複数種類の優先株式が発行されることが多い。そして、米国の倒産法では「他の法律で認められた優先劣後関係は倒産手続に入っても有効」という明文規定があるため、投資家は企業が倒産する場合も含めて、自分の収益を予想しやすい。

倒産後の優先劣後関係が不透明なことは、倒産リスクの高い案件——例えば、経営困難に陥った企業やベンチャービジネス——に対する投資に大きな影響を与える。不透明性を嫌う投資家は、企業の倒産リスクが高いと思えば、最初に投資契約を交わす段階において、そこに設定される優先劣後関係を信用しなくなるからだ。

このため、企業は投資家のニーズに合致した投資契約を設計できずに、結果的に投資家から資金を提供してもらえないことになる。つまり、倒産法制の不備のために、倒産リスクの高い企業には投資家が資金を供給しなくなり、その結果、企業は本当に倒産してしまうのである。

この問題に関しては、単に「倒産前に設定された優先劣後関係は、倒産時にも有効とする」という一文を、会社更生法や民事再生法に付け加えるだけで解決する。早急な法改正が望まれるところである。

5節　不確実性の払拭──企業会計と行政手続（問0解題その②）

第4章では、企業会計の信頼性が失われているために「ナイトの不確実性」が発生し、経済活動が萎縮する可能性を検討した。企業会計の信頼性が高まり、経営実態が公開情報から推測できる度合いが高まれば、このような問題は軽減されるはずだ。

一方、商法や税法の運用について、行政や裁判所に大きな裁量権が付与されていることも、経済活動を取り巻く不確実性を高めている。つまり、新たな企業金融手法などについて商法や税法における扱いが不透明な場合、それらの手法が導入されない可能性があるのだ。この問題は、すでに述べてきた法制度の改正に加え、ノン・アクション・レターの積極的な発出などで行政手続の透明性・予測可能性を高めることにより解消されるはずだ。

会計監査基準の改革

九〇年代末から、日本における企業会計ルールは急速なペースで改定・拡充が行われている。例えば二〇〇〇年度から適用が開始される「新金融商品会計基準」は、デリバティブ商品などを含むあらゆる金融商品を時価評価することを義務づけるもので、米国の基準と比べても、その先進性・厳格性において遜色ないものになっている。

米国では、九〇年代を通じて、金融商品に関する会計基準は大きな変化を遂げてきた。まず、九二年一二月以降は、すべての金融商品の時価をバランスシートの注記事項として開示することが義務づけられた。さらに、九三年一二月以降は、バランスシート上の金融商品を時価評価することが義務づけられている。日本では、米国に七年遅れて金融商品の時価会計を取り入れたことになる。

しかし、九〇年代に露呈した数々の問題を通じ、日本の企業会計に対する信頼は失墜している。ここが米国と違う点だ。いったん失墜してしまった信頼を回復するためには、米国などの基準を超えて、より厳格な仕組みを導入することも考慮すべきではないか。

特に厳しい基準を導入すべきと考えられるのは、九〇年代を通じ信頼が完全に損なわれた金融機関の会計だ。例えば、銀行が期初に計上した貸倒引当金が、正しい見込みに基づいていたのかどうか期末にレビューすることにすれば、会計の規律を高める効果があるだろう。現在の金融庁のマニュアルでは、貸倒実績を銀行が自己査定でレビューすることにはなっているが、それについて金融庁が厳しくチェックすることにはなっていないようだ。米国でも、銀行は貸倒実績を当局に報告する義務はあるが、公開義務はない。もし、日本に米国基準より厳しい基準が導入されて、貸倒実績の公表が義務づけられれば、金融機関の会計に対する信頼性を高める効果があるだろう。

また、金融商品以外の分野でも、企業年金会計や連結会計の導入など会計基準の改定が進んでいるが、不動産など資産の価値が下がった場合に「含み損」を企業会計で明示するルールを早期に導入すべきだ。これは、「地価が必ずしも上昇するとは限らない」という環境では、健全な経営を確保するために不可欠の条件というべきだろう。そのためには、現在、企業会計審議会において検討が続いている「減損会計

(Impairment of Assets)」の導入を急ぐべきだ。

「減損会計」とは、企業が保有するおよそあらゆる資産（土地その他の固定資産を含む）について、価値が減損したときに迅速にバランスシート上で減損を認識するルールである。米国では厳格な減損会計がルール化されており、国際会計士協会でも減損会計の基準を作り、各国に導入を勧めている。

米国の厳格な基準を全て直輸入する必要はないが、日本でも企業経営の実態を的確に財務諸表に反映するために、減損会計のルールを早急に導入することが望まれる。

セーフ・ハーバー・ルールの導入

企業会計に責任を有する経営者や監査法人に対する訴訟が多くなれば、「企業会計をごまかしたり、疎かにすることはできない」という認識が広がるはずだ。しかし、監査基準などを厳格に整備しないまま、司法による責任追及だけを強めれば、経営者や公認会計士をいたずらに萎縮させるだけである。よって、銀行の貸倒引当金に対する監査や減損会計など厳格かつ明確なルールを一刻も早く定着させることが重要になる。

二〇〇〇年前後は、企業会計にとって、革命的な制度改革が進行している。このため、公認会計士など会計の実務家は、前例がない中で手探りで運用を行わざるを得ない。公認会計士や監査役の民事責任は法的に非常に重いので、こうした状況では、どうしても極端に保守的な行動をしがちになる。

例えば、少しでもリスクのある企業に対しては、公認会計士が会計監査を引き受けなくなる可能性も出てくる。そうなれば、多くの企業が事業活動の継続ができなくなり、経済全体に悪影響を与える危険も大きい。

したがって、厳格な会計監査のルールを導入する一方で、会計士を保護することも必要となる。そこで考えられるのが、「セーフ・ハーバー・ルール」の導入である。セーフ・ハーバー（安全港）・ルールとは、会計監査をするときに、「定められた形式基準を踏んで監査を行っていれば、その件については、事後的に責任を問われない」という免責ルールだ。このルールは、会計士に対する訴訟が多発した米国において、会計士の免責範囲を定めるものとして発達した。日本でも、監査基準が大幅に変わることに伴う混乱を避けるためには、こうしたセーフ・ハーバー・ルールを早急に考案し、導入することが必要になるだろう。

なお、会計監査の基準は公認会計士協会が定めるが、会計士の法的責任を制限するセーフ・ハーバー・ルールの導入には、国会を通じた立法措置が必要となる。

ノン・アクション・レターの義務づけ

法律の条文によって、予め全ての経済活動や社会活動の適法性を厳格に定めることは不可能だ。このため、条文上曖昧な領域の活動については、法務局の判断や、法律改正や、裁判所の出す判例などを通じ、条文の狭間を埋める作業が事後的に行われる。

ただ、特に経済活動の場合は、判例が出るまでの時間やコストなどが、経済主体にとり多大な負担となる。そのため、各経済主体は、行政当局・司法当局による判断に大きな影響を受けると同時に、法適合性が少しでも曖昧な領域の活動を、必要以上に手控える可能性が出てくる。

不良債権を処理する場合や、新たな金融技術の進展によって開発された新しい投資手法を実践しようとする場合、こうした法的な不確実性は特に大きくなる。

前述の通り、商法は限定列挙主義で、商法が想定している手法に当てはまらないと、契約は無効になってしまう。よって、条文上の適法性が明確でない投資契約の有効性は、法務局が「当該契約と商法との整合性」についてどのような判断を下すかで左右される。もちろん、契約当事者が法務局による判断に不服な場合は、裁判所を通じた判断を仰ぐことが可能であるが、そのためには多大な時間とコスト(弁護士費用等)を負担しなくてはならない。このように、行政の裁量の余地は実質的に非常に大きい。

各種税法についても同様のことが言える。一般に、投資契約当事者に対する課税がどのように扱われるかは、投資判断を下すに当たって、非常に重要な要素だ。この税法に関する運用は、税務署等の税務当局が税法を解釈することで決定される。しかし、解釈の基となる税法が、新しいビジネス手法の実態を直接的に反映した内容になっていないため、ここでも課税当局の裁量の余地が大きくなる。

さらに大きな問題は、税務当局等が、「実際に取引が行われた後でのみ、制度上の取り扱いを判断する」という原則に従い実務を行っていることだ。このような運用慣行は、不良債権処理や新しい投資スキームを実施しようとする投資家や企業にとって、事前のリスクを高め、円滑な取引を阻害する要因となっている。

この問題に対する一つの対応策は、不良債権処理や投資契約を行おうとする当事者からの事前の問い合わせに対して、取引の適法性や税の取り扱いなどを「事前に判断して、当事者に知らせる義務」を行政当局に課すことだ。

欧米では、投資契約を組成する際には、当事者が事前に税務当局等に法律上の取り扱いを問い合わせることができる。そうした問い合わせに対し、行政当局の側も、取引に問題がないかどうかの判断を事前に知らせることが一般的だ。そして、事前に行政当局が適法と判断した取引については、取引が行われた後で、取り扱いが変更されることはない、という意味で、行政が契約当事者に示す事前の判断の文書を「ノン・アクション・レター」とよぶ。

日本では、一部の経済官庁において、これと似た役割を果たす事前的な行政指導が行われていた。しかし、そのような行政指導は、法的意味が曖昧なだけでなく、内容が公開されないことなどから、官民間に不透明な関係を持ち込む。

一方、税務部門などその他の行政当局においては、「行政当局は、現実に行われていないことについて、事前の問い合わせに答える義務はない」という、当事者主義的な原則が存在するため、投資家が問い合わせても、行政当局は回答を拒否するのが通常だ。

近年、事前行政から事後行政への移行が叫ばれている。もちろん、裁判官や弁護士の数を増やし、裁判所などを通じた事後判断の時間やコストを軽減する努力も重要である。しかし、多くの経済活動の法適合性を事後的判断あるいは立法に委ねていたのでは、経済を巡る不確実性は増大し、経済活動を萎縮させてしまう。このため、国際的に日々発展していく各種の経済取引について、その法適合性を事前に当事者が知ることができるようなシステムを構築することが必要となる。

こうした観点から、日本の行政当局に対しても、民間からの事前の問い合わせに対して、「ノン・アクション・レター」のような形で対応することを義務づけるべきだろう。

ちなみに、二〇〇〇年九月に金融庁は「ノン・アクション・レター」の導入を定めた。しかし、投資家の投資判断にとってより重要なのは、課税当局と法務局の事前判断である。行政慣行のよりいっそうの改革が期待される。

6節　コーポレート・ガバナンスの回復（問0解題その③）

第4章で議論した様々な問題の根底には、企業と金融機関など外部投資家（利害関係者）との間の「情報の非対称性」がある。

企業の行動が経済的に最適なものから逸脱する結果、経済停滞が引き起こされているのだが、その主たる原因は、第一に企業経営者の行動を投資家や金融機関がコントロールしにくくなっていることであり、第二に企業経営者が倒産を過度に恐れる環境（倒産への社会的制裁や非流動的雇用慣行など）があることだ。

第一の原因を取り除くためには、コーポレート・ガバナンス――企業の利害関係者（ステーク・ホルダー）による企業のコントロール――を再機能させ、「情報の非対称性」を可能な限りなくすことが必要となる。「情報の非対称性」が軽減されれば、企業経営者は投資家などによってより厳格に規律され、利益を度外視してまでも、過度に倒産を回避しようとするインセンティブも持ち続けられなくなる。つまり、第二の原因も除去されるのだ。

コーポレート・ガバナンスを復活させるためには、企業経営を取り巻く制度や社会慣行などの環境条件が変化しなければならない。もちろん、それには非常に長い時間が必要となるだろう。

日米のコーポレート・ガバナンスの歴史

株主による企業コントロールが弱いことや、終身雇用制は日本固有の文化だとよく言われる。しかし、戦前の日本においては、米国以上に株主の力は強かった。また、労働の流動性も米国より激しかった。戦後、資本や社会インフラが過度に欠乏し、資本市場の発展が遅れる中、そういった外部的制約を補正するため、メインバンク制など「日本固有の制度」が発展していった。また、長期にわたった高度成長は、労働力に対する需要超過状態を常態化させ、企業は終身雇用制を採用することで、労働力を確保しようとした。

しかし、戦後期を通じ、コーポレート・ガバナンスが失われていたわけではない。

高度成長期から八〇年代初めまでの間の日本においては、メインバンクが企業の経営を外部からチェックし、適切な経営が行われるようにコントロールしていたと言われる。また、外貨など稀少資源の割当を巡って行政機関が公式・非公式に介入したことも、企業の経営規律を高める機能の一端を担っていたかもしれない（ハーバード大学のマイケル・ポーターと一橋大学の竹内弘高は、官僚による行政指導や規則が、日本企業におけるコーポレート・ガバナンスの中枢を担っていたと述べている（ポーター・竹内［2000］））。

それが八〇年代に入ると、企業の自己資金に余裕が生じ、企業は銀行に頼る必要性がなくなった。このため、銀行によるコントロール機能が低下した。また、規制緩和などが進み、行政によるコントロール機能も低下した。残された規制権限の多くは政治的に既得権化し、企業の規律付けではなく、政官業間の癒着を維持するための手段として時に用いられるようになった。

こうして八〇年代以降、企業経営の規律は著しく低下したが、バブル期には、地価・株価の上昇がコーポレート・ガバナンスの欠如を覆い隠していた。

しかし、バブルが崩壊した後に至っても、メインバンク制に代わるコーポレート・ガバナンスの仕組みは形成されなかった。他方、行政を通じた規律づけに関しては、全体的に弱まっただけでなく、数多くの弊害が生じることが露見した。こうして九〇年代には、一方では、企業規律が弛緩して様々な不祥事が発覚し、また一方では、金融機関の経営困難が経済全体の低迷につながることになった。

現在、米国においては株主によるガバナンスが強力に行われていると言われるが、これも決して、「米国固有の制度・文化」などではない。六〇年代までの米国においては、現在の日本企業と同様、株主の権利は弱く、経営者が実質的にどのような決断をも下せる状況にあった。その時期の米国企業は「経営者の支配する帝国」とも形容された。

その後、七〇年代の長期経済低迷を経て、八〇年代には、徐々に株主の権利を強化する制度改革が行われた。その当時、政府や企業がどのような形のコーポレート・ガバナンスを志向していたかは定かではない。しかし、新しい連邦法の制定、企業の本社が集中するデラウェア州における判例蓄積、ニューヨーク証券取引所のルール改定などを通じ、企業の経営規律を追求してきた結果、「株主資本主義」と呼ばれる現在のシステムができあがった。

機関投資家の受託者責任

米国における一連の重要な変化の中から一つ例を挙げると、機関投資家の受託者責任が強化されたことにより、保険会社や年金基金が、投資先の企業経営を厳しくチェックするようになったことがある。

米国企業でも、生命保険や年金基金などの機関投資家は、かつては「物言わぬ株主」であり、企業経営に与える影響は小さかった。それが八〇年代を通して、判例によって機関投資家の責任が問われるようになった。また、ＥＲＩＳＡ法（Employee Retirement Income Security Act 労働者退職収入保障法）などの法律制定によっても、機関投資家の受託者責任が強化された。

例えばＥＲＩＳＡ法は、企業年金の運用を委託された投資機関などが、株に投資する場合に、「受託者責任（fudiciary duty）」とは、資金運用を託された保険会社や年金基金が、個人受益者の代理人として、収益の最大化を実現するためにあらゆる努力を払う義務を負うことである。

「投資対象企業の経営に株主としての議決権を適切に行使して関与することで、年金の受益者の利益を最大化する」義務があることを定めている。八八年に米国労働省が発出したＥＲＩＳＡ法の解釈の中で「議決権の適切な行使も受託者責任に帰属する」と述べたことから、この認識が広がった。

その結果、企業年金の受託者は、投資先の企業の経営に株主として積極的に関与すべきことが求められるようになり、米国におけるコーポレート・ガバナンスが強化されたと言われる。

日本において、現行制度では機関投資家の受託者責任は非常に曖昧である。よって、企業の経営規律を高める一つの方法として、機関投資家の受託者責任の強化は重要な一歩となりうるだろう。

日本におけるコーポレート・ガバナンスは、必ずしも、米国型の「株主資本主義」になる必要はない。ただ、九〇年代を通じ、それまでは考えられなかったような数々の経営規律の乱れが露見した。こうした状況において、コーポレート・ガバナンスを強化し、経営規律を引き締めるべき、という点について国民の間に異論はないだろう。幸い、コーポレート・ガバナンスを強化するための各種提言が、経済学者や経営学者などによりすでに数多く提示されている。よって、あるべき「コーポレート・ガバナンスのかたち」について一定のコンセンサスを醸成した上、その実現のために必要な各種の制度・枠組みを早急に整えることが望まれる。

まとめ——問O解題

O

不良債権処理を遅らせてきた各種の要因（企業金融手法の未発達、不明朗な会計基準、コーポレート・ガバナンスの不備）を除去するための具体的処方箋としてはどのようなものがあるか？

企業金融手法の未発達は、企業を過度にリスク回避的にさせる一因となっている。また、企業会計や行政手続きの不透明さは、企業活動に不確実性を増大させ、企業の設備投資を必要以上に萎縮させている。さらに、バブル期以降のコーポレート・ガバナンスの欠如は、企業経営者のモラル・ハザードを許容してきた。

ここでは、これらの要因を除去する方策について簡単に見ていく。

●企業金融手法の整備

企業金融については、現行商法において原則禁止の「限定列挙主義」で規定されている。このため、新たな投資手法が商法上、実行できない場合が多い。さらに、商法に明確に違反しないようなケースについても、適法性の判断に関する行政や裁判所の運用・解釈の予測可能性が低く、かつ、過度に保守的なため、新しい投資手法がなかなか普及しない。今後は、企業金融の技術進歩に企業が柔軟に対応できるよう、商法の制度的・運用的な改善が望まれる。

また、現行の倒産法制では、債権者や優先株主間の優先劣後関係が倒産時に保存されない。よって、倒産リスクが大きい企業に対する投資の不確実性が高くなり、そうした企業の資金調達が阻害されている。この点についても、早急な改善が必要だ。

●企業会計と行政手続の透明化

企業会計や行政手続の運用をガラス張りにして、経済活動に伴う不確実性を減らすことが、設備投資等を回復させる上で有益である。

企業会計の信頼回復のためには、会計基準を厳格に運用することに加え、減損会計の早期導入、国際標準よりもさらに厳格な運用ルールの導入などを行うべきだ。一方、こうした監査基準の転換期において、公認会計士や監査役の責任範囲を明確化することも、彼らの活動を過度に萎縮させないようにするために必要となる。

また、国際的に多様化する各種の取引形式が、商法や税法上どのように扱われるかは、企業活動に大きな影響を与える。こうした取引形式の法的位置づけについて、税務部門など行政当局が事後的にしか判断しない場合、企業活動の予測可能性を著しく低め、経済活動を必要以上に萎縮させる。よって行政当局に「ノン・アクション・レター」による事前の判断表明を義務づけるべきだ。

●コーポレート・ガバナンスの回復

経営者と投資家との間に「情報の非対称性」が存在するため、投資家による企業経営者に対する規律付けが弱まり、また、問題先送り的な企業経営者の行動が是認される。

これらを解消するためには、コーポレート・ガバナンスを徹底させ、企業経営を効率化する必要がある。そのためには、例えば、機関投資家の受託者責任を強化し、機関投資家が投資先企業の経営に株主として積極的に関与するようにすべきだ。

第6章

これからの十年

四つのシナリオ

第3章と第4章では、日本経済が長期低迷に陥っている根本要因――「バランスシートの罠」――を理論的に分析した。また、第5章では、その罠から日本経済が脱出するために必要となる各種方策について、簡単に概観した。

本章では、前章までの分析を基に、想定しうる政策パターンごとに、今後の日本経済の行方を大胆に占ってみようと思う。したがって、本章の内容は、第4章までの事実解明的（positive）な分析とは次元を異にするものだ。ただ、第4章までの理論的・実証的分析を根拠としている点で、規範的（normative）な、あるいは、将来予測的な内容に特化した類書とも異なる。

本章において中心となる命題は、日本経済が「バランスシートの罠」から抜け出せるか、という点である。日本経済が「バランスシートの罠」に陥っている原因についてはすでに分析した。それらの原因を、政策的に取り除けるか否かによって、日本経済が辿る道筋は異なってくる。

ここでは、政策的に採用しうる四つの戦略を挙げ、それらが「バランスシートの罠」に対していかに作用していくかについて、それぞれの戦略に内在するリスクとともに検討していく。

なお、次の四つの戦略のうち、戦略Ⅳが第5章で論じた政策セットを採用した場合のものである。本章を通じ、戦略Ⅳが最も望ましい戦略であることが示される。

第6章の問

日本経済が陥っている「バランスシートの罠」から脱出するためには、政府は以下の四つの戦略を採用することが可能である。それぞれの戦略について、内在するリスクと予想される帰結としてはどのようなものが考えられるか。

戦略Ⅰ：現状維持の持久戦
戦略Ⅱ：調整インフレ政策
戦略Ⅲ：バンク・ホリデーによる強制的不良債権処理
戦略Ⅳ：市場メカニズムによるバランスシート調整

1節　戦略Ⅰ：現状維持の持久戦

一九九九年以降、日本経済は小康状態に入り、不良債権問題も以前ほど世間の注目を集めなくなった。大手の金融機関の合併統合が相次ぎ、大手銀行の不良債権処理は一服したとの見方も強かった。だが、二〇〇〇年には大手デパートそごうの破綻を皮切りに大型の不良債権問題が再び顕在化した。さらに、地方銀行など中小の金融機関については、依然として手のつけられていない不良債権が多いと言われる。すなわち、日本経済は小康状態にはあるものの、そこに内包される問題の解決には一向に目途が立っていない状態が続いている。

それにもかかわらず、二〇〇一年初めの現在、日本経済が抱える問題を根本的に解決しようという動きは鈍い。ここでは、現在のように何ら不良債権問題などに抜本的対応を打たないまま、政策的対応を先送りしていった場合に考えられるリスクやシナリオについて検討する。

1　僥倖頼みの持久戦

現在の戦略は簡単に説明すれば、小出しの財政政策と超低金利政策の持続によって総需要を下支えしている間に、銀行が自主的に不良債権処理を進めるのを待ち、それによって「バランスシートの罠」から脱却することを目指そう、というものだ。

つまりこの戦略は、ケインズ的な総需要管理政策の延長線上に位置づけられる。ただ、この戦略の下では、不良債権処理は銀行の各年ごとの収益の範囲内でしか行われない。このため、地価や株価の下落が続けば、銀行による不良債権処理は遅れることになる。また、日本経済は長期的に低成長トレンドを描くことになる。

以前に述べたように、ケインズ政策はあくまで短期的、かつ対症療法的なものとして想定されていた。しかし、「バランスシートの罠」のような構造的問題が存在する場合、短期的対策では経済回復は望めなくなる。ケインズ政策によって構造的問題（とりわけ不良債権問題）が治癒されるかは保証の限りではないからだ。その結果、ケインズ政策は、自らが想定していない持久戦へと追い込まれてしまう。そして、日本経済は長期的な低成長を甘受しなければならなくなるのだ。

なお、「持久戦」を主張する論者は、無意識のうちに、「現状維持を図っている間に、ＩＴ革命や、地価や株価の反転急騰などの『神風』が吹き、思いもよらない形で、日本経済の難問が消えてなくなる」という願望を抱いているように思われる。現在採られている対症療法的な政策によって、日本経済の構造的問題が解決されるという保証はないからだ。だが、バブル崩壊直後はともかく、これだけ地価や株価の低迷が続いている状況で、そのような願望は正当化されるのだろうか。

以上のような問題点に加え、この持久戦略には、以下に述べるような三つの大きな欠陥がある。

2 持久戦戦略の三つの欠陥

「先送り」による問題悪化

第2章でも論じたように、総需要を下支えするだけでは、経済の自律的成長が達成できるという保証はない。さらに、第4章で検討した「バランスシートの罠」が経済を持続的に低迷させているならば、理論的にも、現状維持の持久戦は経済の回復をもたらさない。

つまり、「バランスシートの罠」などの構造的要因が存在する限り、財政政策やゼロ金利政策を実行している間はよいが、それを止めた途端に景気が落ち込むという体質から、日本経済は抜け出せないのである。なぜなら、第4章で見たように、現在の日本経済の状況は、「バランスシートの罠」に陥っている状態こそが均衡状態だからである。したがって、財政金融政策で一時的に脱均衡状態を創り出しても、それらの効力が失われるとともに均衡状態――「バランスシートの罠」――に逆戻りしてしまうというわけだ。こうした「財政支出による経済の一時的回復」→「財政支出抑制による経済の落ち込み」という循環は、九〇年代を通じて繰り返されてきた。

さらに、ケインズ的な総需要喚起策は思わぬ弊害をも引き起こす。

需要刺激によって総需要を下支えし続けると、「いずれ政府が助けてくれる」という期待が金融機関や企業の間に生まれ、それらの主体が緊張感を失うことになる。すると、当初期待されていた不良債権処理さえ再び先送りされる可能性が出てくる。その場合、ますます「バランスシートの罠」が深刻になり、経済構造は劣化する。

また、政治経済的にも、需要刺激によって経済が表面的に一時回復すると、強権的で外科手術的な政策を、政府は打ち出しにくくなる。危機が伴っている時にのみ、国民の負担や、政治的・行政的妥協を伴うような改革案が合意を得られやすいという傾向は、九〇年代後半期に多々見られた。一方、企業内においても、「危機的意識の共有」があって初めて、企業は大改革を行うことができると言われる(Kotter〔1996〕)。したがって、政府の財政支出が、バランスシートが毀損した産業・企業に対し重点的に行われれば、そうした産業・企業に対する政府支援への「期待」が経営者・融資者などにより形成され、改革は先延ばしされ、「バランスシートの罠」は深刻化する。

つまり、持久戦を続ければ続けるほど、「バランスシートの罠」が深刻化し、経済の体力が低下し、経済回復の見込みが低くなる可能性があるのだ。

財政破綻の危険

ケインズ的な総需要管理政策は、財政政策の出動を通じ、政府財政に多大な負担を強いる。実際、公的債務残高は二〇〇一年度末にはGDPの一三〇%を超えようとしている。このため、財政政策はもう限界だと考える論者は多い。

こうした状況にもかかわらず、財政問題が顕在化していないのは、いまだに国債価格が下落していないからである。ただそれは、投資家が、金利の先高感や政府財政への信頼を共有しているためではなく、他に投資する対象がないために、やむを得ず国債を買い入れているためだと思われる。つまり、現在の日本では、「みんなが国債を買うから自分も国債を買う」というメカニズムで国債価格が上がっており、一種の「債券バブル」が発生しているのだ。

こういう状況下において、国債市場への投資家たちが「これだけ国が借金をしているのに、国債の値段が高いのはおかしい」という（合理性のある）考えを共有するようになれば、日本の国債は暴落する。

八〇年代末のバブルの時代には、初期の段階で金融政策を多少引き締めても株式市場や土地市場は反応しなかった。しかし、金融引き締めがある点を超えた段階で、株式・土地市場の収縮スパイラルが急速に始まった。この経験からもわかるとおり、債券バブルの真っただ中においては、国債の発行量が多少増えても、国債価格は反応しないだろう。しかし、ある臨界点を超えて国債の量が増えたときには、国債価格が急落する可能性が出てくる。その場合、国債利回りおよび長期金利は急上昇するはずだ。

それでは、「臨界点」はどこにあるのだろうか。一説によれば、過去の海外における財政破綻の事例などからすると、「国の税収から地方交付税交付金を控除した純税収が、公債金収入（国債発行による収入）を下回る時」に長期金利の急騰がはじまるという。二〇〇二年度には当初予算において、税収から地方交付金を差し引いたものが公債金収入を下回ることになるため、日本経済はこの臨界点に到達する。このため、「二〇〇二年度からは長期金利が加速度的に上昇する可能性がある」という予想も生まれてくる。

また、京都大学の吉田和男は財政破綻シナリオと財政再建シナリオを比較し、「二〇〇五年度まではどのシナリオでも、政府債務残高や長期金利に大差ないが、その後は急速に差が拡大する」と指摘している（吉田［2000］）。

こうした環境下において財政拡大を続ければ、国債市場は、「臨界点をいつ超えるか分からない」というリスクを常に抱えることになる。すなわち、市場参加者が一斉に「日本は財政破綻のリスクがある」と考えるようになれば、実際に財政破綻が起こらなくても、長期金利が暴騰し国債価格は暴落してしまうのだ。その結果、財政破綻と同じ破滅的な混乱が日本経済に自己実現的に生じる。

金融政策の限界

九九年二月から二〇〇〇年八月にかけて、日本銀行は短期金利を〇％で維持した。二〇〇〇年八月に短期金利はわずかに引き上げられたが、依然として、歴史上類を見ない超低金利状態が続いている。

通常の意味において、金融政策とは、日本銀行が短期金利を操作することを通じて行われる。つまり、金利を操作することによって、日銀は、市場に流通するマネーの総量を操作することが可能になるのだ。

ところが、短期金利が〇％、あるいは限りなく〇％に近い状態では、金融を緩和させる必要が生じたとしても、名目金利はマイナスの値にはできない。したがって、実質金利をマイナスの値にすることは、インフレを意図的に起こさない限り不可能になる。つまり今後、日本経済に何らかのショックが発生し、金融を緩和すべき状況になったとしても、金利が下げられない以上、金融政策的には何ら対応する手だてがないのである。

3　すでに吹いている(た)「神風」

ここで最近までの日本経済を取り巻く環境に注目すると、九〇年代後半期に比べれば、かなりの好条件が重なっていたと言えよう。

まず、鈍化傾向を見せているとはいえ、米国の力強い消費により、日本の外需も下支えされている。また、九五年頃の超円高に比べれば、為替レートも落ち着いている。さらに、長期金利は低く抑えられている。

ただ、一時は好調に回復傾向を見せていた株価は、二〇〇〇年四月以降、再び下落している。米国経済の先行きに対する懸念も高まっている。すなわち、日本経済を取り巻く環境が、今後も継続、あるいは向上していくという保証はない。

二〇〇〇年前半まで、株価の回復や総需要の安定をもたらしていたのは、外需などの実体経済面の環境や財政金融政策の効果に加え、グローバル資本市場の影響によるところが大きい。米国株の価格に飽和感が出始めた中、九九年春以降、米国の金融機関や投資家は、「日本株は割安だ」と判断した。この結果、多くの外資系金融機関は、自社の資産運用部門に加え、海外投資家に「日本株買い」を推奨した。これが、海外の投資資金の流入をもたらし、日本の株価回復を支えた。

(注)より厳密には、二〇〇〇年前後のグローバルな資金の流れは次のようなものである。米国では消費や投資が旺盛なため、生産が追いつかず、海外からの輸入に依存する構造になっている。したがって、米国の実体経済は必然的に輸入超過となり、膨大な経常赤字が発生している。

この赤字をファイナンスするため、米国は資本輸入をしなければならない。それは主として、欧州からの対米投資によって賄われる。その米国における余剰資金が、日本の株式市場に投資されているわけだ。

つまり、簡略化していえば、日本の預金者や投資家の資金が、いったん欧州に投資され、それが欧州から米国に投資され、さらにその一部が海外の金融機関や投資ファンドを通じて日本に還流する構造になっているのである。

公開株式市場の外でも、海外投資家は日本への投資を進めている。例えば、最近では、様々な外資系の投資ファンドが豊富な資金を調達し、積極的に日本における投資対象を探している。これらの投資ファンドは、プライベート・エクイティ・ファンド（ＰＥファンド）と総称されるもので、主として株式を上場していない未公開企業に投融資を行う。ＰＥファンドにもいくつかの類型があり、草創期の段階にある企業――いわゆるベンチャー企業――に投資するベンチャー・キャピタル型のファンド（シュローダー・ベンチャーズ、ウォーバーグ・ピンカスなど）、大企業の事業部門や企業自体を買い取って独立させるM&A型のファンド（GEエクイティー、リップルウッドなど）、経営破綻企業への投資や不良債権の買い取りを行うスペシャル・オポチュニティ投資型のファンド（ムーア・キャピタル、サーベラス、ロスチャイルドなど）などがある。

こうした海外投資家の参入によって、ベンチャー企業の活動や既存企業のリストラは、資金面で非常に有利な状況におかれている。このような好条件が三重、四重に重なった現状は、すでに「神風」が吹いている（た）と言えるのではないだろうか。だが、二〇〇〇年中盤以降の株価の落ち込みや、米国経済の先行きに対する不安などに示されるように、こうした環境はすでに翳りを見せつつあり、今後も持続するという保証はない。

PEファンドの進出にしても、日本経済にこれから大きな構造改革が起きると見込んでのものだ。だが、外資系PEファンドの関係者などによると、彼らは現段階（二〇〇一年初め）において、十分な投資先を見つけることができていない。株式の持ち合い制や終身雇用制などの日本的慣行が、いまだに根強く残っているからだという。さらに、これから三年以内に日本経済に大きな変化がなければ、彼らの多くは失望して日本から引き揚げてしまうと言われる。

以上見たように、持久戦戦略の論者が頼みとする「神風」はすでに吹いており、これ以上強力な「神風」が吹く可能性は決して高くない。こうした状況で持久戦を選択し経済の回復が遅れると、日本の市場は海外の投資家などから見向きもされなくなる恐れがある。つまり、すでに吹いている「神風」は止んでしまうのである。これが、持久戦を選択することの大きなリスクの一つである。

4　これからのリスク

以下では、持久戦戦略を採った場合に、それが潜在的に内包するリスクを挙げる。その中には、例えば円高リスクのように、顕在化する可能性が決して高くないと考えられるものも含まれている。しかし、持久戦戦略の是非を考える際には、そのようなリスクも全て考慮しておくべきであろう。

米国バブルの崩壊

米国経済を支えているのは好調な株式市場だ。ここ数年、米国の貯蓄率は〇％前後で推移しており、米国市民は所得のほぼ一〇〇％を消費していることになる。このような異常と言えるほど旺盛な消費を支えているのは、株高による資産効果だ。

しかし、米国の株式市場については、九〇年代後半以降、「バブルに陥ったのではないか」という疑義を表する論者が多い。実際、株価形成の有力な指標である株価収益率（P／E ratio）の平均値は、この時期合理的理由もなく増大している。さらに、ネットスケープ・コミュニケーションズやアマゾン・ドット・コムに代表されるように、一度も利益を上げたことがないため株価収益率の算定さえ不可能な会社の株式が、一時的にせよ異常な高値をつけた。（なお、将来利益を考慮に入れたDCF法を使った経営学者の試算によっても、それらの「ネット企業」の株価の異常さは示されていた。）このように、情報技術（IT、Information Technology）関連銘柄については、多くの識者がバブルの可能性を指摘してきた。

二〇〇〇年三月を境に、情報技術関連銘柄の多くが取引されるナスダックは、大幅に下落した。一方、大企業中心のＮＹＳＥ平均株価は、一九九九年春以降、おおむね横這い状態が続いている。こうした状態を捉え、すでにバブルは崩壊したと理解する向きもあるが、依然として米国の株価水準は高く、より一層の調整の余地もあると考えるべきだろう。

今後、米国株式市場のＩＴバブルが完全に崩壊すれば、米国の消費や投資は激減する。そうなると、米国経済への依存度が高いアジア地域が打撃を受け、日本にとっても深刻な外需不足に陥る可能性がある。

さらに、米国の投資資金が引き揚げられれば、日本株も米国につられて下落する可能性もある。その場合は、再び金融機関や企業の資金制約が厳しくなり、九七～九八年の金融危機が再発しかねない。

持久戦法によって日本経済の回復が長引けば長引くほど、今後の米国株式市場の動向は大きな不安定要因となるだろう。

円高の昂進

日本の輸出企業の採算ラインは一ドル＝一〇〇円の為替相場だと言われている。このラインを超えて円高が進めば、輸出産業が大きな打撃を受け、それをきっかけに日本経済が再び落ち込む可能性がある。

それでは、一ドル＝一〇〇円以上の円高が進む可能性は果たしてあるのだろうか？　為替相場の決定メカニズムについては、経済学者によって数多くの仮説が提示されているが、決定的なものは存在しない。ただ最近では、金融市場参加者の期待形成によって為替相場が決定される度合いが強くなってきたと言われる。例えば九五年の超円高は、日本経済の回復期待が高まったことによって生じた、と理解することが可能である。

もし今後、日本経済の回復期待が過剰に高まり、円高が急に進行するようなことになれば、輸出産業を中心にして、日本経済は大きな悪影響を受けるだろう。しかし、その際に財政金融政策によって需要刺激を行おうとしても、前述のとおり、政策発動の余地は極めて限られている。

長期金利の高騰

相次ぐ財政政策の発動の結果、大量の国債が発行され、膨大な量の国債が市場で取引されている。二〇〇〇年の時点では、国債の需給状況は表面的に安定しているが、国債価格の安定性については、潜在的にいくつかのリスクが存在する。

まず、今後さらに財政政策が発動され、大量の国債が発行されれば、前述のように、国債価格の暴落（すなわち、長期金利の暴騰）を招く「臨界点」を超える危険がある。

さらに、ムーディーズなどの格付け機関によって、日本の国債の格付けがさらに引き下げられる可能性もある。その場合、格付けの引き下げが、市場参加者のマインドに影響を与え、国債暴落の引き金を引く恐れもある。

また、二〇〇〇年度から、郵便貯金の定額貯金が満期を迎え始めている。この資金が、投資信託などを通じ株式市場などに流出すれば、郵便貯金の資金で国債を買い支えるというこれまでの構造が維持できなくなる。これも、国債暴落につながるリスクだ。

その他にも、企業会計において「時価会計」を採用する動きが広がっている。国債の時価評価が一般的になれば、国債を大量に保有する民間金融機関などは、将来の国債価格下落のリスクを明示的に織り込むようになる。すると、そうしたリスクを懸念して民間金融機関等が国債保有を避けるようになり、国債需給が崩れるかもしれない。

　こうしたいくつかのリスクによって国債価格が下落し、長期金利が上昇を始めれば、経済は深刻なデフレ・スパイラルに陥ることになる。そのメカニズムを簡単に見てみよう。

　国債価格が下落すると、まず初めに、国債を大量保有する金融機関に評価損が発生し、厳しい信用収縮が発生する。さらに、長期金利の上昇と連動して企業の借入金利が上昇し、企業の債務負担が増大する。このような金融機関・借入企業双方への影響を通じ、企業の運転・投資資金が不足するようになり、日本経済の総需要が収縮する。その結果、デフレーションが発生し、企業収益がますます悪化して需要がさらに縮小する――こうして、デフレーションがスパイラル的に増幅されるのだ。

　いったん長期金利の上昇が始まってしまうと、景気の悪化をくい止めるための財政政策を発動することも困難になる。なぜなら、公共事業の追加や減税を行えば、市場参加者は「国債発行がさらに増える」と予想し、ますます長期金利が上昇して、企業や金融機関を苦しめるからだ。つまり、長期金利上昇のために需要が縮小するのに対し、需要下支えの財政政策を発動すると、逆に長期金利がますます上昇して経済を苦しめる結果になる。

改革先送りの「失望」による日本売り

　持久戦戦略の最大のリスクは「地価の急上昇や経済の自律的成長のような僥倖が起こらない一方で、改革が先送りされる」というものだ。ただ、地価の急上昇や経済成長が自律的・突発的に回復することの方が確率が低いと考えられるため、これはリスクというより、むしろ持久戦戦略によって予測される帰結と考えた方がよいかもしれない。

九九年から二〇〇〇年にかけて、日本の公開株式市場を支えていた大きな勢力は米国勢を中心とする海外投資家である。公開株式市場以外でも、非公開会社に対する外資系投資ファンドが多くの資金を日本にもたらしている。ただ、いくら日本の株式市場の相場が下落したからといって、例えばROEなど株価形成の基盤となる指標を日米間で比較した場合、いまだに日本の株式は割高だという結論になる。それにもかかわらず、海外投資家が日本に積極的に投資しているのは、日本の企業や金融機関のリストラクチャリングが今後急速に進展することを見込んでいるからである。よって今後、もしリストラや改革が進まないことがはっきりすれば、海外投資家は失望して日本から資金を引き揚げる可能性が高い。

こうした「失望による日本売り」が発生すると、株価の下落によって信用収縮が始まり、経済の大きな落ち込みが発生するだろう。この場合も、日本経済はデフレ・スパイラルに陥る可能性が高い。さらにそうした状況で財政政策を発動すれば、先ほど説明したメカニズムを通じ、長期金利急騰を引き起こすリスクが高まることになる。

5　あり得べきシナリオ――途上国型経済破綻

繰り返し述べたように、日本経済は構造的な罠（「バランスシートの罠」）に陥っている。したがって、何ら抜本的な対策を講ずることなしに持久戦を続ける限り、日本経済が「バランスシートの罠」から抜け出すことは難しい。一方、日本経済が、「バランスシートの罠」によって規定された低成長トレンドから抜け出せないまま、現在の「神風」がやんでしまう可能性は高い。

例えば、右で述べた四つのリスクのうちいずれか一つでも発生すれば、財政政策の発動を余儀なくされ、長期金利の上昇（国債価格の下落）が始まるだろう。そうなれば、財政面で打つ手はなくなる。

そうした場合、長期金利の上昇によって総需要は収縮しつづけるだろう。さらに、経済はデフレ・スパイラルの様相を呈し、経済に対する悲観が蔓延することになる。

そのような状況がさらに悪化すれば、日銀はやがて、国債の買い入れを余儀なくされるかもしれない。つまり、国債を日銀が買い入れることで、長期金利の上昇を抑えようというのだ。しかし、日銀による国債の買い入れは、円の先安感をもたらし、その結果、海外への急激な資本逃避が生じる可能性がある。

海外への資本逃避と円の暴落は、より具体的には以下のメカニズムを通じて起こる。——日銀が国債買入を本格化させると、大量のマネー（円貨）が市場に供給される。そのため、市場に「今後、円が際限なく供給される」という予想が生じ、円の先安感が形成される。円の先安感が高まれば、円を売ってドルなどの海外通貨を買う動きが拡がり、海外への資本逃避が始まる。その結果、円が暴落し、日本円に対する信認が失われることになる。

つまりデフレ・スパイラルは、日銀による国債買い入れを契機に「狂乱インフレ」に反転し、長期金利が暴騰する恐れがあるのだ。

日銀による国債買い入れの必要性を主張する論者などは、現在のようにデフレ傾向が強い状況下では、インフレのことを心配する必要はない、と主張する。たしかに、不況でデフレ・スパイラルに陥った経済が「一転してハイパーインフレとなる」という予想は、一見して矛盾するように思えるかもしれない。

しかし、ここで注意すべきなのは、日銀による国債買い入れを契機に、経済取引に使われる流動性が、円からドルに代わってしまうということである。このため、円に関してはハイパーインフレ状態になり、円に代わって流動性を供給するようになるドルに関しては、依然としてデフレ状態が継続する、ということが起こりうるのだ。

このメカニズムを詳しく見れば、以下のようになる。

経済が落ち込みはじめる段階においては、長期金利上昇による「円の不足」が経済主体にとっての「流動性不足」となり、経済活動を萎縮させる。つまり、流動性を供給する円が不足することで、経済活動が落ち込むのである。これが、デフレ・スパイラルだ。

しかし、今後本格的な景気後退が起こった場合、財政政策の発動は長期金利の急上昇を招く可能性があるため、財政政策は使えなくなる。つまり、公的債務がこれほど累積した状態でいったん景気後退が始まると、景気後退、長期金利の上昇、公的債務の増加、の三要素が相乗的に作用し、それぞれの進行を加速化させる可能性が高いのだ。

そうなった場合、円に対する市場の信認が失われ、「円＝流動性」とはみなされなくなる。つまり、市場の信認が失われる結果、経済取引の仲介手段として、円は十分に機能しなくなるのである。その場合、円に代わって市場に流動性を供給するのは、恐らくドルになるだろう。そして、ドルに対する円安が進み、日本経済は「ドル不足（＝流動性不足）」と「円の過剰（＝インフレ）」が並行的に進むことになる。これが、ハイパー・インフレと超円安と流動性不足の同時進行である。

要するに、デフレ・スパイラルがインフレに反転しても、流動性をもたらすドルが市場に不足している点においては、デフレ時と変わらない。したがって、経済活動が収縮した状態のまま、（円の）インフレが進行するのだ。

こうしてハイパー・インフレと円の暴落が同時進行すれば、経済は機能不全に陥る。これは、九八年にインドネシアで発生したのと同様の途上国型の経済破綻だ。

このような途上国型の経済破綻は、計り知れない損失をもたらした後に、円がドルに対して大幅に減価したところで安定するだろう。その時点で、円と日本株に対する割安感が再び広がり、海外からの投資資金が流入して経済は安定する。

一方、インフレによって金融資産の価値が減り、負債の実質残高も減少する。多くの企業や金融機関が破綻し、インフレが鎮まる頃には、不良債権の残高は非常に小さくなっているはずだ。さらに、公的債務の実質残高も小さくなっているだろう（いわゆる「インフレ課税」の効果）。その結果、日本経済は「バランスシートの罠」を脱し、ようやく安定した成長軌道を回復するかもしれない。

しかし、その一連の過程で失われるものはあまりに大きい。多くの企業や個人が破産し、失業率は急増し、人々は日々の生活にも苦しむことになるだろう。また、経済が再び安定した段階においても、日本国民の平均的な生活水準は現在よりもかなり引き下げられることになる。

まとめ――解題（戦略Ｉ）

戦略Ｉ：現状維持の持久戦――内在するリスクと予想されるシナリオ

●戦略の狙い

ケインズ的な総需要喚起策（積極財政政策・低金利政策）を通じて景気を下支えしている間に、

銀行等が自主的に不良債権処理を進めるのを待ち、「バランスシートの罠」を脱出する。

●内在するリスク

ケインズ政策は、あくまで短期的、かつ対症療法的なものとして想定されている。したがって、地価や株価の自律的急騰など何らかの『神風』が吹かない限り、不良債権問題など構造的問題は治癒されず、日本経済は長期間にわたって低成長を甘受することになる。しかし、そうやって問題が先送りされ、持久戦が続いている間に、日本経済が内包しているいくつかのリスクが顕在化する恐れがある。

まず、相次ぐケインズ的な財政政策の発動により、財政破綻への危機感が投資家の間で共有されるようになると、赤字財政を支えてきた国債が暴落し、長期金利が暴騰する恐れがある。そういう状況で財政政策を発動しても、長期金利はますます高騰するので、財政政策は有効性を失う。他方、現行の超低金利政策の下では、金融緩和の手段は非常に限定される。

また、現在日本経済が小康状態を保っている大きな理由は、外需が好調なことや、海外投資家が日本に積極的に投資していることによるものである。しかし、これ以上問題が先送りされれば、海外の投資家が失望し、一斉に資金を引き揚げる事態も予想される。ROEなど株価形成上目安となる指標から見れば、アメリカ企業などに比べ日本企業の株価は依然としてかなり割高だからである。また、現在の米国経済は、株式市場を中心として一種のバブル状態にあると言われる。そのバブルが破裂し、米国経済が不況に陥れば、日本経済を支えてきた外需は減少し、一方で、米国の投資家は日本市場から資金を引き揚げてしまうかもしれない。そうなると、日本株も下落し、銀行や企業の資金制約は非常に厳しくなるであろう。逆に、日本経済への回復期待が過剰に高まれば、円高が急速に進行し、輸出産業を中心に日本経済が大きな打撃を受ける可能性もある。

●予想されるシナリオ

二〇〇〇年の段階において、日本経済を取り巻く外的環境は非常に良好な状態にあり、すでに『神風』が吹いていると言えないこともない。こうした状況にあるにもかかわらず、持久戦戦略を選択し、問題をさらに先送りすることには非常に大きなリスクが伴う。まず、対症療法的なケインズ的な総需要管理政策を続けても、日本経済が「バランスシートの罠」から抜け出せるという保証はない。むしろ、問題の先送りが続けられる結果、「バランスシートの罠」はさらに深刻化してしまうかもしれない。一方、そうやって持久戦を続けている間に、右に記したような潜在的リスクの一つでも顕在化すれば、日本経済は深刻なデフレ・スパイラルに落ち込む可能性がある。

例えば、財政発動を起点として長期金利が上昇した場合、国債価格は下落し、財政面で政府は手を縛られる。長期金利の上昇に伴い、総需要はさらに収縮する。そういう状況を打破するために日銀がやむをえず国債買入を行えば、円に対する市場の信認が失われ、市場に対する流動性供給機能は、円からドルに突如移行してしまう。その結果、デフレ・スパイラルは（円建の）ハイパー・インフレに反転し、「円の過剰（＝インフレ）」と「ドルの不足（＝流動性不足）」が同時進行することになる。こうして流動性不足による総需要の収縮が続き、ハイパー・インフレと円の暴落が同時進行すれば、九八年のインドネシア経済と似たようなパターンをたどり、日本経済は完全に破綻する。

一方、このようなリスクが発生せずに、仮に持久戦戦略が成功したとしても、何らかの奇跡が起こらない限り、日本経済は長期間にわたる低成長を甘受しなければならないことになる。

2節　戦略II：調整インフレ政策の誘惑

九八年二月にMIT（当時）のポール・クルーグマンは、「日本経済は実質ゼロ金利にもかかわらず、需要が供給より小さくなっている。インフレーションを人為的に発生させ、金利を低く抑えれば実質金利はマイナスにできるので、消費や投資を刺激することができる」という調整インフレ論を提案した。

この提案は、日本で大きな反響を呼び起こした。「日本経済の回復のために調整インフレは有効か」という議論に加え、日銀の金融政策の手法として「インフレーション・ターゲットを設定すべきか」という論点も絡んで、調整インフレを巡る議論は複雑化した。現在でも、経済学者や政策当局者、政治家などを巻き込んで、この調整インフレ論に関する議論が盛んに展開されている。

第2章などで論じたように、このクルーグマンの論理には、いくつかの問題点がある。だが、ここで重要なことは、そうした多くの問題点にもかかわらず、なぜ、調整インフレ論がこれほど日本の識者の注目を集めたのか、という点だ。

調整インフレ政策が、その本来の目的であるはずの日本経済の回復をもたらすか否かという点については、理論的・政策的に様々な疑問点が存在する。だが、その本来的な目的達成の有無にかかわらず、調整インフレ政策は、日本経済に一つの確実な効果をもたらすだろう。それは、「インフレによって既存債務残高の実質価値が下がる」というインフレ課税の効果だ。

この点を加味すると、調整インフレ積極論者の一つの狙いは、「インフレによって公的債務や不良債権問題（＝民間の過剰債務問題）を解消する」ということにあったとも考えられる。つまり、インフレを人為的に引き起こすことを通じ、公的債務問題や、不良債権問題を一気に解決してしまおう、という野心的な狙いがあったからこそ、調整インフレ論は予想外に幅広い支持を集めた可能性がある。

以下では、こうした点を視野に入れつつ、調整インフレによる経済回復の戦略を概観しよう。

1　調整インフレによる経済回復のシナリオ

一般的に理解されている調整インフレ政策は、「中央銀行が市場操作を行って、三％程度の緩やかなインフレを維持する一方、名目金利を低く抑えることによって、実質金利をマイナスにする」というものだ。

この政策の実行可能性などについては次項で検討するが、仮にこの政策が実現できたとすると、次のような効果が期待できる。

①　実質金利がマイナスになれば、消費と投資を喚起できる。

②　インフレによって公的債務と民間債務の実質残高が減少し、国や企業の債務負担が減少する。

①の効果は、当初クルーグマンが主張したポイントである。もし金利をマイナスにすることで総需要

を拡大できるならば、調整インフレ政策により需給ギャップ（供給過剰）が解消し、日本経済が再び景気後退に陥ることを防ぐことができる。

一方、②の効果は、民間部門と公的部門に影響を及ぼす。まず、インフレによって民間債務の実質残高が減少すれば、第3章や第4章で検討したデット・オーバーハング効果や「バランスシートの罠」も解消するはずである。その結果、第4章7節で見たように、日本経済は停滞均衡を抜け出して、高成長のトレンドに復帰する可能性がある。また、九〇年代を通じて累積した公的債務が、調整インフレを通じ実質的に減れば、財政再建を巡る困難な改革を行わなくても、財政問題は解決してしまうのである。

現実経済においても、第二次大戦後に悪性インフレが発生した際に、②の効果は機能したことがある。第二次大戦中、膨大な軍需を賄うため、政府は巨額の公債を日銀引受で発行した。その結果として日本経済には、過剰流動性が潜在的に蓄積されていったが、国民が戦争遂行のため勤倹耐乏の生活を続けたため、戦時中はインフレが発生しなかった。

それが終戦を契機に、流通している物資の量に比べてマネーの量が多すぎる「過剰流動性」が顕在化し、日本経済には悪性のインフレが発生した。

卸売物価でみると、昭和二一年には戦前の約一六倍、昭和三〇年には戦前の実に六〇〇倍にまで物価が高騰した。こうした悪性インフレを抑えるために、「新円切替」や「預金封鎖」など、強権的な措置がとられ、ようやく悪性インフレは鎮静化し、経済は安定した。

この悪性インフレは、経済に思わぬ副作用を及ぼした。これが、②の効果である。つまり、このインフレを通じ、軍部関連の公的債務や企業債務が大幅に軽減されたのである。こうして、戦後のインフレによって、国や企業の財政状態は健全化に向かった。

調整インフレ論は、このような戦争直後の経験を、より緩やかなスピードで再現しようとする考え方だ。すなわち、インフレで総需要を下支えしつつ（①の効果）、国と企業の財政状態を健全化すれば（②の効果）、再び日本経済は成長軌道に戻るだろう、というのが調整インフレ論者の描く真のシナリオである。

以上から明らかなように、調整インフレ論には、ケインズ型の総需要管理策や供給サイドの構造改革論を越えた魅力がある。それがシナリオ通りに運べば、短期的な需給ギャップだけでなく、第4章で見た「バランスシートの罠」をも解消させる可能性があるからだ。だが、調整インフレ論には様々な落とし穴やリスクも存在する。以下では、そうした点を見ていく。

2　調整インフレ論の落とし穴

インフレの逆資産効果

調整インフレ論に関する第一の問題点は、インフレが発生することにより金融資産の実質価値も下がる、という「インフレ課税」が生じてしまう点だ。

インフレにより預金など金融資産の元本の価値が下がると、金融資産所有者の資産は減少し、「逆資産効果」が発生する。つまりインフレは、金融資産所有者の資産に課税するのと実質的に同等の効果を有する。これが「インフレ課税」だ。

こうした「インフレ課税」は、金融資産所有者の消費意欲を低減させる。これまでの消費に関する研究では、資産効果（資産の増減によって消費が増減する効果）よりも、所得効果（日々の所得の増減によって消費が増減する効果）の方が、個人消費の動向に与える影響が大きいことが示されてきた。しかし、三％もの継続的なインフレによって資産価値が減少する場合に、逆資産効果によってどの程度消費が減少するかは、明確には予想できない。

クルーグマンなどが主張するように、実質金利がマイナスになれば、企業や個人の消費・投資意欲は一面において向上するだろう。しかし同時に、金融資産を保有する個人や企業は、インフレによる逆資産効果を受ける。ここで、逆資産効果を通じた企業や個人による消費・投資の減少が、実質金利がマイナスになることによる消費・投資の拡大を上回れば、消費や投資は全体として縮小してしまうかもしれない。つまり、調整インフレ政策は二つの相反する効果――実質金利がマイナスになることによる需要拡大効果と、逆資産効果あるいはインフレ課税を通じた需要縮小効果――を同時に発生させるため、需要を全体として拡大するとは一概に言えないのだ。

以上から明らかなように、調整インフレを発生させることにたとえ成功したとしても、全体として総需要を下支えする効果（①の効果）が実際に起こるとは言い切れない。これが、調整インフレ論の第一の落とし穴だ。

また、調整インフレを通じた「インフレ課税」は、公平性の問題も引き起こす。インフレは、個人預金者や年金生活者の金融資産を減価させて、彼らの生活の負担を大きくする一方、多額の債務を抱えた国や企業の負担を軽くする効果があるからだ。このように、堅実に貯蓄を行ってきた者の資産を減価させ、借金経営をしてきた者の負担を減らすような政策の是非については、公平性の観点からも当然争いのあるところだろう。

インフレのコントロール能力——戦後の教訓

調整インフレ論は、「中央銀行の操作によって、三％程度の緩やかなインフレを維持し続けることができる」ことを前提としている。だが、インフレが三％を超えて加速度的に進行した場合にどうやって制御するのか——という政策的方法論については、具体的な議論がなされていない。この点に関し、金融政策の当事者である日本銀行は、そもそも調整インフレ論に反対している。これは、日本銀行自身が、「インフレがいったん進みすぎると制御できなくなる」という危惧を抱いていることを示している。

実際にインフレーションが「緩やかなインフレ（三％程度）」を超えて「悪性インフレ」になった場合、制御する方法はあるのだろうか？

参考例として、第二次大戦直後の悪性インフレに対処するために行われた政策を概観しよう。

戦争直後の段階では、軍需関連の債務が累積していた結果、国も企業もバランスシート上は債務超過状態になっていた。軍需関連の支払いは公債の日銀引受で行われたため、日本経済にマネーが溢れ、敗戦直後に悪性のインフレが発生した。この悪性インフレを克服するために、国や企業の負債を「不良債権」として損失処理を行い、過剰流動性を削減する政策が行われた。

第一に、国の債務が切り捨てられた。すなわち、ＧＨＱの指導によって、昭和二一年七月に、戦時補償の打ち切りが行われたのである。これは、企業が戦争協力の見返りに政府から受けていた補償を強制的に打ち切る政策であり、政府が企業に対して負っていた債務を免除することになった。

第二に、国の債務免除に伴って債務超過に陥った企業に対しては、企業に貸付を行っていた金融機関が債権放棄を行うこととなった。

第三に、債権放棄に伴って巨額の損失を出した金融機関については、「封鎖預金」を切り捨てることで預金債務を免除し、金融機関の再編・整理に充当することとなった。なお、「封鎖預金」とは、昭和二一年三月に行われた「新円切替」と「預金封鎖」によって、引き出しを禁じられた預金のことである。

当時、戦争で破綻した国家財政を立て直すために財産税を創設することになり、国民の財産を国が把握するために「新円切替」が行われた。国民は、保有する財産を国に申告し、円貨を「新円」に切り替えて預金することが義務づけられた。さらに、「新円」による預金は、引き出しを禁じられた。このような「預金封鎖」は、悪性インフレを抑えるために講じられた措置で、過剰な流動性を凍結するのが狙いだった。つまり、実質的には、一部の封鎖預金の犠牲によって、金融システムの立て直しが図られることとなったのである。

さらに、富裕な家計に対しては、税率二五%以上の財産税が実施された。このことも、過剰な購買力を減少させ、インフレ圧力を弱める効果をもたらした。

こうした一連の政策によって過剰流動性の削減が図られたが、それでも悪性インフレはなかなか収まらなかった。最終的にインフレが収束したのは、傾斜生産方式等の実施によって実際の生産が回復し、マネーとモノのバランスが回復してからである。

このように、戦争直後の経過をみると、右のような強権的措置が次々に発動されたにもかかわらず、悪性インフレはなかなか終息しなかった。ここで注意しておかなければならないのは、そもそもこうした強権的措置が発動できたのは、占領下という特殊な環境にあったからだ、という点である。したがって現在、戦争直後と同等の悪性インフレが発生すれば、民主主義過程に伴う時間的ロス、政治的対立などを通じ、それを収めるのはさらに困難になるであろう。

二〇〇一年度末には公的債務はＧＤＰの一三〇%を超えると見込まれている。これは、戦争直後の国債発行総額の対GNP比（約一二〇％）を上回る規模だ。こうやって潜在的な過剰流動性が蓄積された状況において悪性インフレが発生した場合、強権的措置を発動することなしにインフレを迅速に制御できる可能性は低い。

そして、インフレがいったん制御できなくなれば、結局は戦略Ｉの悲観的シナリオ――途上国型経済破綻が発生することになる。

名目金利の先行的上昇

調整インフレ論のもう一つの重要な仮定は、「インフレが起きても、中央銀行は金利を低く抑えられる」というものだ。この仮定は、すでに見たインフレのコントロール能力とも関連する。

ここで言う名目金利とは、通常、実質利子率に期待インフレ率（インフレ・プレミアム）を足した値のことを指す。実質利子率は、経済の総需要と総供給が均衡するという条件から決まってくる。ところが、すでに述べたように、クルーグマンは、二〇〇〇年現在の日本では、「実質自然利子率がマイナスになっていて、現在の実質利子率は実質自然利子率を上回っている」と考える。

こうした状態にあるときにインフレが発生すると、名目利子率のインフレ・プレミアムが大きくなっても、実質利子率は、当初マイナスだった実質自然利子率に向かって下落（収束）する。そして、この二つの効果が相殺するため、インフレが起きても名目金利は上がらないということになる。これが、冒頭で述べた仮定の理論的背景だ。

しかし、ここで述べたメカニズムが実際に起きるという保証はない。

まず、インフレが発生しても、「実質利子率がマイナスの値まで下がらない」という可能性が存在する。

この場合、実質金利が下がらずにインフレ・プレミアムが上昇するため、「名目金利」が高くなる。特に、現実のインフレが進まなくても、インフレの「期待」だけが先行すれば、金利のインフレ・プレミアムは大きくなる。すると、緩やかなインフレになっただけでも、名目金利は大きく高騰する可能性がある。

したがって、インフレを人為的に引き起こせば、調整インフレ論者の見込みに反し、名目金利は大きく上昇するかもしれないのだ。

さらに、金利上昇のリスクの高さは、どのような手法でインフレを惹起するか、という点にも関係してくる。超低金利政策が継続している二〇〇一年現在、インフレを発生させようとすれば、日本銀行は国債の大量購入という手法をとらなくてはならない。これは、経済的には「国

コラム6－①　ドーマーの定理と債務の累増

「インフレで国の債務を帳消しにする」という議論は、暗黙のうちに「インフレが起きても、名目の長期金利を、名目の経済成長率よりも低く抑えられる」ということを前提としている。

この前提が成り立てば、国の債務は長期的に縮小するが、それが成り立たない場合、国の債務残高は逆に際限なく累増していく。これは、財政学で有名なドーマーの定理の延長線上にあるロジックである。

ここで、議論の単純化のため、企業の収益率も国の経済成長率にほぼ等しいと見なすと、企業の債務についてもドーマーの定理が当てはまることになる。

現在の日本のように、国と企業の債務残高が大きいと、第4章で見た「バランスシートの罠」の効果によって経済活動が停滞し、名目の成長率（実質成長率にインフレ・プレミアムを足したもの）は低迷し続ける。こうした状況下では、長期金利が相当程度低くならない限り、ドーマーの定理の前提が破られるため、債務は累増することになる。

逆に、長期金利が低くならない状況下で、債務残高の拡大を防止するためには、経済の成長率を高めることが必要になる。ところが、すでに日本の国と企業は巨額の債務を負っているため、「バランスシートの罠」の効果によって、高い経済成長は望めない。

以上から明らかなのは、調整インフレ政策を採ったとしても、長期金利を確実に低く抑える手法がない限り、「インフレで債務を減らして、経済成長を実現する」というシナリオは成立しえないということである。

債の日銀引受」とほぼ同じことを意味する。こうした日銀による国債の大量購入が行われると、市場参加者は、国債とマネー（円通貨）の大量供給を予想するはずだ。そして彼らは、円の下落を予想し、日本国債の価値がドル・ベースで下落すると予想するだろう。その結果、国債が大量に売却され、国債価格の暴落（＝長期金利の急騰）が発生する。

いずれのケースであっても、調整インフレ政策を実施することによって、（インフレ効果が生じる前に）名目金利が先行的に上昇する可能性が出てくる。そのような事態に陥った場合、債務負担の大きい企業や金融機関の経営は圧迫され、経済活動は縮小される。また、現在進んでいる国債の短期化がさらに進めば、金利上昇にともなって、公的債務が累増する可能性もでてくる（コラム6―①を参照）。

このように、名目金利が先行的に上昇すれば、ここでもまた途上国型経済破綻のシナリオが実現してしまうことになる。

3　経済破綻と変わらない調整インフレ・シナリオ

仮に、調整インフレ政策に伴う三つの潜在的リスク――「インフレの逆資産効果」、「インフレの暴走」、「名目金利の先行的上昇」――が回避できたとしよう。その場合、途上国型の経済破綻は避けられるかもしれない。だが、第4章で軽く触れたように、調整インフレ政策によって、日本経済が現在の停滞均衡から脱し、高成長軌道に復帰できるという保証はない。それどころか、調整インフレ政策は深刻な副作用を伴う。以下では、そういった点について見ていく。

国民資産の減価

調整インフレ政策が成功するということは、すなわち、「三％のインフレと低金利」が実現することだ。そうなれば、日本の国富の実質価値が当然減少する。この点はクルーグマンも認めており、「インフレ政策を行えば、日本の国富は二五％減価するだろう」と述べている。

結局、インフレを惹起すれば、国民の資産が相当程度失われることになるのだ。

たしかに、調整インフレ政策が成功すれば、途上国型経済破綻という急激で大きなショックは発生しない。だが、預金者や年金生活者の実質資産価値は長期間にわたって減少し続け、インフレによる不公平の拡大が続く。その結果、経済厚生が低下する度合いの総和は、途上国型破綻と大して変わらなくなるかもしれない。

より具体的に見てみよう。調整インフレによって、日本経済が「バランスシートの罠」から脱却するには、国や企業のバランスシートに累積した過剰債務が相当程度解消されなければならない。しかし、調整インフレによって、債務の実質価値がそこまで減価するには非常に長期間を要する。例えば、公的債務残高の実質価値が九〇年のレベルまで戻るためには、利払い分を無視したとしても、三％のインフレが二〇年以上続かなければならない。企業の不良債権問題についても同様だ。

実際には、長期債務の利払い分は非常に大きい。このため、日本経済が「バランスシートの罠」から抜け出すには、何十年もインフレを続けなければならなくなる。そしてその間、バランスシート問題は未解決のまま継続することになる。つまり、日本経済は、何十年も「バランスシートの罠」に陥ったまま、調整インフレ政策を維持しなくてはならなくなる。

経済活動への撹乱作用

インフレが長期間にわたって継続すると、経済に対し深刻な影響を与えることが実証的に示されている。

ハーバード大学のロバート・バローが過去三〇年間、約一〇〇ヶ国の経済成長データを用いて行った実証研究によると、インフレ率が一%大きくなると、国民一人当たりのGDP成長率は〇・〇三%下がるという(Barro[1995])。その他、多くの経済学者は、インフレが経済活動を阻害することを指摘してきた。

こうしたインフレの弊害について、われわれ日本人は非常に鈍感になっている。実際、ここ二〇年ほど、日本はほとんどインフレを経験してこなかった。八一年度以降で消費者物価指数が三%を超えたのは、八一年度と九〇年度の二回だけだ。

だが、他の先進国においては、三~四%レベルのインフレは八〇年代以降も多発し、インフレが経済にもたらす悪影響が指摘されてきた。

例えば米国においては、インフレーションの「経済撹乱効果」が現実に観測されている。デベルとラモントが、米国の約二〇の都市において、インフレ率と財・サービスの相対価格変動の関連を調べたところ、「インフレ率が高い都市ほど、相対価格の変動が激しい」という結果が導かれた(Debelle and Lamont[1997])。

一般に、インフレが発生した場合、個々の財・サービスの価格はそれぞれ異なったインフレ率で上昇する。さらに、個々の財・サービスのインフレ率は、時々刻々と変化する。その結果、インフレ時には、各種の財・サービスの相対価格が不安定に変動し、経済活動の予測可能性が著しく低下する。この価格体系に対する「撹乱作用」によって、企業活動が停滞するのだ。

調整インフレ政策を採用することによって長期間のインフレが続けば、この「インフレによる経済撹乱」は、日本経済に深刻な悪影響を及ぼすことになるだろう。これは、第3章で議論したデット・オーバーハングの効果や第4章で議論した「バランスシートの罠」に劣らないものになる可能性がある。

調整インフレ政策の長期的帰結

以上見てきたように、三%の長期インフレを実施した場合、バランスシート問題はなかなか解消せず、経済の低迷は続く。さらに、「インフレによる撹乱効果」が、経済の低迷に追い打ちをかける。その結果、国や企業のバランスシートの改善はますます遅れ、調整インフレは一層の長期化を余儀なくされるだろう。

バローの実証分析によれば、三%のインフレが三〇年続いた場合、GDPはインフレによって二%程度縮小することになる。また、「バランスシートの罠」は存在し続け、GDPは低迷する。さらに、(調整インフレ政策が成功し)名目金利がゼロに抑えられたとすると、マイナスの実質金利が長期間続くことになる。これらの影響を総和すれば、三〇年後には日本の国民資産は、実質価値で三割以上も減価してしまう(実質金利をマイナス三%とした場合の試算)。

結局、この調整インフレ・シナリオでは、日本経済が「バランスシートの罠」から完全に抜け出すまでに二〇年から三〇年かかり、その間に、国民の生活水準は大幅に落ち込むことになるのである。

このように、調整インフレ政策が成功し、インフレが長期化すれば、途上国型の経済破綻シナリオのような急激なショックは回避できても、国民は多大な経済的損失を甘受しなければならなくなる。これでは、調整インフレ政策が失敗し、途上国型の経済破綻が生じた場合と、どちらが日本経済にとって良いのかさえ分からなくなる。

まとめ――解題（戦略II）

戦略II：調整インフレ政策――内在するリスクと予想されるシナリオ

●戦略の狙い

日銀の市場操作を通じて政策的にインフレを起こし、マイナスの実質金利を実現する。マイナスの実質金利で消費と投資を喚起し、需給ギャップを解消すると同時に、インフレで公的債務と民間債務の実質残高を減少させて、財政再建と不良債権処理を行う。

●内在するリスク

調整インフレ政策を通じ、金融資産の保有者は、実質的に課税されるのと同等の影響を受ける（「インフレ課税」）。こうした「インフレ課税」による逆資産効果（需要収縮効果）が、実質金利がマイナスになることによる消費・投資の拡大（需要拡大効果）を上回れば、総需要は拡大せず、需給ギャップは縮まらない。

また、調整インフレ政策を実施しても、名目金利が（インフレが実現する前に）先行的に上昇した場合、企業や金融機関は資金難に直面し、経済活動は縮小してしまう。その場合、国債が暴落し、公的債務がさらに膨張する恐れもある。

現在の公的債務残高は、対GDP比で終戦当時の規模に匹敵する。過去の経験に鑑みれば、政府（中央銀行）がインフレを適切なレベルでコントロールすることには、非常な困難が伴うことが予想される。そして、インフレがいったん制御不能になれば、ハイパー・インフレと円の暴落とが並行的に起こる途上国型の破綻が生じる可能性がある。

●予想されるシナリオ

右の三つのリスクのいずれかが具現すれば、調整インフレ政策は所期の狙いを達成することができない。それどころか、途上国型の破綻を惹起する可能性すらある。

また、もし仮にいずれのリスクも回避できたとしても、この戦略がもたらす結果は決して明るいものではない。まず、国や企業のバランスシートから不良債権（過剰債務）を解消するためには、数十年にもわたって三％程度のインフレを維持しなくてはならない。その間、国民資産の実質価値は減価し、三十年後には現在の水準に比べ大幅に落ち込んでしまう。また、インフレによる「撹乱効果」により、一人当たりのGDPも減少する。

このように、調整インフレ政策は、それがたとえ成功したとしても、インフレが長期間続くことにより、国民は多大な経済的損失を被ることになる。

3節　戦略III：バンク・ホリデーによる強制的不良債権処理

大手都銀の連鎖倒産が懸念されるようになった九八年頃には、「全銀行を一時的に国有化し、株主資本の減資と一律の預金カット（長期無利子国債への転換）により不良債権を処理すべきだ」という革新的な意見が一部で主張されるようになった（中前［1998］、中前・マクレイ［1999］）。

この政策案は、債務デフレと「バランスシートの罠」双方を同時に解決させる論理的可能性を持ち、また、極端ではあるが首尾一貫したものだ。さらに、アメリカにおいてこの政策は過去に実行されたことがあり、結果的に成功を収めた。これが、三三年にルーズベルト大統領が就任直後に行った「バンク・ホリデー」とそれに引き続いて打ち出された一連の政策だ。

以下では、大恐慌時におけるアメリカの経験を比較的に検討しつつ、この立場に基づくシナリオの適否について吟味していく（なお、大恐慌時のアメリカの経験を記述した部分は、菊地英博著『銀行の破綻と競争の経済学』東洋経済新報社に多くを負っている）。

1 バンク・ホリデーによる「大恐慌からの脱出」

一九二九年一〇月のニューヨーク株式市場大暴落以来、アメリカ経済は激しいデフレ・スパイラルに陥った。二九年から三三年までの四年間で、国民の所得水準はほぼ半分にまで落ち込み、失業率は二五%に上った。この四年の間に三回の大規模な銀行取り付けが起こり、三二年末から三三年にかけて、銀行機能は壊滅状態になった。そして、三二年末に起きた第三次銀行取り付けの後、三三年二月にはついに米国連邦準備銀行（中央銀行）まで破綻状態に陥った。

こうした事態を受け、三三年三月三日に就任したルーズベルト大統領は、三月五日（日曜日）に全国の全ての銀行の休業を宣言した（「バンク・ホリデー」）。

バンク・ホリデーは三月一二日まで一週間続けられ、その間に、連邦政府と州の金融当局は、全国一万八〇〇〇の銀行の経営内容を精査した。その結果を受け、政府は一万二〇〇〇余りの銀行を一三日に営業再開させ、経営状況の悪い残りの五五〇〇の銀行をそのまま倒産処理した。

このバンク・ホリデーを契機とする金融システム改革によって、銀行取り付けはひとまず終息した。しかし、米国経済が大恐慌から抜け出すには、さらに多大な時間が必要だった。三三年四月に米国は金本位制を離脱し、信用収縮をようやく止めることができた。さらに、ニューディール政策が実施され、政府の介入による需要の回復が図られた。しかし、米国経済がプラスの経済成長を安定的に回復するのは、第二次大戦により軍需生産が拡大する四〇年代に入ってからのことである（図6―1）。

このバンク・ホリデーを起点とした金融システム改革のポイントは次のようなものである。

まず、再建の見込みがない銀行は倒産処理された。その際、不良債権は、銀行の株主、預金者、その

図6-1　アメリカ大恐慌時のGNPの推移

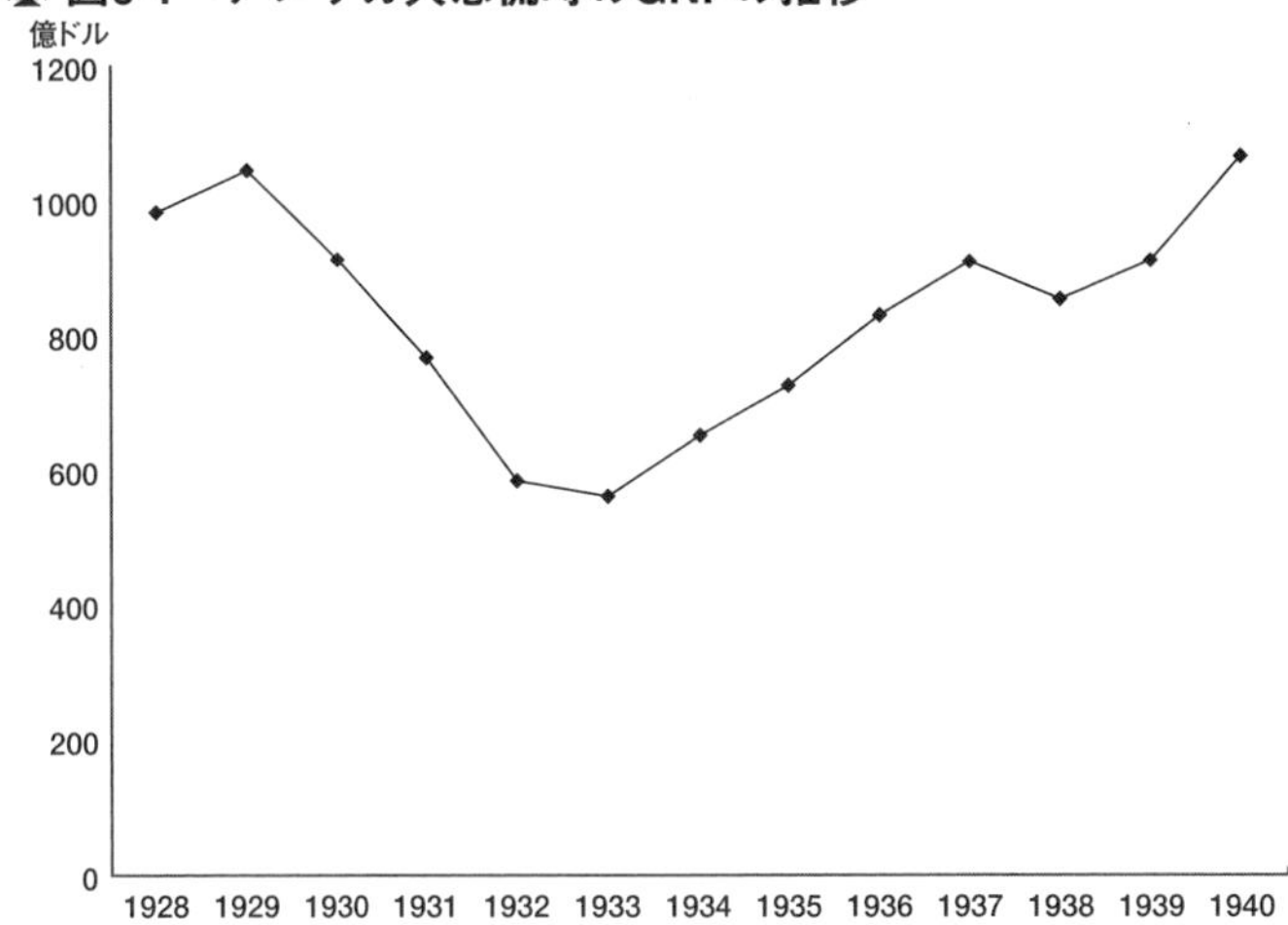

他の一般債権者の犠牲の下で損失処理された。

次に、経営継続が認められた銀行については、強力な不良債権処理と再編統合が実施された。これは具体的には、次のような手順をたどった。――最初に、銀行が自己資本によって不良債権を直接償却し、バランスシートから不良債権を切り離す処理を行った。しかし、減資を行うだけだと自己資本が不足し、経営を継続できなくなるので、公的資金の注入が行われた。具体的には、RFC（復興金融会社）が「議決権付きの優先株」を受ける代償として、銀行の資本勘定に公的資金を注入した。その際、不良債権発生の責任者を交代させるなどして経営責任が追及された。

このように、公的資金を注入するいわば見返りとして、減資を通じ株主責任が明確にされ、経営者の退任を通じ経営責任が明らかにされ、預金者も犠牲を払わされた。また、公的資金は、「政府からの融資（デット）」ではなく「政府からの投資（エクイティ）」として金融機関に注入された。こうした措置によって、金融セクターの機能はようやく回復したのである。

このときの反省から、三三年六月に成立した新しい米国銀行法では「預金者保護」の理念が導入され、預金保険機構が設立された。また、注入された公的資金は、その後二五年という長期間を要したものの、優先株に出資された約一二億ドル（三三年以降の累計）のうち、五〇〇万ドルを除き全て回収された。

2 日本の金融再生とフーバー大統領時代の米国

現在の日本経済は、三三年の米国と異なり、スパイラル的なデフレが進んでいるわけではない。米国の大恐慌のメカニズムが、第3章で見たデフレ・スパイラルであったのに対して、現在の日本経済低迷の理由は、第4章で検討した「バランスシートの罠」によるものだと考えられるからだ。

しかし、いずれのメカニズムも、経済に過剰な債務（銀行セクターからみれば不良債権）が蓄積していることが最大の要因となっている。したがって、日本経済を停滞均衡（「バランスシートの罠」）から脱出させるためには、「バンク・ホリデー」式の強制的不良債権処理は十分に有効性を持ちうる。

九八年秋に制定された日本の金融再生スキームは、当時の日本経済が直面していた大恐慌型のデフレ・スパイラルをくい止めるために導入された。したがってこのスキームは、政策意図としては、ルーズベルト大統領のバンク・ホリデー（およびその後の一連の措置）と同じ方向性を持つ。しかし、日本の金融再生スキームは、米国のバンク・ホリデーに比べて、以下の点において、（意図はともかく）内容的には極めて不十分なものである。

第一に、米国のバンク・ホリデーでは、金融当局自らが一週間のうちに全国一万八〇〇〇行の経営状況を厳しく査定したのに対し、日本の金融再生スキームでは、銀行が自己査定し、自主的に公的資金の導入を申請することになっている。また、公的資金注入の代償として政府に交付される株式も、バンク・ホリデーでは議決権付きの優先株であったのに対し、日本の金融再生では、議決権なしの優先株や劣後債であった。

こうした違いが生まれた最大の要因は、経済危機の深刻さの度合いが、米国の大恐慌時に比べ、九八年当時の日本では低かったことである。多くの金融機関に経営余力が残されている段階で公的資金の導入が行われたため、政府との関係で、金融機関の立場が強くなったのだ。

第二の違いは、日本のケースにおいては、金融機関の株主責任と経営責任が明確に問われていない、という点だ。すでに述べたように、大恐慌時のアメリカにおいては、減資によって株主責任が問われ、経営者を退任させることで経営責任が問われた。

ごく初歩的な経済学の論理からすれば、株主責任や経営責任を追及しないまま、金融機関に公的資金を注入すれば、金融機関のモラルハザードを招く。こうした当たり前の処方箋が実施されなかったため、金融機関の経営に大きなモラルハザードが発生する（あるいは、発生している）のではないか、という懸念が広く流布してしまった。これが現在に至るまで、国民の金融セクターに対する不信が持続している一つの大きな要因であろう。

現在の日本の金融再生政策は、このように内容的には中途半端なものであるため、その目的はともかく、内容面からすれば、むしろ、ルーズベルト大統領の前のフーバー大統領が実施した政策に近い。

ＲＦＣ（復興金融会社）は、フーバー大統領によって三二年二月に設立された。しかし、設立当初のＲＦＣは、信用収縮をくい止める方策として、民間銀行への「担保貸し」を行っていた。これは、ルーズベルト時代に行われた優先株への公的資金投入とは違い、民間銀行に厳しい返済義務を課すものである。しかし、公的資金の注入は、金利や元本の返済義務のない自己資本（持分性の資金）として投入されてはじめて、個々の金融機関が信用創造を積極化し、経済全体が活性化するという「乗数効果」が働くのである。反面、公的資金の注入により金融機関の負債が増えても、信用創造は極めて限られた範囲でしか回復しない。

フーバー大統領の政策が信用収縮スパイラルをくい止められなかった大きな原因は、このように、公的資金を「担保貸し」の形式で注入したからである。

翻って、日本のケースを見てみよう。九九年三月に政府は、大手一五行に対し、約六兆一六〇〇億円の優先株と一兆三〇〇〇億円の劣後債・劣後ローンを購入する形で、公的資金を注入した。

この政策は、金融恐慌を未然に防いだという点で、一定の評価をなされるべきである。また、公的資金の注入が優先株の購入を通じ行われたことで、少なくとも形式上は、フーバー大統領時代に行われた「担保貸し」よりも合理性を持つ。しかしその際に、既存の銀行経営者の責任を問わなかったこと、さらに、公的資金による優先株に議決権が発生するまで数年間の猶予を認めたことが、次のような弊害を生んでいる。

まず、政府に現時点では議決権（株主としての経営介入権）がないため、外部から銀行に対し、不良債権処理や経営リストラを進めさせるような圧力が十分にかからない。もちろん、国以外の株主もそういった圧力をかけることは可能だが、それが十分に機能していないのは、九八年以前（さらにはそれ以降）の経験が物語っている。また、過去の経営に責任を持つ経営者が相当数残っているため、銀行は、不良債権処理や経営リストラを進めるよりも、「優先株に議決権が発生して、政府や国民（＝株主）に経営責任を問われたり、経営リストラ推進を促されたりする前に、公的資金を完済する」ことを目標にしかねない。

以上のように、もし銀行が、優先株の購入を通じて注入された公的資金を、「優先的に返済されるべき債務」と捉えているとすれば、優先株による資本注入は、結局、フーバー大統領時代にRFCが行った銀行への貸付金と同じ効果をもたらしていることになる。つまり、公的資金を優先株の購入を通じて注入したことによって信用収縮スパイラルはくい止められたが、銀行経営者が責任追及やリストラを避けるため公的資金の返済を最優先するので、銀行の信用創造が正常に拡大できないのである。

3　危機再発と真の「金融再生」のシナリオ

ルーズベルト大統領のバンク・ホリデーは、中央銀行が破綻し、一三〇〇万人が失業するという経済崩壊を受けて実施された。日本で同様の徹底した金融再生政策が行われるとすれば、相当程度大きな経済危機が日本経済を襲う時であろう。

それでは、そのような大きな経済危機は、今後果たして起こりうるのだろうか？

可能性はもちろん高くない。しかし、不良債権処理が一向に進まない現況に鑑みれば、以下のような経路を辿って、そのような経済危機が発生する可能性を否定することもできない。

ここでは、そうした場合のシナリオを見ていく。まず、1節で取り上げたいくつかのリスクが実現し、再び景気後退が始まれば、日本経済は大きく落ち込むだろう。そのときに、不良債権処理が十分に進んでいなければ、再び激しい信用収縮を伴う金融危機が発生するかもしれない。

大手銀行四グループは、九九年の資本注入とその後の大再編によって、信用収縮への耐性はある程度備わっている。しかし、地方銀行など地域金融機関や農協系金融機関などが、連鎖的な倒産危機に襲われる可能性は十分に考えられる。さらに、海外への資本逃避が発生するような「途上国型経済破綻」にまで至れば、大手行も含めて日本の金融システムが全面的な崩壊の危機に直面する。

「バンク・ホリデー」を起点とした徹底的な金融再生政策が、現実的な選択肢として浮上するのは、こうした段階においてである。

それでは、「バンク・ホリデー」を実際に実施する場合を具体的に見ていこう。なお、以下の政策プロセスの概略は、中前・マクレイ（1999）によった。

まず、「バンク・ホリデー」を宣言すると同時に、全国の金融機関を一時的に国の管理下におき、営業を休止させる。そして、「ホリデー」期間中に、金融監督当局が全金融機関の経営内容を検査し、倒産処理すべき金融機関と存続させるべき金融機関を決定する。

そのうち、倒産処理する金融機関については、経営者を解任し、株主資本をゼロに減資する。預金者については、残余財産と預金保険機構の資金によって預金の一部のみ払い戻し（ペイオフの実施）、預金保険機構の資金が不足した場合には、その不足分は納税者の負担とする。

このように、倒産処理する金融機関については、経営者、株主、預金者および納税者の四者に、倒産に伴う負担をそれぞれ分担させる。

次に、存続可能な金融機関については、経営者の経営責任を明確にするとともに、まず、株主資本によって不良債権を徹底的に処理させる。それでも不足する分については、預金の一部をカットすることによって損失処理を行う（預金カットの方法に関して、中前［1998］は、公平性のため、郵便貯金を含む日本の全預金資産について、一律に二五％を三〇年償還の無利子の長期国債に強制転換するという方法を提案している）。

さらに、損失処理を進めた金融機関が正常な信用創造活動を行うことを可能にするため、議決権付き優先株と引き換えに、公的資金によって自己資本を増強する。

このように、存続させる金融機関についても、経営者、株主、預金者および納税者がそれぞれ応分の負担をして、それらの機関が健全な信用創造活動を行えるようにするのだ。

以上のような強権的・革新的な政策を実施すれば、金融危機の深化をくい止め、さらに、不良債権処理を通じ、「バランスシートの罠」の問題も軽減することができる。一方、巨額な公的債務はそのままの形で残るが、日本経済の成長性が回復すれば、国際資本市場から投資資金が流入するため、国債市場の崩壊は防げるだろう。その結果、財政問題はソフト・ランディングする余地が出てくる。

しかし、以上のような政策を実施する上では、次項で述べるようないくつかの難点が存在する。

4　バンク・ホリデー戦略の難点

実現可能性（フィージビリティ）の問題――平時には進まない改革

米国の「バンク・ホリデー」は、大恐慌や中央銀行の破綻という非常事態を背景に実施された。日本においても、政治経済的な観点などを考慮すれば、大恐慌のような経済的衝撃が起こらない限り、このような革命的・強権的な政策を実施するのはなかなか難しいだろう。実際、銀行への公的資金注入の必要性は、すでに九二年頃から一部で唱えられていたにもかかわらず、国民などからの反発が強かったため、それが実現するには、九八年の金融危機を経なければならなかった。九六年に六七五〇億円の公的資金が住専処理のため導入された際に、野党議員が国会に徹夜で座り込む異常事態にまで発展したことは、記憶に新しい。

前項で述べた「バンク・ホリデー」型政策は、株主資本の減資、一律の預金カット、公的資金による議決権付優先株の購入により、株主、預金者、一般納税者それぞれに負担を分担させる。この三点に加え、経営者の大幅な刷新があって初めて、モラルハザード防止の面も含め効率的で、かつ、公平な政策パッケージが成立する。

しかし、この政策パッケージのうち、現在実施可能なスキームがあるのは、「公的資金の注入」だけである。それも、いざ実際に大規模に行うとなると、国民の合意を再度取りつける必要が出てくるだろう。また、議決権付優先株を政府が取得するということになると、銀行側の大きな抵抗も予想される。

さらに、預金カット（または預金の無利子国債への転換）については、現状において何ら法的根拠が存在しない。したがって、それを実施したり、それを実施するための法的スキームを構築する際には、預金者や金融機関の株主等は激しく反発するだろう。特に預金カットに関しては、近年の政治動向からすると、政争の具と化すことが懸念される。二〇〇一年四月から予定されていた銀行のペイオフが延長された際の経緯は、預金カットに関する政策が、いかに政治的に実施困難かということを示唆している。

こうした革命的・強権的な政策が日本で実施された例は、前述した、戦後の占領下における債務処理だ。このときは、インフレを抑制するために預金封鎖が行われ、封鎖預金は、政府の許可を条件に生活の必要に応じて引き出すことが可能な第一封鎖預金と、完全に引き出しを禁じられた第二封鎖預金に分類された。最終的に、第二封鎖預金はその大部分が金融機関再編のために切り捨てられ、預金者は大きな損失を被った。

しかし、こうした強権的な政策が可能だったのは、占領下で、しかも悪性のインフレが進行中だったからである。現在の日本の政治経済状況の下で、これと同等、あるいはより強権的な措置を講じることは果たして可能だろうか？　もちろん、日本が未曾有の経済危機に襲われ、危機打開のために挙国一致内閣が成立したような場合は別だが、そうなる前に打つべき手は他にあるはずだ。

企業サイドにおける問題の残存

バンク・ホリデー式の債務処理政策によって、金融システムの安定は得られるかもしれない。しかしそれが、第4章で見たような、企業間ネットワークの再生へとつながるとは限らない。金融機関の不良債権処理は、企業間ネットワーク再生のための必要条件ではあるが、十分条件ではないからだ。

理論的には、バンク・ホリデー型処理によって、多数の過剰債務企業が一気に倒産処理されれば、経済の自己組織化プロセスは再び自律的に始まるように思える。

しかし、第5章で指摘したように、現行の倒産法制や企業金融関係の制度や慣行には、様々な非効率が残存している。そうした状況下で、金融機関の不良債権処理が進んでも、債務者企業の処理が効率的に進むとは限らない。例えば、現行の法制下において企業が倒産手続に入ると、再建がままならないまま、顧客や取引先が離散してしまうかもしれない。その結果、倒産企業の経済的価値は、過剰に破壊されてしまう。また、債務免除を受けた企業に対しては、投資家のチェックが及ばなくなり、モラルハザードが引き起こされるかもしれない。

こう考えると、三三年のバンク・ホリデーの後、米国経済がなかなか立ち直らなかった理由の一つには、企業サイドにおいて、供給連鎖や企業間ネットワークの再建が容易に進まなかったことが挙げられるのかもしれない。

したがって、日本経済を低迷から抜け出させるためには、金融機関の不良債権処理に加え、企業サイドのバランスシート調整を円滑に進めさせるための施策も重要となる。より具体的には、倒産法制や企業金融の仕組みを改革することを通じ、企業サイドの自己組織化プロセスを促すような環境を整えることが必要となる。

まとめ——解題（戦略III）

戦略III：バンク・ホリデーによる強制的不良債権処理

——内在するリスクと予想されるシナリオ

●戦略の狙い

大恐慌時の米国で行われたような、「バンク・ホリデー」を起点とした強権的措置を実施し、倒産させるべき金融機関・企業は倒産させ、不良債権償却を一気に完了させる。同時に、経営者、株主、預金者、一般納税者の四者に公平に負担を分担させることで、強権的措置の実施に伴う経済的混乱を最小限にくい止める。

●内在するリスク

米国の「バンク・ホリデー」は、大恐慌や中央銀行の破綻という異常事態を背景に実施された。日本においても、米国の大恐慌に匹敵するような経済的ショックが起こらない限り、このような強権的・革新的措置が、すんなりと国民に受け入れられることはないだろう。逆に、平時においてこのような強権的措置を実現しようとすれば、国会などの場で議論が紛糾し、対応がかえって後手に回ってしまう可能性が高い。つまり、この戦略には大きな政治リスクが内在するのだ。

●予想されるシナリオ

現在のように経済が小康状態を保っている状況において、「バンク・ホリデー」型の不良債権処理策が、国会などの場において迅速に認められる可能性は極めて低い。逆に、それを強引に通そうとすれば、政治的な大混乱を引き起こす恐れがある。

さらに、仮にこの措置が実現しても、金融機関の経営は安定するかもしれないが、企業再建を促す適切な環境が整備されていなければ、企業間の取引ネットワークの再生が遅れ、日本経済はディスオーガニゼーションからなかなか脱却できないだろう。

4節　戦略Ⅳ：市場メカニズムによるバランスシート調整

四つ目の戦略は、第5章で挙げたような処方箋を体系的に実施することを通じ、金融機関や企業のバランスシート調整を進めようというものである。

すでに前章までの段階で、日本経済低迷の要因、また、低迷脱出のために必要となる処方箋については述べた。ここでは、それらの処方箋を具体的・体系的に実施する手順について記述する。さらに、日本経済を「バランスシートの罠」から脱出させ、再び高成長トレンドに乗せるためには、この戦略を採るのが最も望ましいことを示す。

1「プラス・サム」のバランスシート調整戦略

日本経済を「バランスシートの罠」から脱出させるためには、日本経済全体のバランスシートを調整しなければならない。すなわち、日本の四つの経済主体――家計、企業、金融機関、政府（国と地方公共団体）――のそれぞれについて、バランスシートの調整が行われる必要がある。

本書では主に金融機関と企業のバランスシート調整に焦点を絞って論じてきた。ここでも、その二つの主体について見ていくこととする。なお、政府のバランスシート調整（財政再建問題）については、次節において軽く触れる。また、家計のバランスシート調整については、ここでは預金カットを伴わない政策（戦略）を考えるため、除外して考えることにする（なお、政府と家計のバランスシート調整については重要な論点が多数あるが、本書の視野を超えている。興味のある向きは、奥村[1999]、吉田[2000]などを参照されたい）。

それでは以下において、バランスシート調整戦略を、段階ごとに見ていくこととしよう。

第一段階：企業の「過剰債務」と銀行の「不良債権」

図6－2は、現状における日本経済の企業セクターと銀行セクターのバランスシートを抽象化・簡略化して比較したものである。

まず、企業セクターは、バランスシートの資産の部（バランスシートの左側）において、収益性の非常に低い設備ストックを抱えている。その内訳は、製造業の生産設備よりもむしろ、オフィス・ビルや店舗などの不動産が主流だが、マスメディアなどでは一般に「過剰設備」と呼ばれている。例えばバブル期に、企業があるオフィス・ビルを一〇億円で取得したとしよう。この一〇億円という価格は、オフィス・ビルの全室にテナントが入ることを前提につけられた価格だったとする。しかし、バブル崩壊後、オフィス・ビルが予想の半分しか利用されなくなったとすると、実際の価値は五億円ということになる。しかし、オフィス・ビルを取得した当初、全室にテナントが入ると想定していた企業はこのオフィス・ビルを一〇億円の資産としてバランスシートに記載している。つまり、企業のバランスシート上一〇億円と記載されている資産が、実際には五億円の価値しかないということになる。バブル期前後に購入さ

図6-2　企業と銀行のバランスシートの現状

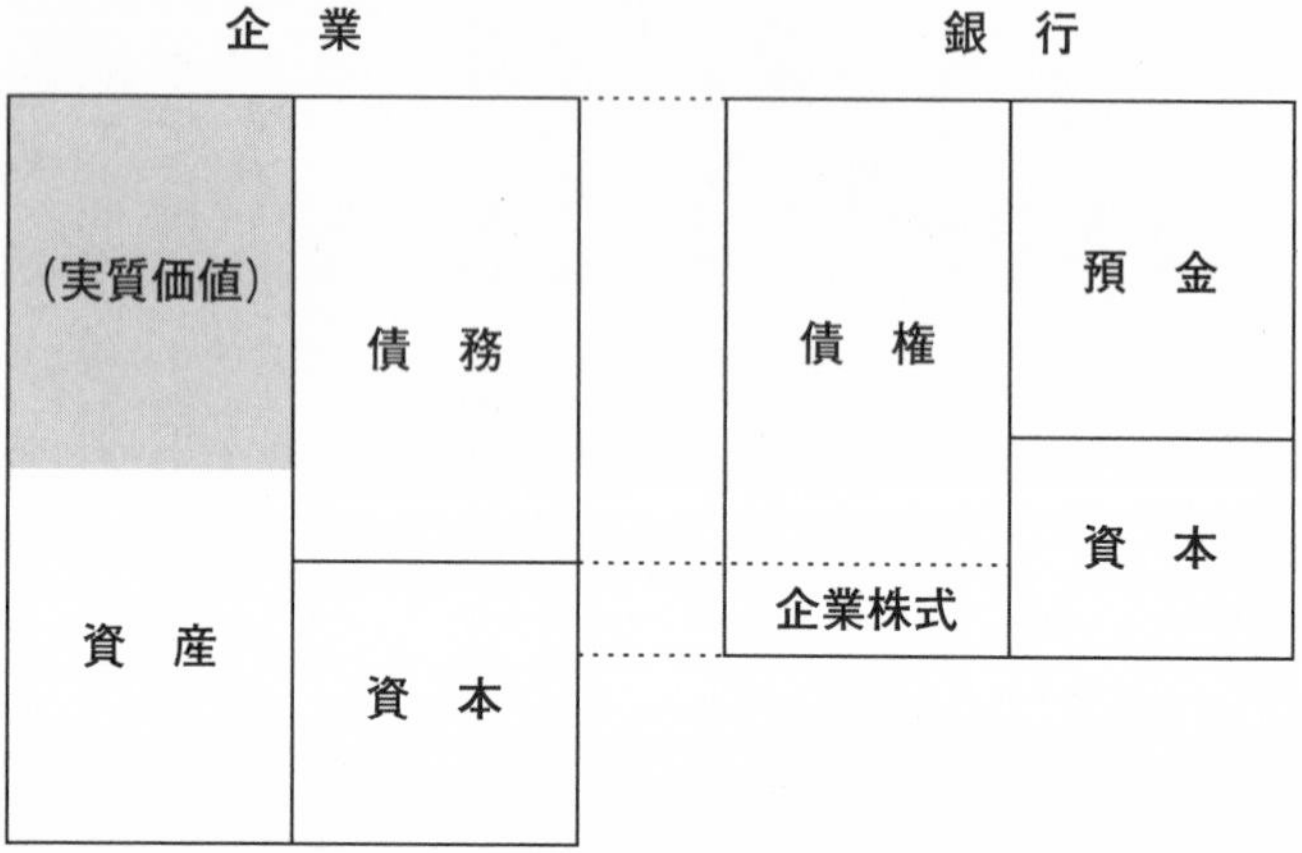

企業		銀行	
資産（実質価値）	債務	債権	預金
資産	資本	企業株式	資本

れた不動産は、第1章で述べたようにキャピタル・ゲインに対する過度の期待や、高い稼働率を前提として価格が設定されていることから、企業のバランスシートでは、「資産」部門に、実際の価値よりも過大な数字が計上されている。

議論を単純化するため、ここでは「企業の実際の資産価値は、バランスシートに計上された額の半分しかない」という状況になっているとしよう。これは、図6―2でいえば、企業の資産は、実際には「網掛け」の部分で示された大きさの価値しかない、ということである。

バランスシートでは、左方に記載された資産を維持するための資金的裏付けとして、右方に「債務」（負債項目に記載）と「資本」（資本項目に記載）が計上されている。資産の実際の価値が、バランスシートに記載された額よりも小さいならば、債務と資本の合計も、実際の価値はもっと小さい、ということになる。特に、資産の実際の価値が債務の総額よりも小さい場合には、企業は実質的な債務超過に陥っていることになる。こうした状況を債務に注目して言えば「債務が実際の企業価値に比べて過剰である」ということになり、マスメディアなどでは「過剰債務」と呼ばれることがある（実際には、マスメディアなどにおいて「過剰債務」は多義的に用いられているが、本書では以後この意味で統一して用いることにする）。

一方、銀行セクターにおいては、企業のバランスシートに計上された「債務」と同額の「債権」と、銀行が保有する企業株式が、銀行のバランスシートの資産項目（左側）に計上される。負債サイド（右側）には、預金債務と自己資本が計上される。

図６―２のように、企業の資産価値が、実際はバランスシートの数字の半分しかないときには、その企業は債務超過に陥っているため、銀行の保有する「企業株式」は無価値になる。また、債権の一部は回収の見込みのないもの、すなわち「不良債権」になってしまう。

前章までで述べたように、これ以上の問題の先送りを防ぎ、日本経済が「バランスシートの罠」から抜け出すためには、企業や銀行はまず、バランスシートに記載されている資産や負債などが「実際の価値」を表すように評価替え――時価評価――をしなければならない。これはつまり、上記図中の企業においては、バランスシートの左側で資産を半分まで減価し、右側で資本と負債を切り捨てる、ということである。それに対応して銀行セクターでは、バランスシートの左側において、企業株式や不良債権を損切り処理しなければならない。そのためには、銀行はバランスシートの右側で、自己資本と預金のいずれか、または双方を削減する必要がある。

預金カットを行わないという前提で、銀行が不良債権処理を行うと自己資本が毀損する。その場合、もし金融機関が十分な自己資本を確保していれば問題ないが、現況では、ほとんどの金融機関においては自己資本が不足している。よって、それらの金融機関が健全な経営を続け、市場に十分な資金を供給していくためには、民間資金か公的資金によって自己資本を増強するしかない。

銀行セクターについては、九九年三月の公的資金注入によって、大手一五行の自己資本はある程度強化された。しかし、それ以外の金融機関の多くは脆弱な自己資本を抱え、不良債権処理を進めることもままならない状態にある。

第二段階：不良債権処理と企業リストラクチャリング

だが、このまま金融機関が不良債権処理を先送りし続ければ、日本経済はいつまでも「バランスシートの罠」から抜け出すことができない。したがって、第5章でも論じたとおり、金融監督当局が厳格な検査姿勢を維持し、不良債権問題の最終処理を金融機関に促すことが必要だ。その際、倒産させるべき金融機関は倒産させ、存続させる金融機関に対しては追加的な公的資金の投入を迅速に行い、経済全体が深刻な需要収縮に陥ることを防がなければならない。つまり、財政政策を、従来型の公共事業でなく、金融システム強化に向け発動することで、総需要を喚起するのである。

また、不良債権処理の過程で、債務者企業を倒産処理する場合、銀行が債務者の株式を取得するデット・エクイティ・スワップが広範に実施されるようになるだろう。銀行にとっては、債権を株式に変換すれば、単なる債権放棄を行う場合に比べ、企業が再建され業績が回復したときに大きな収益が得られるからだ。例えば二〇〇〇年一〇月に、牛丼チェーン「吉野屋」の株式が上場されたが、吉野屋は二〇年前に会社更生法の適用を受けて倒産した会社である。倒産後に銀行は吉野屋向けの債権の多くを放棄したが、もしそのとき銀行が債権放棄と引き換えに吉野屋の株式を取得していれば、銀行は上場した吉野屋の株式を売却して、債権放棄で損をした分を取り返していた可能性がある。

金融監督当局の厳格な検査などを起点とし、企業や銀行のバランスシートの評価替えが行われれば、銀行の「不良債権」と企業の「過剰債務」は圧縮され、銀行の自己資本が減少する。その際、企業が倒産処理されれば、企業の既存株主（銀行を含む）は減資されて株主権を失い、企業の新たな所有者は債権者（銀行）になる。銀行が所有する企業向け債権の一部が「株式」に転換（デット・エクイティ・スワップ）されることで、銀行は企業の持分所有者として、企業再建からメリットを得る立場になる。また、存続可能な銀行に対して公的資金が注入されれば、その銀行は一定の自己資本比率を維持し、市場に必要な資金を供給することが可能になる。

一方、銀行セクターにおける不良債権処理により、急速な需要収縮が発生することを防ぐには、不動産等の投げ売りを防止し、不良債権の流通市場の形成を促すための措置を並行的に講ずる必要がある。そのためには、前章で述べたように、整理回収機構の強化等を行い、不動産の開発やCLO（不良債権を担保とする証券）・ABS（不動産などの資産を担保とする証券）を発行する機能を付与することが必要となろう。

こうした一連の政策と、その政策を通じて発生する経済効果により、銀行の「不良債権」と企業の「過剰債務」が圧縮されることになる。一方、市場には十分な資金が確保され、また、急速な需要収縮を防ぐこともできる。

次に、企業セクターの側からバランスシート調整を見てみよう。企業セクターについては、会計基準の厳格化、商法や倒産法制の制度整備による企業金融の多様化、企業の組織法制の柔軟化などの政策を進めることで、M&Aやリストラクチャリングを円滑に促進させることが必要になる。こうした諸施策とそれに対応した企業行動により、「過剰設備」など企業の資産が適正なサイズまで一層圧縮されるはずだ。

なお、企業のバランスシート調整は、必ずしも、多くの失業者が発生したり、生産設備が物理的に廃棄されることを直ちに意味しない。過剰雇用や過剰設備の本質的な問題は、「雇用や設備の評価が、それらが生み出すキャッシュフローの正味現在価値（Net Present Value）に比べて過大になっている」という問題だ。したがって、過剰雇用・過剰設備の圧縮は、それらの物理的な切り捨てによってだけではなく、賃金の引き下げや設備の評価額の減価という会計処理によっても可能になる。

こうしたM&Aやリストラクチャリングを進める際に、ハイ・イールド債市場やメザニン・ファイナンスなどの企業金融手法が普及すれば、銀行と企業の資金調達を巡るミスマッチが解消される。これも「過剰債務」＝「不良債権」の圧縮に効果があるはずだ。

以上の述べてきたようなプロセスを模式図で示すと次の図6―3のようになる。

第三段階：自己組織化プロセスの回復

第二段階で、企業と銀行のバランスシート調整が進めば、日本経済は「バランスシートの罠」から脱出できるはずだ。その過程で、企業間の不信の原因となっている不良債権が取り除かれ、供給連鎖や企業間ネットワークを構築するために必要な「取引関係にコミットする能力」が回復する。こうして、経済の自己組織化プロセスが正常に働くようになり、高成長トレンドが回復する（以上、第4章参照）。

企業間ネットワークが回復し、企業の収益性が向上すれば、企業セクターのバランスシートにおいては、資産の価値が上昇する。それに対応し、バランスシートの負債サイドでは、資本の価値が大きくなる。

図6-3　企業と銀行のバランスシート調整

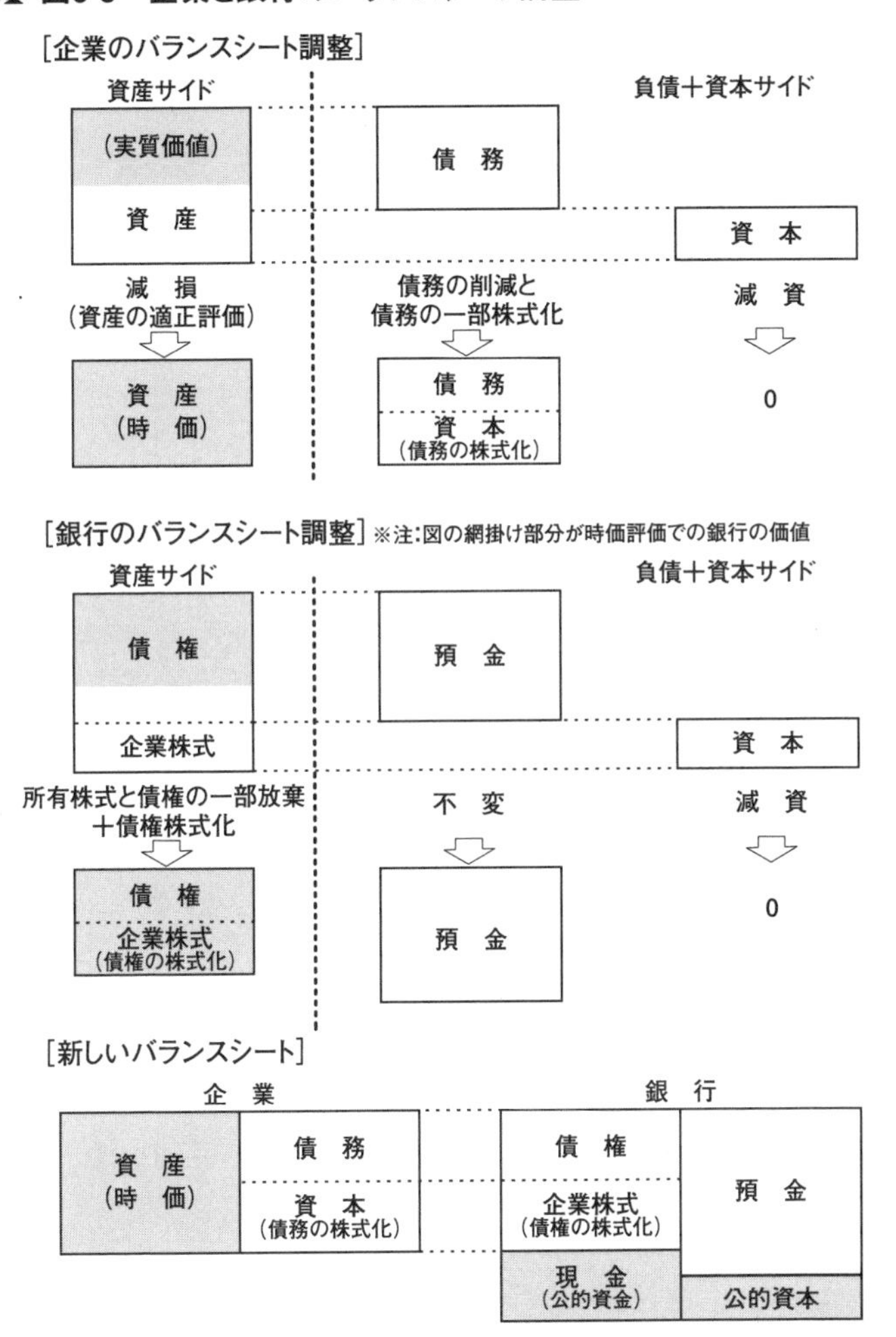

注:この図は、企業セクター全体と銀行セクター全体を模式的にあらわしたものである。一見、債務超過銀行を生かしたまま公的資金が注入される図のように見えるが、個々の銀行については、債務超過銀行は破綻処理し、存続可能な銀行には公的資金を注入するという処理が行われる。(ただし、注入される「現金(公的資金)」は、銀行の破綻処理コスト〈破綻銀行の預金保護コスト等〉も含むものであるため、右側の「公的資本」よりも多くなると考えられる。)

図6-4　経済成長後のバランスシート

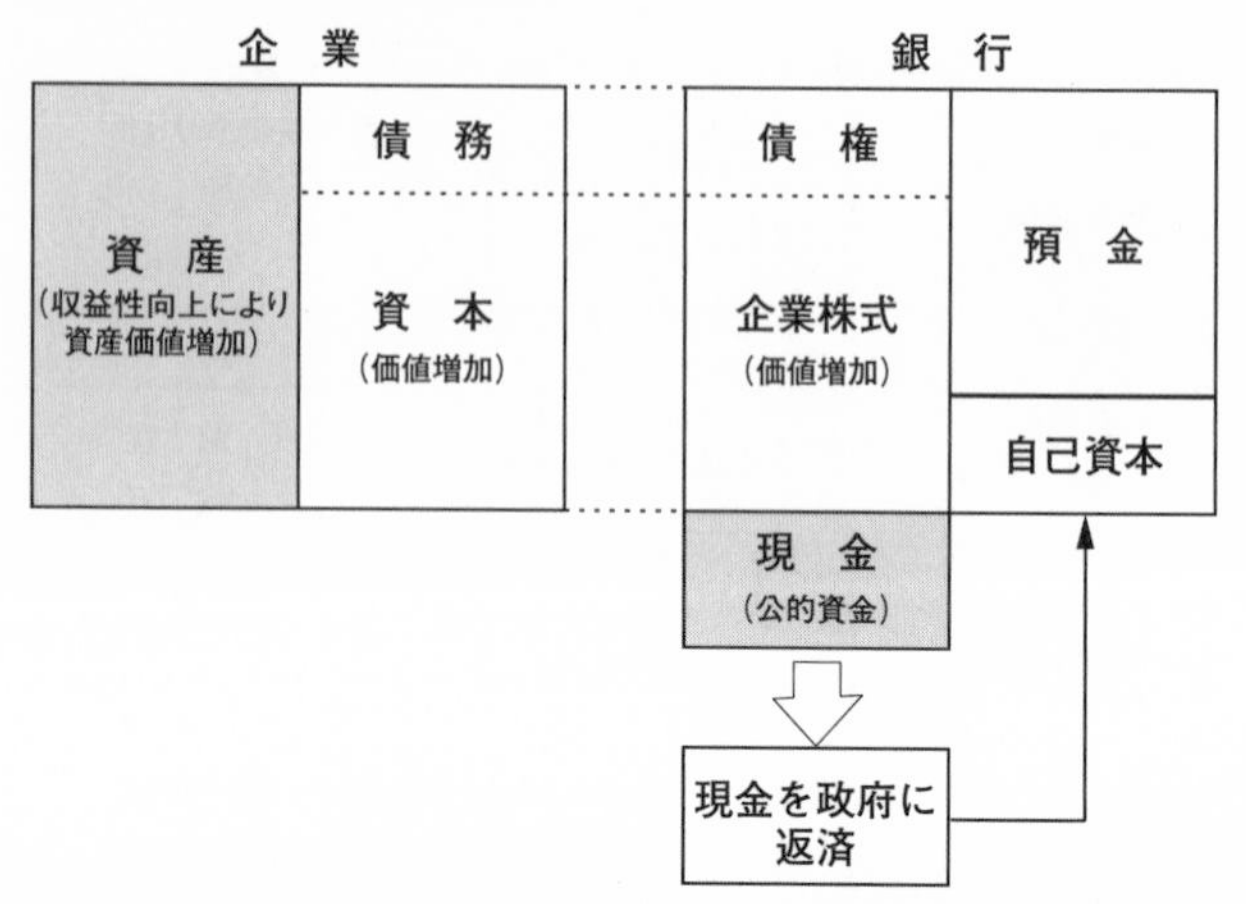

銀行は企業株式の売却によって公的資金を返済し、自己資本を回復

一方、企業の株式価値が上昇すれば、銀行セクターのバランスシート上では、銀行セクターがデット・エクイティ・スワップによって得た企業の「株式」などの価値が大きくなる。そうなれば、銀行は公的資本を返済する余裕が出てくる。なぜなら、企業の株式の一部を市場で売却することで、公的資金を返済するための現金を調達できるからだ。その結果、銀行は正常な民間銀行に戻り、自己資本を回復することになる。

なお、経済が回復し、企業の収益性が向上した後のバランスシートの移行は、図6―4において示されている。

第四段階：公的資金の返済

図6―4からも明らかなように、経済が低迷から脱出し、銀行セクターが保有する企業の株式の価値が上がれば、銀行はその株式を一部売却することによって、公的資金を返済することができる。どの程度の割合を返済できるかは、公的資金注入後の経済成長率などによって変わってくるが、大恐慌時の米国や九〇年代の

スウェーデンのように、一〇〇%あるいはそれに近い率で返済することも決して不可能ではない。

ダイナミックなプラス・サム戦略

以上から明らかなように、この戦略は預金カットなどの措置を伴わないため、預金者（家計）は直接の負担を負わない。ただ、政府（一般納税者）が、不良債権処理のプロセスで一時的（数年〜十数年）にコストを負担する。しかし、日本経済が「バランスシートの罠」を脱し、高成長トレンドに回帰すれば、政府のコスト負担は返済されることになる。

つまりこの戦略の狙いは、国が一時的にコストを吸収することで経済を成長させ、中長期的に全体のパイを拡大させようというものである。そして、拡大したパイの一部を国に還元することで、国が当初支払うコストを回収しようというわけだ。そういう意味で、この戦略は、「ダイナミックなプラス・サム」の実現を狙いとする。プラス・サムとはその名の通り、総計が増えて全員が得をするゲームということだ。これに対して、マスメディア等の論調の多くは、不良債権処理を銀行と企業と国との間で損失を押しつけ合う「ババ抜き」ゲームとみなしている。これは不良債権処理をゼロ・サム・ゲームととらえる皮相的な見方である。

マクロ経済の収益性の回復

以上のような戦略を採ることによって、ミクロ経済的には、企業の過剰債務と銀行の不良債権が圧縮されるはずだ。それにより、マクロ経済的には二つの大きな結果が帰結される。一つは、すでに述べたように、日本経済が「バランスシートの罠」から脱却することだ。そしてもう一つは、日本経済の資本生産性が他の先進国と同等のレベルにまで上昇することだ。この二つのマクロ経済的な効果は、第2章の「二つの均衡」を同時に達成することを可能にする。

第2章の終わりで述べたように、日本経済が安定的に成長するためには、この「二つの均衡」を同時に実現しなければならない。

最初の均衡条件は、需要と供給が均衡すること、つまり「需要不足が解消すること」だった。これは戦略Ⅳの実施により、日本経済が「バランスシートの罠」から脱出し、投資や消費が拡大することで達成される。

二つ目の均衡条件は、グローバル資本市場における均衡条件を達成すること、すなわち、「日本経済の資本生産性が、他の先進諸国と同等なレベルになること」だった。すでに述べたように、現在の日本経済における資本生産性は国際的に見て非常に低く、この均衡条件は満たされていない。代わりに、円の先高感が、グローバル資本市場における安定を何とか保ってきた。

日本経済の資本生産性が低いということは、生み出されるキャッシュフローに対して、資本設備の評価額が大きすぎるということである。そのため、不良債権を処理し、過剰設備を適正価額に減価すれば、日本経済の資本設備の評価額は小さくなり、資本生産性は向上するはずだ。つまり、戦略Ⅳが適切に実施されれば、日本経済の資本生産性は上昇し、グローバル資本市場が均衡する条件も満たされるのである。

2　解決できないリスク――国のバランスシート

九〇年代に相次いで打ち出された経済対策と不況による税収不足のため、公的債務はかつてないレベルにまで膨張しており、この問題について明確な解決シナリオを描くのは難しい。

ただ現時点においては、日本の貯蓄投資バランスが大幅な貯蓄超過であるため、巨額の財政赤字をファイナンスできなくなるリスクは比較的小さい。つまり、現在の債券市場におけるマインドさえ維持できれば、日本経済は財政赤字を何とか持ちこたえることができる。しかし、このまま公的債務が積み上がり、債券市場のマインドが悲観に転換する「臨界点」に達すれば、国債市場は崩壊し、日本経済は危機に陥るだろう。すなわち、財政破綻→債券市場暴落→経済破綻というリスクは、戦略IVにおいても回避できないのである。したがって政府は、戦略IVを実施する際には、債券市場のマインドが「臨界点」に達さないよう、最大限の注意を払っていかなければならない。

すでに述べたように、九九年以降に日本への投資を増やしている海外投資家は、金融機関の不良債権処理と企業リストラが迅速に進展することを期待している。よって、戦略IVの実施を通じ、この期待感を維持できれば、日本への投資は堅調に持続し、日本経済がデフレ・スパイラルに突入するリスクは相当程度軽減できるだろう。そして、日本経済が安定した成長を続けることができれば、巨額の公的債務も、数十年の時間をかけて償還することができるはずだ。

大恐慌と第二次大戦の際に巨額の国債を発行した米国も、戦後長い年月をかけて、それを償還している。日本の財政再建も、経済が回復したのち、長期間をかけて行うしかないだろう。

まとめ——解題（戦略IV）

戦略IV：市場メカニズムによるバランスシート調整

——内在するリスクと予想されるシナリオ

●戦略の狙い

企業と銀行のバランスシートを実態に合ったものへと評価替え（減価）し、不良債権の迅速な処理を促すことで、「バランスシートの罠」を解消させる。その際、経済が深刻な需要収縮に陥ることを防ぐため、存続させる金融機関に対しては機動的に公的資金を注入する。また、企業の淘汰・再建のための環境整備を通じて企業間ネットワークを迅速に再生させ、日本経済を高成長トレンドに復帰させることで、長期的には公的資金の回収も図る。こうした「ダイナミックなプラス・サム」戦略により、停滞均衡から脱出し、需給ギャップを解消する。同時に、バランスシート調整による資本ストックの減価によって、日本経済の資本生産性を他の先進諸国と同等のレベルまで引き上げる（第2章末尾で論じた「二つの均衡」の達成）。

●内在するリスク

この戦略においても、短期的には銀行部門などに対し多額の公的資金を注入するため、公的債務の問題は解消されない。したがって、財政破綻（あるいは財政破綻の予測）を起点に、国債が暴落し、経済が破綻するリスクが存在する。また、急激な破綻が防げた場合でも、次節で述べるような「緩慢な破綻」が発生し、経済が長期にわたって停滞する可能性も存在する。

●予想されるシナリオ

金融監督当局による厳格な検査などを起点に、企業と銀行のバランスシート調整が実施され、不良債権処理と企業の再建・淘汰が同時並行的に進めば、内外の投資家の日本市場に対する期待感を維持することができる。そうなれば、日本株や日本国債への投資が持続し、経済破綻リスクは相当程度軽減されるので、その間に日本経済は「バランスシートの罠」から抜け出すことができる。また、企業間ネットワークが再生し、ディスオーガニゼーションが解消することで日本経済が再び高成長トレンドに復帰できれば、公的資金の注入を受けた銀行からの返済、税収増などにより、長期的には公的債務問題も解決される。

5節　もう一つのシナリオ：国債累増による緩慢な破綻

国債発行が増えて財政の不均衡が進むことで長期金利が上昇し、民間経済活動を阻害する一方、国債価格が暴落する、というシナリオは、途上国型経済破綻につながる道だ。戦略Iの持久戦を続けた場合、この破綻シナリオに至る可能性がある。戦略IIのインフレ政策を採った場合、この破綻シナリオは避けられても、長期的には、それと同等以上の経済的損失を被る可能性がある。戦略IIIのバンク・ホリデー型の強権的政策は、実現可能性の観点から見て、平時には非現実的だ。

すでに述べてきたように、われわれは戦略IVこそが、「バランスシートの罠」から脱し、日本経済を再生させる上で最も適切な戦略だと考える。ただ、戦略IVを採ることによって、日本経済が再生軌道に乗った場合も、政府部門には巨額の公的債務が残存する。その結果、長期金利が上昇して破綻に至るという途上国型破綻シナリオは避けられても、「緩慢な破綻」というシナリオが実現する可能性もある。

以下では、この「緩慢な破綻」シナリオについて簡略に検討し、それを防ぐ手だて等につき考えていくこととする。

1　八〇年代：累積債務国の「失われた十年」

ここで言う「緩慢な破綻」シナリオとは、民間債務ではなく、国や地方公共団体の債務が累増することによって、経済が長く停滞するシナリオだ。八〇年代には、中南米諸国や南アジア、アフリカなどの「累積債務国」で、政府の対外債務が原因となって経済が停滞した。そこで、日本のケースを検討する前に、まず、八〇年代に「累積債務国」で起こった「緩慢な破綻」を見てみよう。

七〇年代のドル下落基調と海外債務拡大

図6―5に示されるように、変動相場制に移行した七〇年代には、一次産品価格の高騰、途上国の積極的な経済開発政策によって、途上国経済が将来的に大きく発展することが国際資本市場では期待されていた。このため、為替相場においては、趨勢的にドルが途上国通貨に対して下落する基調が続いた。

一方、七〇年代には、グローバルな資本取引はいまだ発展段階にあったため、米国市場と途上国通貨の間の金利裁定が十分に行われなかった。このため、途上国政府にとっては、「ドル資金を借りて、自国通貨で投資し、しかる後にドルで返済する」という操作を行うと、運用期間中にドルが下落するので、ドル債務の実質金利がマイナスの値になるという状況が生じた。その結果、途上国にとっては、「ドル債務が増えれば増えるほどマイナスの実質金利が大きくなって得をする」という異常な事態が続いたのである。

資金の供給面においても、オイル・ショックを経て産油国の力が拡大し、この時期、巨額のオイル・マネーが国際金融市場に還流した。

図6-5　USドルの実質有効為替レート

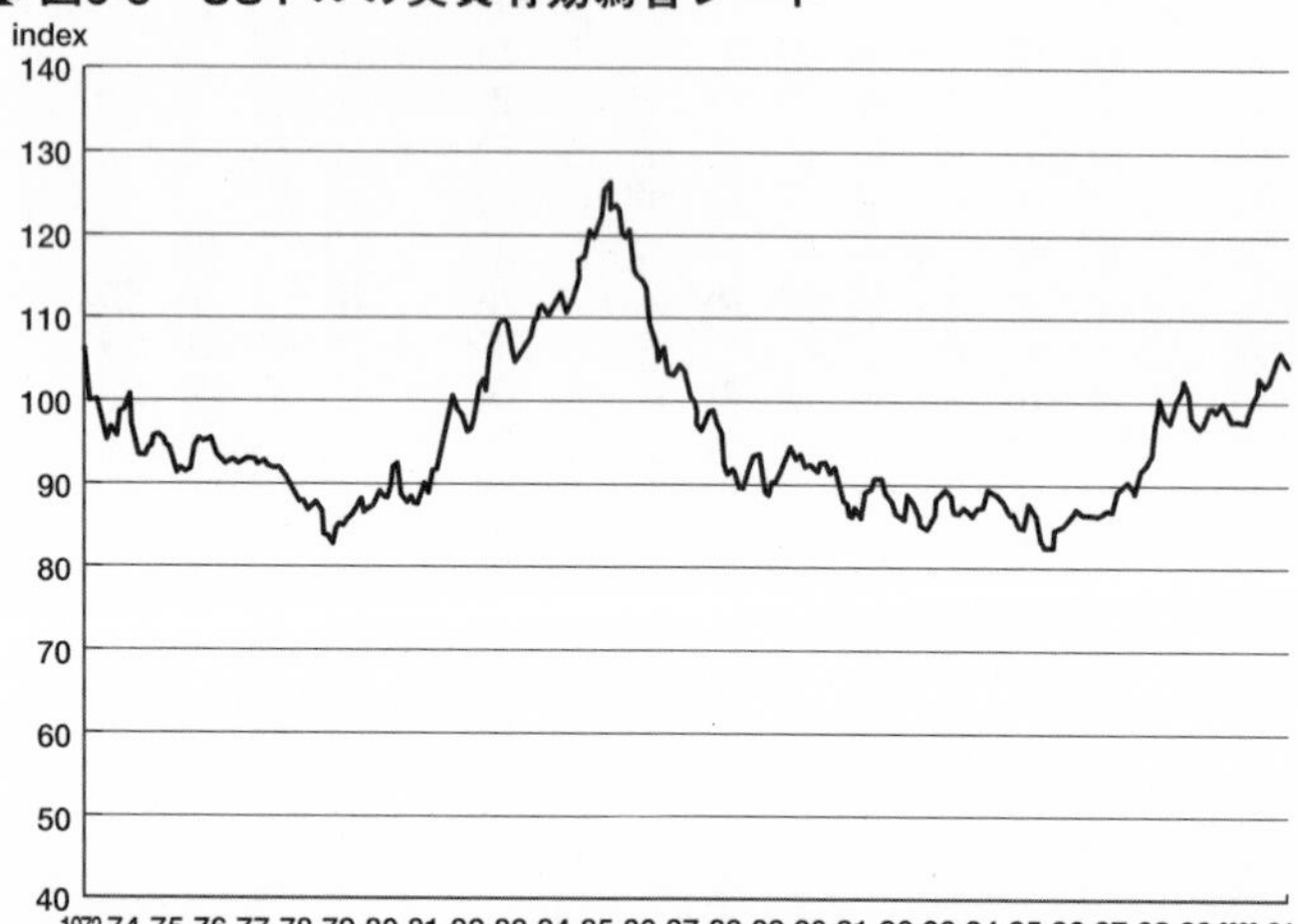

こうして、ラテン・アメリカ諸国をはじめ、多くの途上国は、積極的な経済社会開発を行うため、また、国際資本市場の期待に応えるために、ドル建ての対外債務を急増させていった。

ドル反転による累積債務問題の顕在化

ところが、七〇年代末になり、米国の金融政策は引き締め傾向に転じ、米国金利は上昇した。途上国のドル建て債務は、米国の市場金利に連動する変動金利を採用していたので、米国金利の上昇に伴い、途上国の金利負担は上昇した。

さらにこの時期、一次産品価格が国際的に下落し、それによって途上国の輸出収入が減少した。また、七〇年代の開発政策の失敗も顕在化し、途上国の経済成長は鈍化した。

こうした要素により、為替はドル高・途上国通貨安に一気に反転し、途上国のドル建て債務の実質金利は急上昇したのである。その結果、多くの途上国の対外債務は雪だるま式に累積した。

八二年八月にメキシコが対外債務返済の延長（リスケジュール）を宣言したのをきっかけに、流動性危機が中南米各国に波及し、他の地域でも累積債務問題が顕在化した。

対外債務による「デット・オーバーハング」効果

中南米諸国を起点とした流動性危機を脱するため、八〇年代を通じ、累積債務を抱えた途上国の債務返済スケジュールが度々延長された（リスケジューリング）。他方、ＩＭＦ融資と緊縮的な財政・金融政策の実施によって「国際収支を改善し、対外債務を返済する」戦略が試みられたが、成功しなかった。累積債務国経済は停滞を続けたため、八五年には、「累積債務国の長期的な経済成長を支援し、債務返済能力を高める」ことを狙ったベーカー構想が発表されたが、これもうまくいかなかった。

最終的には、八九年に発表されたブレイディ・プランによって、「大幅な債務削減と金利減免を行い、残りの債務についてはＩＭＦ・世銀の保証と米国債の担保を付ける」措置が採られることとなった。このプランに伴い、八九年から九〇年にかけて債務削減が実施され、累積債務諸国の「失われた十年」はようやく終わった。

それでは、途上国の対外累積債務は、具体的にどのようなメカニズムを通じて国内経済に悪影響を与えたのだろうか？

八〇年代の累積債務国では、公的債務の累増によって民間経済活動が阻害され、経済成長が鈍化するという「デット・オーバーハング効果」が広範に観測された。世界銀行・ＩＭＦなどのエコノミストは、「公的債務の重圧が民間経済活動を阻害するために、国際収支が改善せず、債務返済能力が高まらない」と主張した。

このような公的債務の重圧による「デット・オーバーハング効果」がどのようなメカニズムを通じて発生したかについては、定まった通説はない。公的債務がドル建てであったことを重視する論者もいれば、政府部門が経済開発を主導していた途上国の政治経済構造を重視する論者もいる。

従来、新古典派経済学は、公的債務は「クラウディング・アウト」のメカニズムを通じて民間経済活動に悪影響を及ぼすと考えてきた。公的債務。これは、①政府部門が公共投資を増やすと、公共事業や国債発行を通じ、労働力や資本を政府部門と民間部門が奪い合うことになり、金利が上昇する。②その結果、民間の設備投資が縮小する、というメカニズムである。すなわち、政府部門による公共投資が、民間部門の潜在的投資能力を吸収してしまう、というわけだ。

しかし、ケインズ経済学者が指摘するように、不況期にはクラウディング・アウトは発生しないと言われている。不況期には、労働力や資本が余っているので、公的債務が増えて公共事業が行われても、民間部門が使う資源は制約を受けないからだ。

ところが、八〇年代の中南米諸国などにおいては、「不況期にも、公的債務累積によって民間経済が阻害される」という現象が観測された。これは、公的債務と民間経済の間に、新古典派的なクラウディング・アウトと異なる「デット・オーバーハング効果」のメカニズムが働いていたことを示唆している。

2 「新しいクラウディング・アウト」のシナリオ

公的債務が雪だるま式に累増している日本で、八〇代に中南米で発生した「公的債務累積による経済停滞」、あるいは「緩慢な破綻」が起こる可能性はあるのだろうか。

近年、「公的債務が一定の閾値（threshold）を超えて累積すると、不況期（需要不足の状態）でも民間経済活動が阻害される可能性がある」という考え方が欧米の経済学界で広がり、日本でも支持されつつある（Perotti［1999］、富田［1999］、松岡［2000］）。

この考え方は、リカードの中立性命題（Ricardian Equivalence）を発展させたものだ。すなわち、もし、公的債務がある「閾値」を超えて増加すると、消費者や企業が将来の増税を現実的なものとして予想するようになり、財政支出が拡大する額（＝公的債務が増える額）とほぼ等しい額だけ民間主体は貯蓄を増やす、というのである。

公的債務は、いずれそれをファイナンスした国債の償還時などに、増税などの形で国民から回収される。消費者や企業はそのことをあらかじめ「期待」する（あるいは「見抜く」）ため、財政支出が拡大すると、将来の回収に備えて貯蓄を殖やし、民間の消費や投資は、財政支出が拡大した額とほぼ同額が減ってしまう。その結果、総需要が増えず、公債による財政政策が効かないという現象が起こり得るのだ。

この考え方が示しているメカニズムは、将来における増税期待を通じ、財政支出が消費者や企業の現在の支出を吸収するという点で、「新しいクラウディング・アウト」とも呼べるものだ。この「新しいクラウディング・アウト」のメカニズムの下では、公的債務が累積すると、民間貯蓄がその後を追って増えるので、財政支出をいくら増やしても、デフレ・ギャップは縮まらない。そのため、景気の低迷が続き、経常黒字も縮小せず、長期金利も上昇しない、という状態が長期化することになる。

こうした「新しいクラウディング・アウト」が起こるなら、途上国型の経済破綻は避けられるが、過剰な民間貯蓄が維持され、民間経済活動が抑制されてしまう。すなわち、日本経済は「緩慢な破綻」シナリオに陥ってしまう可能性が生じるのだ。

繰り返しになるが、この「緩慢な破綻」シナリオは、戦略Ⅳの実施によっても、直接的に防ぐことはできない。むしろ、戦略Ⅳの効果を減殺する可能性がある。したがって、「緩慢な破綻」シナリオに陥ることを防ぐためには、財政を再建するのが第一義的に重要となる。

3 財政再建への道

仮に戦略Ⅳの市場メカニズムによるバランスシート調整が成功し、民間経済部門が「バランスシートの罠」から脱したとしても、公的債務の累積をくい止めることは容易ではない。

戦略Ⅳは、公共事業や減税の実施は否定するものの、初期の段階では、銀行などに対し多額の公的資金を注入することを必要とする。また、不況期には、政治経済的な要請から、各分野において財政支出が求められる場面も多いだろう。

しかし、公的債務が累積した状況で、もし円に対する信認が揺らぐような事態になれば、長期金利の高騰による急激な「途上国型経済破綻」シナリオに陥るかもしれない。この場合、円の信認を取り戻し、経済を立て直すためには、財政再建は緊急かつ最大の課題となる。

一方、公的債務の累増に伴って増税不安が広がり、民間の貯蓄率が持続的に上昇するような場合には、「新しいクラウディング・アウト」が起こり、「緩慢な破綻」シナリオが実現する。このような状況において、戦略Ⅳの実施によって民間の不良債権問題が最終的に解決しても、公的債務が民間部門にとって大きな重圧となるため、景気は最終的には回復しない。

したがって、いずれのシナリオが実現するとしても、国と地方の財政問題は、民間セクターのバランスシート調整が終わった後に、日本経済の最重要課題になる。

なお、政府部門のバランスシート調整のあり方についての議論は、本書の視野を超えているが、以下では簡単にその要旨についてだけ触れておきたい。

ＯＥＣＤ諸国の財政再建を検証した実証研究（Alesina and Perrotti［1997］）によると、財政再建が成功する要件として、次のような経験則が得られている。まず、財政再建に成功した国は、増税ではなく、歳出削減を主に行っている。また、成功事例では、失敗事例に比べて財政緊縮の度合いも大きい。さらに、歳出削減の分野では義務的支出の色彩が強い賃金や移転所得を削減した国に成功事例が多い（松岡［1999］による要約）。

一方、通商産業省政策審議室（2000）の簡単な試算によると、経済成長による税収増や消費税の段階的な増税に頼るだけでは、公的債務は一向に小さくならず、雪だるま式に発散するという結果が出されている。より具体的には、二・一〜二・三％の名目経済成長率、一％のインフレ率、長期金利四・五％という環境下において、毎年マイナス二％の歳出削減を行ってはじめて、政府債務の対ＧＤＰ比は持続可能なレベルに維持することが可能になる。

こうした研究結果から言えることは、今後、日本で財政再建を達成するには、歳出抑制・歳出カットを中心に据えることが必要だということだ。もちろん、それを実現するには、大きな政治的・社会的な抵抗が予想される。そうした抵抗を乗り切るためには、月並みだが、国民による合意を求めるための不断の努力と、強力な政治的リーダーシップが必要となるだろう。

第7章

新たな経済理念・制度の構築に向けて

既成概念、既成制度・組織の打破

本書中の各章においては、日本経済の低迷が持続化している原因の分析と、そこから脱するための方策について詳細な検討を加えた。

バブル崩壊後、政府、銀行、企業のいずれも、問題を「先送り」していれば、そのうち景気が回復し、問題そのものが消滅すると考えた。バランスシートの毀損も、いずれ吹く「神風」によって自然に治癒されると考えた。誰もが、戦後続いた「右肩上がり神話」に囚われていたのである。しかし、第4章で理論的・実証的に示したように、そうした「先送り」が、銀行間・企業間の相互不信を呼び、投資活動の収縮と産業組織の破壊（ディスオーガニゼーション）を招いた。問題の「先送り」が逆に問題を悪化させ、日本経済は複数均衡のうちの「悪い均衡」――「バランスシートの罠」――に陥ってしまったのである。その結果、日本経済は持続的な低迷に陥った。

バブル崩壊後一〇年が過ぎた現在でも、「景気さえ回復すれば、不良債権問題は自然に消滅する」という期待は根強く残っている。しかし、本書で示したメカニズムは、そのような議論の正当性を真っ向から否定するものだ。不良債権問題は、経済低迷の結果なのではなく原因なのである。財政出動を続けても、持続的な経済回復を達成することはできない。規制緩和論やIT革命論など、理論的根拠が曖昧なまま、その時々に日本中を席巻する「流行」を追い求めても、総需要は拡大しない。

本書が示したのは、不良債権処理の先送り自体が景気の回復を阻害している、ということだ。まず不良債権を処理し、バランスシートの毀損を修復しなければ、景気の持続的な回復が始まることはない。

最終章である本章では、全体のまとめを兼ね、本書を、より鳥瞰的な視点から振り返る。そして、今後日本経済において構築しなければならない、新たな経済理念・制度の方向性について概観する。

序文において、九〇年代が日本経済にとって「失われた十年」になった根元的な理由は、日本の政府、銀行、企業、研究機関などが、経済環境の激変に対し、構造的・思考的に対応しきれなかったからだ、と述べた。

本書中の分析結果を、より抽象化したレベルで振り返れば、序文で挙げたこの理由に行き着く。したがって、日本経済が低迷から抜け出すためには、また、今後こうした事態を繰り返さないためには、日本経済を取り巻く環境と、既存の思考枠組み、制度との間に生じたギャップを埋めることが肝要となる。

それでは、こうしたギャップを埋めるにはどのようにしたらよいか？　この問こそが、本章の主題であり、かつ、本書全体を通じた問題意識でもある。

1節　既成の「仕切り」と現実経済社会とのギャップ

スタンフォード大学の青木昌彦などは、比較制度論的な観点から、日本の政治経済システムを「仕切られた多元主義」と分類した（青木［1995］、佐藤・松崎［1985］）。しかし、八〇年代以降、日本の政策過程だけでなく、より幅広く、日本の経済社会全体を縦断する様々な「仕切り」や壁が、時代に適合しなくなっていることが露呈された。そして、それらの「仕切り」と現実経済との間に、各種のギャップが生じた。

日本経済の既成制度・組織が時代に適合しなくなった、という点は既に各所で指摘されている。青木などが主として念頭に置いていた「仕切り」も、おそらくこうした物理的な「仕切り」であろう。しかしこの時期に、時代の変化からより大きく取り残されたのは、政策当局者、経営者、エコノミスト、ジャーナリストなどの、経済や経済政策に対する思考枠組み――あるいは、概念的な「仕切り」――である。

これらの人々の多くは、既存の理念・概念・経験に執着し、あるいは自分たちが所属する組織の思考様式に囚われ、時代や市場の流れを読み誤った。

例えば、資産価格暴落という戦後初の事態を目の当たりにしながら、政策当局者が結局頼り続けたのは、従来型のケインズ的経済政策である。金融機関は、担保主義に代わるリスク管理システムを構築できず、一部は貸し渋りに走り、一部は「土地神話」に代わる「ベンチャー神話」に縋り、リスクの高いベンチャー投資にのめり込んだ。「需要サイド論 対 供給サイド論」という不毛な二元論的思考枠組みは、政争の具として用いられただけでなく、建設的な議論の発展を阻んだ。景気問題はマクロ経済学、不良債権問題はミクロ経済学（あるいは経営学）の問題、という学際的な「仕切り」を前提とした固定観念が、不良債権問題のマクロ経済に及ぼす影響を分析することを阻んだ。

他方、制度的・組織的な「仕切り」の代表格は、省庁間の「仕切り」である。この明治期以前に起源を持つ時代遅れの「仕切り」により、日本の政策や政策過程は細かく区切られてきた。こうした物理的な「仕切り」は、概念的な「仕切り」も助長し、両者は相互に増幅し合った。そして、経済社会とのギャップは一層拡がった。

以下では、この時期顕在化した概念的ギャップ、制度的・組織的ギャップを類型化し、それらを埋めることによって構築されるべき新たな経済理念について述べる。

1　二元論的思考枠組みから生まれるギャップの解消

二元論の流布

「需要サイド論 対 供給サイド論」という不毛な二元論が、何ら建設的な政策論争に結びつかなかったことは、すでに何回か述べた。また、第5章では、「国 対 私」あるいは「官 対 市場」という二元論的理解が、企業や市場の公共性を損なわせていることを指摘した。

新聞などでは、対立する二つの論調を併記している記事をよく見かける。そして、併記された二つの論調は、往々にして、相手の立場を一方的に批判したり、自分の立場の正当性を一方的に主張しているものが多い。また、政治の世界においては、二大政党制こそが望ましい政党政治のあり方だ、と考えている政治家やジャーナリストが現在でも多いようだ。こうした「二大政党制待望論」の背景にも、争点の本質を二元的に捉える思考枠組みが見え隠れする。

二元論的思考には、争点を明確化するなど利点も存在する。反面、その両者の中間領域、あるいはその両者と異なる座標空間の存在を見過ごしてしまう恐れがある。また、お互いに牽連性や補完性を持つ争点（座標軸）を、対立的あるいは独立的なものと捉え、二者間の選択を迫るような議論の重大な誤りを引き起こす可能性がある。

以下では、そういった二元論的思考枠組みによって生じた概念的ギャップの例を挙げ、それをいかに埋めるべきか、について述べる。

見落とされた公共空間——国家的領域と私的領域の中間にあるもの

第5章において述べたように、日本では「公＝国」あるいは「公＝官」とする考え方が広く流布しているように思われる。そして、「公＝国」と対置するものとして「私」が認識されてきた。しかし、こうした「公」と「私」の二元的理解を前提とする場合、「国」によって規制・介入されていない領域においては、「私企業」あるいは「個人」は何をやってもよい、ということになりかねない。他方、「私的領域」以外は、全て「国」あるいは「官」が介入すべき、ということになってしまう。このような二元的理解が広く流布した結果、日本においては、例えば欧米諸国に比べ、「国」と「私（企業、個人）」双方の領域が著しく肥大化してしまったのではないか。

人間や企業が協調や分業によって便益を受ける以上、本来、国家的領域と私的領域との間に（あるいは、それらから独立した空間に）、公共的領域が広く確保されるべきである。そして、その領域に展開する「公共財」から便益を受ける者は、公共財維持のため必要な責任やコストを負担しなければならない。

ここで言う「公共財」とは、防衛や司法制度など、国家が提供する狭義の「公共財」に限らず、社会の共有財産（コモンズ）も含むものだ。その代表例が、第5章で挙げた街並の景観であり、環境であり、市場の信認である。美しい街並によって便益を受ける地域住民は、その街並の景観を維持するための責務やコスト――建物の外観に関する制限等――を負わなければならない。資本市場を通じ資金を調達しようとする公開企業は、市場の信認や安定を保全する責務――経営状況のディスクロージャー等――を負わなければならない。また、市場に対し多大な影響（外部効果）を与える業務を行う金融機関は、その影響の度合いに見合った公共的責務を負わなければならない。

しかし、日本においては、例えば、商法で株式会社の責務は定めているものの、現時点では公共性の高い公開会社（上場企業）と、同族会社などの非公開会社とは法律上区別されていない。経営内容がディスクロージャーされる度合いも、特に公開会社に関しては米国などに比べ低かった。九〇年代を通じて起こった数々の不祥事が露呈したように、市場の信認を守る、ということに対する経営者の責任意識も非常に低かった。さらに、金融機関も、貸付先企業が経営困難に陥ると、再建のために協調することもなく、自行の利益のみを優先した。

反面、国による金融機関などの経営に対する介入の度合いは、他国に比して過剰な場合が多かった。それは一面において「公共財」を維持する役割を果たしたが、多くの場合、官民癒着を生み、競争抑制的な効果をもたらした。

こうして、「国」と「私」の領域が肥大化したことが、九〇年代において日本経済が低迷した大きな要因となった。自らが担うべき公共的責務を忘れた私企業は、経営内容を隠蔽し、日本市場全体の信認を損なわせた。銀行や企業による不良債権処理の先送りは、市場の信認を害しただけでなく、日本経済を「バランスシートの罠」に陥らせた。

一方、「国」による銀行に対する過剰な保護行政は、銀行のモラルハザードを招いた。その結果、銀行はリスク分散システムを構築する努力を怠り、「土地神話」に全面依存した。企業の社債発行要件に対する国の過剰な規制は、資本市場の発展を遅らせ、信用リスクを金融機関に集中させた。金融商品に対する規制は、合理的な資源配分を阻害し、不良債権処理を遅らせた。

日本経済が低迷を脱し、持続的に発展していくために必要となるのは、したがって、「国」と「私」の間に広がるはずの公共的領域の再定義である。「国」は市場への介入の度合いを弱めなければならない。しかし、「国」が後退した跡に残された領域を、銀行や企業などの「私」が埋め、彼らが野放図に行動すれば、市場の信認などの公共財は著しく害されるだろう。

一部の論者は、銀行や企業の経営者が、高度成長期の経営者が持っていたような「公共精神」を取り戻せば、日本経済は復活すると諭す。しかし、ここで必要となるのは、精神論・道徳論などではなく、経営者などが「公共精神」を持たざるをえないように動機づける制度の設計である。そのためにはまず、経済学者、経営者、政策実務家などの知力を結集し、合理的な資源配分等の目的達成のため守らなければならない公共的領域とは何か、について再定義する必要がある。その上で、他国の制度などを参考に、各種プレーヤーのインセンティブを考慮しつつ、そうした公共的領域を健全な形で維持するため必要な制度設計を行っていくべきだ。

第5章において、われわれは銀行への公的資金の強制的注入や、経営改善命令など、一見、強権的に過ぎるとの印象を与えかねない政策の導入を主張した。だがそれは、従来わが国で見過ごされがちだった「公共的領域」を再定義した場合、その領域で活動する者が負うべき公共的責務として、必然的に挙がってくるべきものの一つのはずだ。

需要サイドと供給サイドとを「つなぐ」政策スキームの構築――構造改革を通じた総需要拡大

すでに繰り返し述べたように、この一〇年間、政策論争の領域は、「需要サイド論 対 供給サイド論」、あるいは「ケインズ政策論 対 構造改革論」、あるいは「景気対策優先論 対 財政再建論」、といった二元的対立軸によって占められ続けた。この対立軸は、政党間、政党内の権力争いにも利用され、マスメディアなどを通じ過剰に増幅された。両者は、時に両立しえない対立軸として、時に独立した座標軸としていつの間にか理解されるようになり、テレビの司会者が、二者択一を政治家やエコノミストに迫る、といった構図が頻繁に見られるようになった。

そして、その時々において、一方が他方に比べ優勢になった。それが例えば、相次ぐ巨大補正予算の成立であり、規制緩和論やIT革命論の熱狂的な流布である。

しかし、この二元的論争を振り返って奇異に思えるのは、一部の例外を除き、両者とも相手方からの批判に対し真摯に答えてこなかったことである。そのため、両者の主張はいわば「言いっ放し」に終始し、両者それぞれの問題点を克服しようとする建設的な試みは、ほとんどなされなかった。また、両者を対立する立場や独立した立場ではなく、補完しうる立場として捉え直し、両者をつなごうとする試みも、少数の例外を除いては行われなかった。これは、「対立」と「わかりやすさ」を強調する、二元論的理解がはまりやすい陥穽である。

本書の分析は、不良債権問題という構造問題に焦点を当て、それが総需要を収縮させているメカニズムを浮き彫りにした。つまり、本書が示したのは、二元論的論争の陰に隠れていた、需要サイドと供給サイドとを「つなぐ」考え方である。

銀行が抱える不良債権問題は、九〇年代前半から多くの人々によって認識されてきた。総需要収縮の問題も同様である。だが、その両者は独立のものとして扱われ、両者の理論的・実証的リンクを分析しようとした者は、ほとんどいなかった。繰り返しになるが、政策論争の領域が、「需要サイド論対供給サイド論」という不毛な二元論争に占められ続けたのが、その大きな要因である。両者の主張は「言いっ放し」に終わり、本質的な論点はなかなか浮かび上がらなかった。理論的根拠が希薄な、規制緩和論やIT革命論などの「前向き政策」に、その時々の政策当局者、ジャーナリズムの関心が集中したのも、不良債権処理という「後ろ向き政策」の形成・実施を遅らせた。

二元論的思考枠組みからの脱却

第二次大戦後のイデオロギー対立の時代においては、二元論的な立場でうまく分析・理解できる経済・政治事象も多かった。例えば、「資本主義対共産主義」という二元的対立軸をうまく「つなぐ」ことは難しい。だが、その冷戦的な構図を、現在のように複雑化した経済社会に持ち込むことには、大きな問題が伴う。

二元論的な思考枠組みがいまだに根強く残っていることは、現実の経済社会の動きとの間に無用なギャップを生み、同時に、政策論争スタイルにも強く影響している。右で挙げたケースは、そのうちのほんの一部である（他の典型例としては、「国家 対 市場」、「右 対 左」など）。

以下では、議論を分かりやすくするため、「どのような自動車が理想か？」という論争が評論家の間で行われた場合を想定し、その具体例を見ながら、二元論的思考枠組みから脱却するために必要な方策を考えてみることにする。

議論の単純化のため、車の消費者にとっての価値が、「価格」と「性能」という二つの要素によって決まるとする。言うまでもなく、消費者は、安い価格と高い性能を好む。一方、メーカーの立場からすれば、高い性能の車には、高い価格をつけざるをえない。

ここで、二元的思考枠組みに囚われた論者は、「価格」か「性能」か、という選択を迫るだろう。要するに、理想の車として、「（性能は悪いが）安い車」を採るか、「（値段は高いが）性能の良い車」を採るか、という二者択一的な選択である。だが、実際には「価格」と「性能」はトレードオフの形で連関しており、「そこそこ安くて、そこそこ性能の良い車」を理想の車として挙げることも可能である。しかし、二元論的な思考枠組みは、そのように二つの軸を「つなぐ」思考、すなわち関連する二つの軸を同時に考慮に入れる思考様式を排除してしまう。

また、二元論的思考枠組みは政策論争スタイルにも影響を与える。例えば、ある車を批評する際、性能を重視する評論家は、「もっと性能を上げるべきだ」と批判するだろう。価格を重視する評論家は、「もっと安くすべきだ」と批判するだろう。しかし、価格と性能とは牽連関係にあるため、「性能を（Xレベル）上げるべきだ」と主張する評論家は、「その代わり、価格を（Yレベル）上げても構わない」とつけ加えない限り、無責任な「言いっ放し」になってしまう。つまり、一つの座標軸のみに囚われた二元論的思考は、現実的・建設的な議論を阻害するのである。

日本の政策論壇では、一つの視点（座標軸）からのみ、政策を批判するものが目立つ。これが、「批判するだけなら簡単だ」と言われる所以である。先ほどの車の例でも、どんな車に対しても、「もっと性能を良くしろ」と批判できる。そして、メーカーが批判に応じて性能を向上させ、それに要したコストを価格に上乗せした場合、今度は、「価格を安くしろ」と批判することもできる。要するに、一次元的な視野からは、無数の批判を行うことが可能なのである。しかし、価格と性能との連関性を考慮に入れた現実的・建設的な批判を行おうとすれば、選択肢は非常に限られてくるはずだ。

この車の例と異なり、実際の政策課題は、さらに高次元の座標軸の組合せで成り立っている。二元論的思考枠組みから脱し、複雑化する現実経済社会とのギャップを埋めるためには、したがって、多次元的な思考枠組みが必要になる。そのためには、政策当局者などは、例えば経済学の先端的研究成果をフォローし、多次元的な分析を可能にするツールを習得する必要がある。また、お互いに連関する座標軸を特定し、そうした座標軸をセットで議論する論争スタイルを定着させなければならない。具体的には、前章までの例では「供給サイド」だけ、あるいは車の例では「価格」だけ、の「言いっ放し」的議論や批判を厳しく律さなければならない。その上で、「供給サイド」と牽連関係にある「需要サイド」、あるいは「価格」と牽連関係にある「性能」との関係を見極め、両者を常に一つのパッケージで議論していくことが必要となる。例えば、財政再建を主張する者には景気回復についての案も同時に示させ、金融緩和を主張する者には構造改革の進め方も同時に提案させるようにしなければならない。

こうした現実的・建設的な論争を実現する一つの有効な手段としては、ある提案を批判しようとする者に「代案」の提示を義務づけるという「論争の作法」を普及させることが考えられる。そのことにより、どんな車に対しても、「もっと性能を上げろ。値段のことは知らない（何とかしろ）」と批判するような、二元論的かつ無責任な論争スタイルをある程度排除することができるだろう。

2　固定観念によって生み出されるギャップの解消——新たな座標軸の構築

右に挙げた二元論的思考枠組みは、政策形成に関係する多くの者たちの思考、論争様式を規律してきた。それが、九〇年代日本経済における真の問題点をぼやかし、政策的対応を遅らせてきたことはすでに述べたとおりである。この時期、二元論的思考枠組みだけでなく、より広義に、様々な固定観念が残存し、それに囚われた者たちの対応を時に誤らせ、時に遅らせた。

ここでは、前章までに触れた、そうした固定観念のうち代表的なものを挙げ、そこから脱却した上で、新たに構築すべき経済理念について述べる。

「不良債権＝ミクロ経済学問題」から「不良債権＝マクロ経済学問題」へ

不良債権問題やバランスシート調整問題はミクロ経済学(あるいは経営学)、総需要収縮はマクロ経済学、という暗黙の固定観念が、両者の連関性の分析を遅らせてしまった可能性は高い。また、供給サイド問題はミクロ経済学（あるいは経営学）の領域の問題、需要サイド問題はマクロ経済学の領域の問題、という認識が、前述の二元論的思考枠組みにつながった部分もあるだろう。その結果、両者の対立や独立性ばかりが強調され、両者を「つなぐ」試みはほとんどなされなかった。

七〇年代以降、経済学研究におけるミクロ経済学とマクロ経済学との境界線は、急速に曖昧化している。政策決定の場においても、当然そうあるべきだ。しかし、省庁再編に際して行われた議論などを見ると、日本では、依然としてマクロ経済とミクロ経済とを分けて考えている（あるいは、分けるべきだと考えている）政治家、学者、官僚などがいるようだ。その結果、経済政策立案・決定の場において、ミクロ経済的分析あるいは経営学的分析に習熟した者と、マクロ経済的分析に習熟した者との間で、十分な意見交換がなされてこなかった。これは、程度の差こそあれ、研究機関にも共通する問題点であろう。

こうした学問的な固定観念に基づくギャップを原因とした経済政策の歪みを取り除くためには、月並みではあるが、組織間の壁を低くすることが有効である。例えば、省庁再編後も、マクロ経済官庁（経済財政諮問会議、財務省、経済産業省など）とミクロ経済官庁（金融庁など）との間で、人材交流を活発化させるとともに、情報を共有するシステムを作り上げなければならない。

「倒産処理＝清算」から「倒産処理＝再建」へ

企業の倒産コストが（主観的・客観的に）非常に高いことが、不良債権処理の先送り、過度のリスク回避指向など、経済厚生向上にとり好ましくない企業行動を招いていることはすでに指摘した。債権者（銀行等）や債務者（企業等）にとっての倒産の主観的コストを非常に高くさせていたのが、「倒産処理＝清算」という固定観念である。そのため、債権者は、「債務者である企業を倒産させてしまうと、自動的に清算手続に入ってしまうので、ほとんど債権回収ができないだろう」と予測することになる。一方、債務者も、「いったん倒産すれば、再び事業を行う機会は二度と与えられないだろう」という予測をしてしまう。その結果、債権者・債務者双方に、倒産を回避するインセンティブが生じ、不良債権処理の先送りや、投資決定の際の過度のリスク回避志向を招いた。これが、総需要の収縮や、「バランスシートの罠」形成につながったことは、すでに見たとおりである。

倒産した企業を即清算することは、不良債権処理の先送りやリスク回避につながるだけでなく、せっかくの資産を散逸させることになり、経済厚生上望ましくない。したがって、倒産後も再建への途を開くべきである。――こうした考えを背景に、民事再生法が制定された。この法律の制定を機に、「倒産処理＝清算」という固定観念から脱却し、「倒産処理＝再建」という新たな観念が構築されることが期待される。

より比喩的に言えば、今後は倒産を「死亡宣告」ではなく「一時的な入院」と捉えるようなマインドの転換が必要となる。こうしたマインドの転換と並行して、各種制度的障壁が除去され、ＤＩＰファイナンスやデット・エクイティ・スワップなどの金融手法が広がれば、日本経済のバランスシート調整は急速に進むだろう。

静学的ゼロ・サムから動学的プラス・サムへ

九〇年代に入り、経済成長のペースは急速に落ち込んだ。経済全体の拡大が止まったため、この時期、限られた経済的パイの奪い合いが激化した。ゲーム理論的概念を使えば、経済プレーヤー間の関係は、協調することによって参加者がそれぞれ得をするプラス・サム・ゲーム的状況が減り、誰かが得をすれば他の誰かが損をするというゼロ・サム・ゲーム的状況が増加した。

そうした中、「不良債権処理」は、典型的なゼロ・サム・ゲーム的状況として捉えられてきた。つまり、不良債権処理は、金融機関と債務者企業と国との間で損失を押しつけ合ういわば「ババ抜き」ゲームだ、という理解である。このため、金融機関、債務者企業、国の三者にとって不良債権問題は「後ろ向き」

の問題として認識された。いざその問題に正面から取り組めば、自分もある程度の損失を負担しなければならなくなる、というわけである。

国の例をとれば、①不良債権処理は公的資金投入を通じ国民に負担を強いる、したがって、②世論の反発を招くだけだ、という論理で、不良債権問題は棚上げされ続けた。危機的状況下を除けば、国民の反発を買うような政策をあえて実施するインセンティブは、どの政党、政治家、省庁にもなかったからだ。代わりに、IT革命や、ベンチャー振興など、「前向き」の政策が盛んにもてはやされた。

「不良債権処理」が静学的（一時的）なゼロ・サム・ゲームと考えられてきた理由は、不良債権問題とマクロ経済（総需要）との関係が、相互に独立と考えられていたからである。しかし、第3章では、不良債権問題が総需要の収縮を引き起こすことを明らかにした。第4章では、不良債権処理の先送りによって、日本経済が「バランスシートの罠」に陥っていることが示された。さらに、不良債権処理を迅速に行い、「バランスシートの罠」を取り除けば、総需要が持続的に拡大しうることを指摘した。

こうした本書の分析を基にすれば、不良債権処理を静学的なゼロ・サム・ゲームと捉える固定観念がもはや適当でないことは明らかであろう。不良債権処理は、一時的には損失を、金融機関、債務者企業、国の三者間で分担することを要求する。しかし、不良債権処理が進み、「バランスシートの罠」が解消されれば、日本経済は自己組織化メカニズムを取り戻し、再び高成長トレンドを回復することが可能になる。つまり、中長期的には、不良債権処理は経済全体のパイを拡大させるのである。

そうやって中長期的に拡大したパイを、当初損失を負担した者の間で配分すれば、それらの者たちは損失を取り戻せるかもしれない（例えば、大恐慌時に金融機関に公的資金を投入した米国政府は、二五年かけて、投入した資金をほぼ全額回収した）。場合によっては、損失以上の利益を得るかもしれない。

国が公的資金投入の見返りとして得た株式や、銀行がデット・エクイティ・スワップで得た株式が、債務者企業の業績回復によって大幅なキャピタル・ゲインをもたらすかもしれないからである。

このように、不良債権処理やバランスシート調整は、その中長期的な影響も考慮すれば「後ろ向き」の政策ではない。すなわち、静学的でなく動学的に考えれば、不良債権処理はプラス・サム・ゲームなのである。

限られたパイの奪い合い（あるいは損失の押しつけ合い）であるゼロ・サム・ゲームと違い、プラス・サム・ゲームは、関連するプレーヤー間の協調が成立しうる。なぜなら、プレーヤー同士が協調することによって、パイ全体を拡大できるからである。しかし、第4章で見たように、現実の日本経済では、プレーヤー同士の協調が失敗し、悪均衡が成立してしまっている。

日本経済再生のためには、したがって、不良債権処理を従来のように静学的なゼロ・サム・ゲームと捉えるのではなく、それが動学的なプラス・サム・ゲームだと、認識し直すことが肝要になる。それにより、国や銀行や企業や国民にも、不良債権処理に協調して取り組むインセンティブが生まれるはずだからだ。

「投資乗数を通じた総需要拡大」から「信用乗数を通じた総需要拡大」へ

ケインズ経済学的な総需要管理政策は、財政資金の公共投資などへの投入や、金利の引き下げを通じ、投資を拡大することを一義的な目的とする。つまりこれは、投資乗数効果に着目した政策だ。しかし、現在の日本経済における根元的な問題は、バランスシートの毀損を通じた総需要の収縮である。したがって、ここでは「投資乗数」に働きかけるよりも、財政資金を金融セクターに投入することで不良債権処理を行い、金融仲介機能を再建させることで「信用乗数」を上昇させる方が、持続的な総需要の拡大につながる可能性が高い。

つまり、不況になればケインズ型の総需要管理政策——というのがバブル期までの固定観念だった。しかし、この一〇年間の経験は、その固定観念が必ずしも時代に適合していないことを示した。今後は、不況の原因を見極めた上、金融セクターへの財政資金投入を通じた総需要拡大——という政策オプションも考慮していかなければならない。

3 リスク管理能力のギャップの解消——「神話」からの脱却

リスク管理能力の欠如

本書を通じて述べてきたように、企業や金融機関が適切なレベルのリスクを伴った投資を行うことが、日本経済の持続的発展のためには必要となる。

日本企業は、つい最近までリスクを取る必要がなかったとよく言われる。しかし、それは間違いだ。日本を代表するような企業の多くは、戦後期を通じ、リスクの高い投資を行ってきた。だからこそ、日本経済は驚異的な発展を遂げることができたのである。

ただ、第1章で述べたように、八〇年代後半まで日本経済のリスクは、右肩上がりの経済成長と、上昇し続ける地価によって吸収されてきた。そのため、企業や金融機関は、いつの間にか「右肩上がり神話」や「土地神話」を盲信するようになり、自前でリスクを分散するシステムの構築を怠った。しかし、九〇年代に入り、それまでリスクを吸収していた「右肩上がり」の経済成長が途絶えた途端、「神話」に依存したリスク管理システムは、脆弱さを露呈した。それが、八〇年代後半における土地と株式を巡るバブルの発生と崩壊である。それからほんの一〇年後の二〇〇〇年には、今度は、「ネット関連」と銘打った企業の株式が高騰するネット・バブルが発生した。企業や金融機関は、「土地神話」に代わる「ベンチャー神話」に飛びついたのだ。しかし、二〇〇一年初めの時点で、すでに「ネット関連」株式の多くは暴落しつつある。

これからの日本の企業や金融機関は、既成の思考枠組み――「神話」に頼ったリスク管理――から脱却し、リスク管理能力を飛躍的に高める必要がある。そうしない限り、仮に現在のバランスシート調整が一段落しても、日本経済はいずれ再び新たな「バランスシートの罠」に陥ってしまうだろう。

理科系と文科系とのギャップ――金融工学普及の遅れ

日本企業がリスク管理能力を高めるためには、各種「神話」に頼った思考枠組みを打破することに加え、もう一つの「仕切り」を乗り越えることが必要となる。それが、「理科系」と「文科系」との間の「仕切り」だ。

この「仕切り」は本来、大学時代における専攻分野の違いを大まかに示すものでしかないはずだが、現在の日本社会では、はるかに大きな意味を持っている。例えば、多くの会社や官庁組織などにおいて、「理科系」と「文科系」がそれぞれ占める役職は細かく区分されている。このため、大学に進もうとする日本の高校生にとって、「理科系」を選ぶか「文科系」を選ぶかは人生における一大選択肢となっている。

この硬直的な「仕切り」のために、日本においては、金融工学の普及が決定的に遅れた。

七〇年代以降、米国を中心に金融工学がめざましい発展を遂げた。そして、二〇〇一年現在では、金融工学は、確率微分方程式や関数解析などの高等数学を駆使した高度な科学体系として完成されつつある（金融工学の歴史や内容については、例えば今野［2000］が詳しい）。

こうした金融工学の先端研究を取り入れることで、七〇年代以降、アメリカなどの銀行・企業は、リスク管理能力を格段に高めた。しかし、日本の銀行や企業は、そこで大きく出遅れた。

市場における「国」の領域が広く、リスクについて真剣に考える必要がなかった（あるいは、考えさせてもらえなかった）というのも、その要因の一つであろう。だが、恐らくそれと同等以上に大きかったのが、この「理科系」と「文科系」との間に横たわる「仕切り」の存在だ。まず、日本の大学では、「理科系＝製造業」、「文科系＝金融業」という固定観念が存在したため、金融工学は、理科系教育と文科系教育との狭間に落ちてしまった。その結果、金融工学を体系的に教育する大学や大学院の数が、ごく最近に至るまで極端に少なかった。

もちろん、銀行などに卒業生の多くを送り込んでいる経済学部や法学部の一部では、二次元モデルに還元することで簡略化した金融工学を教えていたところもあるだろう。しかし、現場で実際にリスクを管理するとなると、そのような簡略化された金融工学モデルでは使い物にならない。むしろ、数学や物理学などの「理科系」教育を大学で受けた者の方が、金融工学を素早く駆使できるようになるはずだ。特に、多くの経済学部や法学部の入試科目から数学・理科が外されている現況ではそうである。しかし、日本の金融機関のほとんどでは、「理科系」出身者は、ごく最近まで中心的な地位に就くことができなかった。そのため、「理科系」出身者が、金融工学を駆使してリスク管理を行う機会はほとんど与えられなかった。また、たとえそのような機会が与えられたとしても、数理能力に欠ける上司の理解や了承を得るのは難しかったはずだ。

こうして、「理科系」と「文科系」との間のギャップが、日本における金融工学の普及を遅らせ、日本の銀行や企業のリスク管理能力を低める大きな要因となった。

各種統計などを見る限り、日本人の平均的な数理能力は、他の先進諸国と比べても高い。それにもかかわらず、金融機関や、企業の「文科系」的領域における数理的リスク管理技術の導入は大きく遅れた。それが、バブルの崩壊の一因ともなった。しかし、経済学がたまたま「理科系」に分類されていたら、日本はリスク管理技術で世界をリードしていたかもしれないのだ。

銀行や企業が今後、リスク管理能力を飛躍的に高めるには、「理科系」・「文科系」の「仕切り」に囚われずに、人材を登用していかなければならない。

4　制度的・組織的ギャップの解消――「仕切られた多元主義」からの離脱

今までは、主として概念的な「仕切り」と、それが現実との間に生み出すギャップを見てきた。しかし、すでに各所で指摘されているように、制度的・組織的な「仕切り」も、九〇年代には旧弊化した。そして、概念的な「仕切り」と相乗的に作用し合い、お互いを肥大化させてきた。

制度的・組織的ギャップのうち代表的なものが、省庁間のギャップだ。本章の冒頭で紹介した分類も、基本的には省庁間の「仕切り」を強調している。

各種「仕切り」によって区切られた狭い空間内に長年安住していると、組織の構成員は、その狭い空間内で自己完結するような政策を行っていればよい、というマインドに囚われるようになる。その一方で、経済社会が進化するにつれ、各種組織を「仕切る」壁はどんどん旧弊化していく。その結果、日本の政策決定現場においては、ある狭い空間内では合理性を持っても、全体としては意味をなさない、あるいは、全体としては有害な政策が濫造される、という事態が半ば常態化してしまった。一方、経済全体のことを考えたグランド・デザインはいっこうに描かれなくなる。制度間、組織間に生じたギャップが、それらの制度・組織間の不調和を呼び、部分部分では合理性を持っても、全体として整合性のない不合理な政策を生み出してしまうのである。

「仕切り」による経済政策の歪み

経済政策立案に関する「権限」は、その起源を遡れば明治期以前にまで至る各省庁の設置法により、現在でも細かく仕切られている。そして、政府が打ち出す経済政策の多くは、それらの旧態然とした組織的仕切りにより、矮小化されると同時に歪められてきた。二〇〇一年に行われた省庁再編も、従前の省庁体制を、概ねそのままの形で引き継いでいる。

省庁間の「仕切り」と対応する形で、政党や議院組織も仕切られている。さらに、省庁毎に、いわゆる「族議員」のグループが与党内を中心に形成され、政策形成に重要な役割を果たしている。

こうした省庁間のギャップ、さらにはそれに対応した政策形成過程のギャップは、経済政策のあり方に多大な影響を与えてきた。その一例が、第5章で挙げた、整理回収機構の機能の件である。

整理回収機構に関する行政は大蔵省・日銀が行うとされていたため、不動産開発を整理回収機構の業務に含めるという発想が出てこなかった(あるいは、意図的に出されなかった)。また、整理回収機構の職員は金融業界出身者で占められ、不動産開発の専門家を雇うという発想も出てこなかった。その結果、「回収した不動産を、虫食い地の集約化などを通じ、価値を高めた上で売却する」という、経済合理的な観点から見れば当然含まれるべき業務（ビジネスモデル）が、整理回収機構の業務から省かれてしまった。

また、司法組織・司法官庁と経済官庁との間のギャップも、今後一層深刻化するだろう。事前行政に対する批判が高まり、事後行政の時代が到来したと言われる。そうした中、経済政策の形成に際し、司法が果たす役割は大きくなるはずだ。例えば、経済訴訟が増えるにつれ、それに対する裁判所の判決は、企業や個人の経済活動により大きな影響を与えるようになるだろう。民法・商法・倒産法などを所管する法務省が、合理的な経済システムの構築に向け果たす役割も大きい。しかし、法務省も裁判所も、自前で経済専門家を育成する努力を行ってこなかった。そういった組織への登竜門である司法試験も、現行では、理科系学部生や経済学部生にとっては敷居の高いものになっている。司法修習所では、経済理論については何ら教えられていない。他方、法務省も裁判所も、経済の専門家を、外部から組織内に取り込む努力をしてこなかった。

裁判所は、今までにも、経済活動に極めて大きな影響を与える判決をいくつも示してきている。例えば、民法一条三項という極めて包括的な条項を根拠にした「解雇権濫用法理」などがその代表例だ。しかし、法理自体の是非はともかく、その法理を打ち出す際に、果たして裁判所は、その判決（法理）が経済全体に及ぼす影響を、専門的・理論的に吟味したのであろうか？　今後は、訴訟当事者間の利益衡量や、法文解釈の視点だけではなく、判決や立法が経済にどのような影響を及ぼすかという点につき、専門的・体系的な観点から分析できる体制を構築することが望まれる。

さらに、景気問題（需要サイド問題）と構造改革問題（供給サイド問題）とが、二元論的に切り離されて考えられてきたことの一因も、実は省庁間の「仕切り」にある。例えば日銀は、ゼロ金利政策を維持していた際、景気が良くなるまで短期金融市場の金利をゼロに据え置く、としか説明してこなかった。しかし、ゼロ金利政策を続ける間に、どのようなプロセスで、あるいは、どのような政策的対応（構造改革）で景気が良くなるのか、という点については口を閉ざし続けた。さらに、長期国債の日銀買入やインフレ・ターゲット論についての議論が盛んに行われた際にも、議論のスコープから構造改革問題は捨象され続けた。他方、通産省が主導して九九年に制定された「産業再生法」からは、需給ギャップの問題や、金融機関の不良債権問題などが捨象されていた。

ゼロ金利政策に関して言えば、日銀としては、自分が所管する金利政策で景気の下支えをする間に、大蔵省や通産省などの経済官庁が不良債権処理をはじめとする構造改革を進めることを期待する、という考えだったのだろう。しかし日銀は、他省庁の政策領域について、あえて具体的な提言を行うことは自制したようだ。

これは、省庁間の軋轢を避ける紳士的な態度と言えるのかもしれない。しかし、日本経済全体のことを考えれば、一種無責任な態度とも取れる。なぜなら、これはすでに指摘した「言いっ放し」的な議論の典型例だからだ。むしろ、こうした制度的・組織的な「仕切り」こそが、政策当局者の視野を狭隘にさせ、自分の領域限りで合理性を持つ政策ならそれでよい、という「言いっ放し」的な論争スタイルを根付かせてしまったのかもしれない。

グランド・デザインの構築に向けて

二〇〇一年に省庁は再編され、一府一二省庁体制が始まった。だが、経済財政諮問会議の設置など一部の意欲的な試みを除けば、省庁間の線引きは、それ以前のものを基本的には踏襲している。したがって、ここまで述べたような、省庁間のギャップと、それを原因とする経済政策の歪みは、省庁再編そのものによっては、劇的には改善されないだろう。

省庁再編を巡る議論を振り返ると、当時の担当委員は、単一の政策分野において複数の省庁が競合することを防ぐことを大きな目標として、省庁間の線引きのあり方を決めようとしたようだ。しかし、経済社会の複雑化と相互依存性が高まった現在、いかにうまく線を引いたとしても、所詮、省庁間の重複や競合は免れない。特に、日本経済全体にまたがるような政策課題については、そうなる方がむしろ当然である。

したがって、ここで必要なのは、政策当局者が、無数に存在する「仕切り」に囚われずに、日本経済全体のことを考え、政策を立案するよう誘因づけることである。また、自らの属する「仕切り」内のことだけを考えた「言いっ放し」の政策提案に対しては、その政策が影響を及ぼす他の領域の問題について、政策提案者の立場を問いただしていく必要がある。例えば、二元論的思考枠組みの問題性を指摘した部分で述べたように、規制緩和やリストラなど「供給サイド」の構造改革を主張する論者（政策当局者）に対しては、それと牽連関係にある「需要サイド」に対する見解も求めるようにしなければならない。車の「性能」面の向上を主張する論者には、「価格」に対する見解をも求めなければならない。

こうしたグランド・デザインを構築しようとする場合、自然に、省庁間の「仕切り」を越えた政策の重複が起こる。それを「領空侵犯」と見なす政治家や官僚も多いだろう。実際、政策論争を行う際、一方が政策論を投げかけるのに対し、他方が省庁設置法などの条文を持ち出し、相手方がそのような政策論を投げかける「権限」がないと反論するような場面が、政策現場においては日常的に見られる。しかし、現代の経済問題を論じる際に、古色蒼然とした省庁設置法を持ち出して反論するのはナンセンスである。他の領域から関連する政策論を投げかけられた組織は、その組織に蓄えられてきた専門的な知見・情報を十分に生かし、それに対し理論的・実証的に反論していけばよいのである。他方、専門的知見を駆使し、それを理論的に体系づけるような人材を育成してこなかった組織は、政策現場から淘汰された方が日本全体のためには好ましい。つまり、「仕切り」を越えた「政策の競争」が起こることにより、「日本全体」を考えた経済政策が成立するだけでなく、政策の質的な向上も期待できるはずなのである。

5 コミュニケーション・ギャップの解消――説明責任の遂行

コミュニケーション・ギャップの存在と説明責任の不履行

政策の立案に携わる専門家同士の間にある「仕切り」の問題に加えて問題となるのが、序文でも述べたように、経済政策に関する専門家と一般消費者（有権者）間のコミュニケーション・ギャップである。こうしたギャップが存在したため、経済学者などによる真摯な先端的分析や、経済政策を実施する際の理論的根拠は、有権者などに十分にコミュニケートされなかった。

コミュニケーション・ギャップの一義的な原因となったのが、経済理論や専門用語の難解さである。また、国民に対し説明責任を負う政策当局者も、経済政策の理論的基盤などを国民に対し十分に説明しようとしなかった。

こうしたギャップを衝いて広く流布したのが、口当たりが良いだけで、理論的・実証的な基盤を欠く、いわゆる「俗説」である。あるいは、政策的・体系的な対処ができない精神論・道徳論である。

コミュニケーション・ギャップの存在と俗説・精神論の流布は、有権者の政治・行政不信を高め、一連の政治混乱につながった。

例えば、九五年末に住専に対し公的資金導入が決定された際、その決定の是非は国民的な議題となり、野党議員による国会座り込みにまで発展した。しかし、その政策内容、意図について、どの程度の情報が国民（有権者）にコミュニケートされていただろうか？　当時、政策内容について誤解した、あるいは視聴者の誤解を招くようなテレビ報道も散見された。そして、コミュニケーション・ギャップを起点とした政治混乱は、問題の隠蔽や、さらなる「先送り」につながり、「バランスシートの罠」は一層深刻化した。

コミュニケーション・ギャップからの脱却

本書は、以上述べてきたようなコミュニケーション・ギャップの解消と、それを通じた説明責任履行に向けての一つの試みである。本書がどの程度その目的を達成できたかは読者の判断を待つしかないが、このような試み自体の重要性は、今後一層増すはずだ。

日本が民主主義国家である以上、いくら数理的に複雑なモデルを用いた高度な分析を行ったとしても、政策当局者は、政策の理論的・実証的背景を国民にわかりやすくコミュニケートする努力を怠ってはならない。しかし、日本が民主主義国家だからといって、内容や論理がわかりやすいだけで、理論的・実証的な裏付けに欠ける政策を採用することも許されない。

自民党一党優位制が崩れた九三年以降、民主主義過程が経済政策立案過程に及ぼす影響は強まっている。政策当局者は、したがって、これまで以上に真摯に説明責任の存在を認識し、説明責任の不履行によって生じる政治的混乱を回避するよう務めなければならない。そのためには、コミュニケーション能力の質量双方における向上が必要となろう。

一方、経済学の先端的な研究成果を国民（有権者）に十分にコミュニケートするには、あるいは、巷に流布している俗説の誤謬を正すには、経済学者の関与が欠かせない。

経済学の先端的な分野で、国際的な業績を挙げている日本の学者は少なくない。しかし、そういう学者に限って、研究活動に忙殺されるため、政策形成に関わったり、一般向け書物を著したり、マスコミに登場することが少なくなる。このため、そのような学者が、政策形成に積極的に携り、その政策の背景を一般向けにコミュニケートすることを誘因づけることが必要となる。これには、例えば、各種政策シンクタンクの予算を拡充したり、研究資金支出に何らかの配慮を加えることが考えられるだろう。また、すでに述べたが、多次元的政策分析能力を備えた学者、政策当局者、民間エコノミストなどが交流する場を拡張することも有益だろう。

2節　新たな経済理念・制度の構築――パッチワークからグランド・デザインへ

本書を通じ、九〇年代が日本経済にとり「失われた十年」になった原因を分析してきた。最終章である本章では、これまでの議論のまとめを兼ね、その原因をより鳥瞰的に概観した。具体的には、現実の経済社会と、既成概念、既成制度・組織との間に生じたギャップこそが、抽象化したレベルでは、「失われた十年」の根本要因となったことを見た。

日本の経済政策立案過程、経済・経済政策の分析手法、あるいはより広く、日本の市場・企業などは、数多くの概念的・制度的・組織的な「仕切り」によって区切られている。しかし、その多くは、すでに合理性を失った時代遅れの「仕切り」だ。そうした時代遅れの「仕切り」と現実の経済社会との間に生じたギャップが、必要な経済政策の実現を阻み、日本経済を長期間にわたり低迷させた。

従来から、「縦割り行政の弊害」など、制度的・組織的なギャップの問題点は、各所で指摘されてきた。しかし、本書を読み終えた読者は、概念的なギャップが、より大きな弊害をもたらしてきたことに気づいたことだろう。本書の中心的な議論である「バランスシートの罠」の存在も、そうした概念的ギャップの存在により、見過ごされてきたものだ。

この一〇年、日本の政策当局者、経済学者、エコノミスト、企業経営者の多くは、そういった数々の「仕切り」に囚われて活動してきた。そして、各々の「仕切り」の中で、最適な途を見出そうとしてきた。しかし、時代遅れの「仕切り」内の局地的な最適解を寄せ集めたとしても、それは全体にとって最適な解をもたらすとは限らない。つまり、ここでも一種の『合成の誤謬』が起きるのだ。

例えば九〇年代に、金融当局は、不良債権処理を景気が回復するまで先送りすることを選択した。一方、財政当局は、不況対策のために悪化した財政の再建に着手した。それらの選択は、金融当局、財政当局の観点からはそれぞれ、最も望ましい政策だったのかもしれない。しかし、日本経済全体の視点から見た場合、そういった局地的な最適解の『パッチワーク（つぎはぎ合成）』が、金融危機を引き起こし、結果的にさらなる財政赤字を生み出した。

日本経済の停滞に対する処方箋は、本書の第5章で具体的に示した。それらが実施された場合、あるいは、実施されなかった場合のシナリオも、第6章で詳細に検討した。しかし、問題の根源となっているのは、繰り返しになるが、政策当局者、エコノミスト、企業経営者などの思考・行動様式が、既成概念、既成制度・組織などの「仕切り」に拘束されていることである。そうした「仕切り」の存在ゆえ、現況の日本においては、経済全体にとって正しい政策が、正しい順序で実施できていない。本書で提示したような処方箋もなかなか実施されない。

日本経済が低迷を脱出するには、したがって、既成の「仕切り」を打破し、局所解のパッチワークではなく正しいグランド・デザインを描く体制を整えることが肝要となる。そのためには、既成の「仕切り」に囚われない思考枠組みや政策体制を再構築しなければならない。

新たな経済理念、経営理念の樹立が求められている。

〈参考文献〉

Alesina, A., and R. Perrotti (1997) Fiscal Adjustments in OECD Countries: Composition and Macroeconomic Effects, *IMF Staff Papers,* 44(2), June 1997, pp. 210-248.

Alesina, A. and H. Rosenthal. (1995). *Partisan Politics, Divided Government, and the Economy.* New York: Cambridge University Press.

Barro, R. (1995), Inflation and Economic Growth, *NBER Working Paper* No.5326.

Blanchard, O. and M. Kremer (1997), Disorganization, *Quarterly Journal of Economics,* 112(4): 1091-1126.

Carapeto, M. (1999) Does debtor-in-possession financing add value? *Ph.D. dissertation,* London Business School.

Debelle, G. and O. Lamont (1997), Relative Price Variability and Inflation: Evidence from U.S. Cities *Journal of Political Economy* 105(1), pp. 133-152,

Hart, O. (1995), *Firms, Contracts and Financial Structure,* Oxford Clarendon Press.

Kato, S. (2000), Microeconomics of Administrative Guidance: When and Why Firms Authorize States? *Mimeo* (*November*). University of Michigan.

Kiyotaki N. and J. Moore (1997), Credit Cycles, *Journal of Political Economy,* 105(5): 211-48,

Knight, F.H. (1921), *Risk, Uncertainty & Profit,* Century Press: New York.

Kobayashi, K. (1998), The Division of Labor, the Extent of the Market and Economic Growth, *Ph.D. Dissertation,* University of Chicago.

Kobayashi, K. (2000), Disorganization due to Forbearance of Debt Restructuring, *Research Institute of Economy,*

Trade and Industry (*http://www.meti.go.jp/mitiri/downloadfiles/m4235-2.pdf*)

Kotter, J. P. (1996). *Leading Change.* Boston: Harvard Business School Press.

Krugman, K. (1999), Balance sheets, the transfer problem, and financial crises, *http://web.mit.edu/krugman/www.*

Lamont, O. (1995), Corporate-Debt Overhang and Macroeconomic Expectations, *American Economic Review*, 85(5): 1106-17.

Okimoto, D. (1989). *Between MITI and the Market: Japanese Industrial Policy for High Technology.* Stanford: Stanford University Press.

Perotti, R. (1999), Fiscal Policy in Good Time and Bad, *Quarterly Journal of Economics,* November 1999, 1399-1436.

Posen, A. (1998) *Restoring Japan's Economic Growth.* Institute for International Economics.

Romer, P. (1987), Growth Based on Increasing Returns Due to Specialization, *American Economic Review,* 77, 56-62.

Samuels, R. J. (1987). *The Business of the Japanese States: Energy Markets in Comparative and Historical Perspective.* Ithaca: Cornell University Press.

Smith, A. (1776), *An Inquiry into the Nature and Causes of the Wealth of Nations.* (『諸国民の富』アダム・スミス、岩波文庫)

Yang, X. and J. Borland (1990), A Microeconomic Mechanism for Economic Growth, *Journal of Political Economy,* 99, 460-482.

青木昌彦、一九九五年、『経済システムの進化と多元性——比較制度分析序説』、東洋経済新報社

池尾和人、一九九六年、『現代の金融入門』、筑摩書房

大瀧雅之、二〇〇〇年、「バランスシート調整とモラルハザード」、『マクロ経済政策の課題と争点』東洋経済新報社所収

奥村洋彦、一九九六年、『現代日本経済論』、東洋経済新報社
小野善康、一九九八年、『景気と経済政策』、岩波新書
菊池英博、一九九九年、『銀行の破綻と競争の経済学』、東洋経済新報社
小林慶一郎・稲葉大、二〇〇一年、「日本経済のディスオーガニゼーション（産業連関表による実証分析）」、『バランスシート再建の経済学』、東洋経済新報社（近刊）所収
榊原英資、一九九九年、「最近の国際金融情勢について」、CPA政連第302号九月十五日
佐藤誠三郎・松崎哲久、一九八六年、『自民党政権』、中央公論社
杉原茂・三平剛、一九九九年、「アメリカの企業金融」、エコノミック・リサーチ第8号
通商産業省政策審議室、二〇〇〇年、「財政問題ノート（第2版）」（mimeo）
富田俊基、一九九九年、『国債累増のつけを誰が払うのか』、東洋経済新報社
中前忠・編著、一九九八年、『三つの未来』、日本経済新聞社
中前忠、ヘイミシュ・マクレイ、一九九九年、『目覚めよ！　日本』、日本経済新聞社
日本経済新聞社編、二〇〇〇年、『検証バブル――犯意なき過ち』、日本経済新聞社
長谷川徳之輔、一九九八年、『不動産金融危機　最後の処方箋』、ダイヤモンド社
富士由將・目瀬直之・山田良平、一九九九年、「1990年代における企業のバランスシート調整」、金融研究班報告書『日本金融研究1』所収、日本経済研究センター
マイケル・E・ポーター、竹内弘高、二〇〇〇年、『日本の競争戦略』ダイヤモンド社
松岡幹裕、一九九九年、「財政政策の有効性の再検討」、ジャーディン・フレミング証券
松岡幹裕、二〇〇〇年、「財政赤字、政府債務と長期金利」、ジャーディン・フレミング証券
宮尾龍蔵、一九九九年、「インフレーション・ターゲットとゼロ金利政策」、『国民経済雑誌』第180巻第6号
吉川洋、一九九九年、『転換期の日本経済』、岩波書店

吉川洋＋通商産業研究所編集委員会・編著、二〇〇〇年、『マクロ経済政策の課題と争点』、東洋経済新報社
吉田和男、「財政再建と日本経済」、日本経済新聞二〇〇〇年十一月十五日付「やさしい経済学」掲載
吉冨勝、一九九八年、『日本経済の真実』、東洋経済新報社
吉冨勝・大野健一、一九九九年、「資本収支危機と信用収縮」、ADBIワーキング・ペーパー、アジア開発銀行研究所

あとがき

最後に、本書を書くに至った主要な理由に触れておきたい。

一つは、われわれが経済産業省の職員として感じ続けてきた組織的・概念的な制約を振り払い、何が日本全体にとって問題なのか、何が日本経済全体にとって今必要なのか、という点につき、自由な立場で掘り下げるためである。

書中で述べてきたように、日本の経済運営や組織運営、さらには政策担当者などの思考枠組みは、時代遅れの様々な「仕切り」によって分断されている。こうした概念的・制度的な「仕切り」が、日本経済にとって真に必要な「グランド・デザイン」の構築を妨げた。代わりに、各種政策の「パッチワーク（つぎはぎ合成）」による整合性のない、歪んだ経済運営が行われてきた。

例えば、金融監督当局は、金融システムの安定に焦点を絞り、景気回復が確実になるまで不良債権処理を先送りする戦略をとった。財政当局は、不況対策で膨張した財政赤字を解消するため、消費税増税を指向した。総需要収縮に懸念を抱くマクロ経済学者は、財政金融政策の発動を説いた。日本企業の国際競争力に懸念を抱く市場アナリストは、規制緩和やリストラの必要性を説いた。

本書は、そうした各種「仕切り」を超えた「グランド・デザイン」構築の試みである。

本書で説明した理論や提言がどの程度受け入れられるかはわからない。読者の判断を待つばかりである。ただ、本書は少なくとも、日本経済全体について、一つの包括的なパッケージ（「グランド・デザイン」）を示している。したがって、本書に対する建設的な批判は、ある特定の領域・論点についてのものではなく、日本経済全体を視野に入れた「全体パッケージ」として提示されることを期待したい。

本書を書くに至った二つ目の理由は、政府と国民の間におけるコミュニケーション・ギャップの修復である。

九〇年代の日本経済低迷の原因は、純粋な経済問題ではなく、むしろ政治問題だ、との意見がよく聞かれる。「日本経済のために何をすればよいかは、とっくの昔にわかっていた。不良債権問題の深刻さや、公的資金導入の必要性も九二年頃にはわかっていた。しかし、政治的な制約が、必要な政策の実施を遅らせた」というわけだ。

九〇年代には、経済政策についての政府・国民間のコミュニケーションが決定的に破損した。その間隙を衝いて、単純でわかりやすいが、理論的には疑義のある俗説が流布した。その結果、国民は政治・行政不信を抱くようになり、それが「政治的な制約」となって適切な経済政策の実施を遅らせた。

本書は、したがって、経済政策に関する政府・国民間のコミュニケーション・ギャップを解消することを一つの大きな目的として書かれた。書中では先端的な経済学や政治学の研究成果が取り入れられている。その点では一切妥協していない。だが、そうした先端的な内容を、経済学に馴染みのない読者にも理解してもらえるよう、文章・構成面などで最大限の工夫を凝らしたつもりである。

以上、生意気なことを述べてきたが、本書はわれわれだけではとうてい完成できなかった。まず、われわれのような若輩に出版の機会を与えてくれた、日本経済新聞社出版局の山田嘉郎氏と野澤靖宏氏にお礼を申し上げたい。特に野澤氏には、適切なご指導をいただいただけでなく、出版スケジュールの度重なる遅延等、さんざんご迷惑をおかけした。

次に、経済産業省（旧通産省）の諸先輩・同僚の面々にも感謝したい。「霞ヶ関的ではない」としばしば形容される自由闊達な雰囲気の中での議論を通じ、本書のアイディアは膨らんでいった。高島昭憲氏、寺澤達也氏、西山圭太氏には本書を構想するに際して重要な知識や考え方を学ばせていただいた。また、安藤晴彦氏、石毛博行氏、片瀬裕文氏、木村陽一氏、谷川浩也氏、宗像直子氏をはじめ多くの方々に貴重なご助言やご配慮をいただいた。

国内外の経済学者、経営学者、政治学者、シンクタンク系エコノミスト、弁護士の方々からも貴重なご助言を数多くいただいた。ここで全てを記すことは出来ないが、スタンフォード大学教授・経済産業研究所長の青木昌彦氏、ロンドン・スクール・オブ・エコノミクスの清瀧信宏氏、東京大学の吉川洋氏、林文夫氏、奥野（藤原）正寛氏、大瀧雅之氏、柳川範之氏、大阪大学の小野善康氏、慶應義塾大学の池尾和人氏、専修大学の石原秀彦氏、ビンガム・デーナ・ムラセ法律事務所のリチャード・ギトリン氏、ミネソタ大学のエドワード・プレスコット氏、ミシガン大学のジョン・キャンベル氏、ハーバード大学のアレクサンダー・ダイク氏、ブルース・スコット氏には、特に詳細かつ親身なご指導をいただいた。

以上の方々に心からお礼を申し上げることで、本書の結びとしたい。

二〇〇一年二月

小林慶一郎
加藤　創太

ングで消費財の分割割合を決定する。このとき、バーゲニングはそれぞれの企業の所有者の利得を最大化するために行われるので、健全企業の株主と債務超過企業の債権者(銀行)がバーゲニングを行うことになる。したがって、健全企業の取り分をy^*とすると、

$$y^* = arg \max_{y} (y - A_L)(2A_N - y)$$

よって$y^* = A_N + \frac{1}{2}A_L$と決まる。そのとき、債務超過企業の取り分は、$A_N - \frac{1}{2}A_L$であり、仮定より$A_N - \frac{1}{2}A_L < A_S$だから、債務超過企業は分業するよりも単独生産する方が得になり、だれも健全企業と分業を行おうとしなくなる。このため、健全企業は、分業のパートナーを獲得できず、単独生産を余儀なくされる。このような事態を予想すると、銀行は、債務超過企業を処理して健全企業に融資を付け替えるインセンティブを失う。こうして、債務超過企業が存続しつづけ、悲観的均衡は持続するのである。

5 資産価格の下落

このモデルを発展させて、生産関数に資本投入として土地を導入することができる。その場合は、土地価格は(資本収益の割引現在価値であるから、)生産性パラメータ(A_SまたはA_N)の増加関数である(Kobayashi[2000])。つまり、悲観的均衡では、生産性の低い単独生産が選択されるため、経済全体の効率が悪化し、土地の生産性も低下する。したがって、土地収益の割引現在価値である地価も下落する。

6 参考文献

Kobayashi, K.[2000]“Debt Overhang as a Delayed Penalty ”, MITI/RI Discussion Paper #00-DF-35.

企業iと企業jが分業生産するとき、債権者(銀行iと銀行j)は、同時にCかLを選択するゲームを行うことになる[3]。もし、両銀行がともにCを選択すれば、銀行iの期待利得(消費財の収入)は$(1-p)A_N$である。もし、銀行iがLを選択すれば、銀行jの選択によらず、銀行iの利得はA_Lとなる。銀行iがCを選択し、銀行jがLを選択する場合は、銀行iの利得は0となる。

ここですべての人々の期待が、「もし債務者企業が分業生産を行ったら、銀行はπの確率でLを選ぶ」というものだとする。このとき、Cを選んだ場合の銀行iの期待利得は、$(1-\pi)(1-p)A_N$であり、Lを選んだ場合の銀行iの期待利得は、A_Lになる。さらに、債務者企業が分業生産でなく単独生産をする場合の銀行iの期待利得は、$(1-p)A_S$である。したがって、この経済には二つの均衡ができる。人々が悲観的であって、$\pi > \pi_0 \equiv 1 - \frac{A_S}{A_N}$だったとすると、すべての銀行と企業は単独生産を選択する。この場合、πは銀行の行動によって改訂されないので、悲観論が持続する。もし人々が楽観的であって$\pi < \pi_0$だったとすると、すべての銀行と企業は分業生産を選択し、すべての銀行はCを選ぶので、πは0に収束する。

経済全体に悲観論(「銀行は債務者企業が分業生産を行ったら、確率π($> \pi_0$)でLを選ぶ」)が蔓延すると、すべての企業(企業の実質的所有者の銀行)は単独生産を選び、悲観論が持続し、経済の生産性は低下する。経済の平均産出量は$(1-p)A_S$となる。

4　悲観的均衡の持続

悲観的均衡にいったん陥ると、銀行は債務超過になった企業を倒産処理するインセンティブを失う。その理由は、つぎのようなものだ。

ある銀行が債務超過企業を処理して健全企業に融資したとしよう。健全企業は、分業生産を行うためには、他の企業(=債務超過企業)とペアを組まなければならない。健全企業と債務超過企業はそれぞれA_Nだけ中間財を生産し、二社が共同して合計$2A_N$の消費財を生産する。ここで、二社が中間財を生産した後、消費財を生産する前に、二社はナッシュ・バーゲニ

[3] この経済には、非常に多数の銀行が存在すると仮定する。企業iと企業jはランダム・マッチングでペアになるので、銀行iと銀行jがたまたま同一の銀行となる確率は無視できるほど小さい。

り小さいとき、株主から銀行に経営者解雇権が与えられるものとする。」

この契約が結ばれた後、企業は1単位の労働力で、分業生産を選択してA_N単位の消費財を産出する。事故が発生する確率がp(経営者が努力するから)なので、事故を起こした企業では、契約に基づいて、経営者解雇権が銀行に与えられる。銀行は即座に権利を行使するものとする。その後、$t+1$期には、倒産した企業の代わりに新たな企業が設立され、銀行と企業(株主、経営者)は再び最適契約を結ぶ。この均衡では、生産性の高い分業生産が滞りなく行われ、経済の平均産出量は$(1-p)A_N$となる。

3 デット・オーバーハングのある複数均衡

当初、最適均衡にあった経済に、t_0期に外生的な金融ショック(不動産市場の崩壊など)が発生したと想定する。このショックによって、すべての企業の銀行への返済がdA_N-Dになってしまったとする。この場合、最適契約に基づき、株主から銀行に企業経営者の解雇権が与えられる。

仮定2 銀行は、企業経営者を解雇する代わりに、Dを繰り越し債務(デット・オーバーハング)として企業経営者に課し、企業経営者を解雇する権利を留保する。また、同じ銀行が、t_0+1期以降も、毎期1単位の労働力を供給し続けるものとする。債権者は、経営者解雇権の行使を自主的に控えているので、いつでも好きな時に経営者を解雇することができる。

仮定3 デット・オーバーハングD(とそれに付随する企業所有権)の取引市場は存在しない。

すべての企業について、その所有権(経営者解雇権)は債権者の銀行が保持しているから、債務者企業が分業生産に入ったときに、銀行は、「債務者に中間財の生産を完了させる」こと(アクションC)と、「途中で債務者企業の経営者を解雇し、中間財の生産を止めさせる」こと(アクションL)のいずれかを選択できる。銀行がアクションLを選択すると、中間財が作られる前に労働力1単位を入手するので、銀行は消費財A_L単位を生産することができる。

事故が起きたときに「債務不履行」が発生するように債務の量を決めればよい。しかし、事故が起きると産出量がゼロになるので、企業は銀行に何も返済することはできない。したがって、債務の量がプラスでさえあれば、この条件は満たされる。

第二の条件は、生産性の高い「分業生産」が実現すること、である。企業iと企業jが分業しているときに、もし「企業iの経営者が途中で解雇される」と予想されるなら、m_iは生産されないことになるので、企業jはm_jを生産しても、消費財を産出できないと予想される。この場合、企業jは分業をせずに最初から単独生産を行った方が得であり、分業生産を行おうとしない。つまり、分業生産が実現するためには、「分業の相手企業の経営者が企業の所有者(株主)に途中で解雇される」という予想が起きないように資本構成を設定すればよい。分業途中で経営者を解雇すれば、その企業の株主はA_Lを得る。したがって、銀行に返済すべき債務が、A_Lより大きくなるように、債務/自己資本比率を設定すれば、「経営者を分業生産の途中で解雇した場合の株主の利得=ゼロ」にできる。この場合、いったん分業生産に入ったら、企業iの株主は、相手企業jが中間財m_jを供給してもしなくても、「自企業の経営者を解雇すれば自分の利益はゼロになる」から、経営者を解雇しないことが支配戦略となる。このような債務/自己資本比率がすべての企業で実現していれば、「株主は経営者を途中で解雇する」という予想は発生しない。

これら二つの条件を満たす債務:自己資本の比をd:$1-d$とする。均衡の収益率がA_Nとなるから$d=\frac{A_L}{A_N}$。このような資本構成が実現すれば、分業生産でペアを組んだ相手企業は必ず中間財を生産し、各企業は必ずA_Nの産出を得ることになる。したがって、t期の株主、銀行、企業経営者の間の最適契約は次のようなものである。

「株主は、$(1-d)$単位の労働を出資し、銀行はd単位の労働力を企業経営者に融資する。企業経営者は分業生産を選ぶものとする。企業経営者はdA_N単位の消費財を銀行に返済するものとする。債務の返済額がdA_Nよ

---

[1]株主が銀行借入の額を決定すると、企業の資金規模が決まり、それによって、購入できる労働投入の量が決まる。このモデルでは、生産関数は労働投入の線形関数なので、各企業の労働投入を1単位と標準化している。したがって、このモデルでは、株主は借入の額ではなく自己資本/債務の比率を決定することになる。

[2]株主、銀行は事故そのものは観測できず、返済の額の変化しか観測できないことに注意。

の対称性よりyは二等分されるので、企業i (j)の取り分y_i (y_j)は$y_i = y_j = A_N$を満たす。

企業経営者は、いったん生産技術を選ぶと、その期が終わるまでそれを変更せずに実施することしかできないが、一方、生産活動の途中に、企業経営者が企業の所有者(通常は株主)によって解雇される場合がある。

企業経営者が単独生産を行っている途中で解雇される場合は、企業所有者は生産を引き継いで、A_L単位の消費財を産出する。ただし、

$$A_L < A_S < A_N < A_S + \frac{1}{2} A_L$$

企業iと企業jが分業生産のためのペアを組んでいて、企業iの経営者が中間財を生産する前に解雇される一方、企業jはそのまま中間財を生産する場合を考えよう。企業iの所有者は、消費財A_Lを生産する。一方、企業jは、中間財m_jを生産するが、$m_i = 0$なので企業jの消費財の産出は最終的にゼロである。

経営者の効用と生産過程の情報構造について次の仮定をおく。

仮定1　経営者は消費財の消費ではなく、会社経営を行うことから直接に効用を得る。経営者が「努力」を発揮すれば確率pで事故が発生し、「努力」を発揮しなければ確率Pで事故が発生すると仮定する(ただし、$\mathrm{p} < \mathrm{P} \ll 1$)。事故が起こると、生産された消費財のすべてが失われる。「努力」を発揮することは経営者に不効用を与える。経営者が「努力」を発揮したかどうか、と事故発生の有無は、株主と銀行には観測できない。

2　デット・オーバーハングのない最適均衡

t期の期初に、すべての企業について、その所有者は株主であり、株主が経営者解雇権を持っているとする。

企業の株主は、収益率を最大化するために、t期の資本構成が次の二つの条件を満たすように、銀行からの借入の額を決定する[1]。

第一の条件は、事故の発生を検出すること、である[2]。事故を検出できれば経営者の「努力」を引き出す契約を設計できるからだ。そのためには、

附録：デット・ディスオーガニゼーションの理論モデル

第4章の理論モデルの骨子を概説する。

1　生産技術

この経済には無数の企業経営者が存在し、おのおのが一つずつ会社を経営する。モデルは無限期間モデルである。各期に、企業経営者は株主の出資と銀行からの借入によって1単位の労働投入を購入し、生産技術を選択して消費財の生産を行う。

生産技術は、生産性の低い「単独生産」と、生産性の高い「分業生産」の二つである。企業による生産技術の選択は外部から観測可能で、企業経営者は期初にいったん生産技術を選ぶとその期が終わるまで、それを変更することはできないものとする。企業は単独生産を選ぶとA_S単位の消費財を産出するとする。

分業生産を企業が選択すると、企業はランダム・マッチングによって二社ずつのペアを形成する。企業iと企業jのペアを考える。

最初に、企業iは、その労働投入（1単位）を単独生産に使うことのできない中間財（m_i）に加工する。ここで、

$$m_i = A_N \quad (\text{ただし、}A_S < A_N)$$

企業iと企業jは次の生産技術によって、最終消費財yを生産する。

$$y = V(m_i, m_j) = 2 \times min\{m_i, m_j\}$$

ここで、中間財m_iとm_jは、お互いから離れては、他に用途は存在しないと仮定する（“specificity”の仮定）。さらに、「企業iと企業jは、中間財m_iとm_jが生産された後でしか、yの分割を交渉できず、中間財生産の事前には、yの分割を取り決められない」という「契約の非完備性」を仮定する。yは、中間財生産後、ナッシュ・バーゲニングによって分割される。企業間

小林慶一郎（こばやし・けいいちろう）

東京大学大学院計数工学科修士課程修了（工学修士）後、1991年通商産業省入省(産業政策局総務課)。シカゴ大学経済学部博士課程（PhD）に留学後、現在、経済産業研究所研究員。専門はマクロ経済学。

主要論文等

「バランスシートのマクロ経済論」吉川洋他編『マクロ経済政策の課題と争点』（東洋経済新報社）所収

「経済政策論争　迷路からの出口」「論座」2000年８月号（朝日新聞社）所収

「問題先送りによる長期経済停滞」深尾光洋・吉川洋編『ゼロ金利と日本経済』（日本経済新聞社）所収

加藤創太（かとう・そうた）

1991年東京大学法学部卒業後、通商産業省入省（大臣官房総務課企画室)。ミシガン大学政治学部博士課程(PhD)、通商政策局、ハーバード大学ビジネススクール（MBA）などにて勤務・研究。現在、経済産業省課長補佐。専門は数理政治学、比較政府・企業間関係論。

日本経済の罠

2001年３月15日　１版１刷
2001年５月14日　　　４刷

著　者　小林慶一郎・加藤創太

発行者　羽土　力

発行所　日本経済新聞社
http://www. nikkei. co. jp/pub/
東京都千代田区大手町1-9-5 〒100-8066
☎03-3270-0251　振替00130-7-555

印刷・製本　凸版印刷

ISBN4-532-14856-1